AULA INTERNACIONAL 1

Autores: Jaime Corpas, Eva García, Agustín Garmendia, Carmen Soriano
Coordinación pedagógica: Neus Sans
Asesoría y revisión: Manuela Gil-Toresano
Asesoría y redacción de las secciones "Más gramática" y "Más cultura": Bibiana Tonnelier
Coordinación editorial: Pablo Garrido
Edición inglesa: Brian Brennan
Corrección: Eduard Sancho
Documentación: Olga Mias

Diseño: CIFR4
Maquetación: L'obrador (jsv)
Ilustraciones: Roger Zanni *excepto:* Unidad 5 pág. 46 Laura Gutiérrez / Más cultura pág. 124 Man Carot, pág. 125 David Revilla (familia), David Carrero (números), pág. 126 David Carrero, pág. 131 Fundación Federico García Lorca, págs. 140 y 141 David Carrero

Fotografías: Frank Kalero *excepto:* Unidad 1 pág. 9 Programas Internacionales del TEC de Monterrey (Campus Monterrey), pág. 10 Bernat Vilaginés, pág. 11 COVER Agencia de fotografía (Mario Benedetti, Alicia Alonso, Mercedes Sosa, Fernando Botero, Santiago Calatrava), Queen International (Carolina Herrera), pág. 16 Secretaría de turismo de la nación de la República de Argentina (tango) / Unidad 2 pág. 17 Pau Cabruja, pág. 22 Jordi Sangenís y Eduardo Pedroche (pirámide), pág. 24 Paul Fris (manos) / Unidad 3 pág. 25 Miguel Raurich, pág. 26 COVER Agencia de fotografía, pág. 30 Secretaría de turismo de la nación de la República de Argentina, pág. 32 Miguel Raurich (1), Secretaría de turismo de la nación de la República de Argentina (2), Nelson Souto (3) / Unidad 4 pág. 33 Teresa Estrada, pág. 39 Victòria Aragonés (Palma de Mallorca) / Unidad 5 pág. 42 Europa Press, pág. 48 Sónar (Sónar), Manny Rocca (fotografías del archivo de la Bienal de Flamenco), Pedro Párraga (artistas, Festival de Jazz de San Sebastián), Gabinete de Prensa del Ayuntamiento de San Sebastián (Kursaal, Festival de Jazz de San Sebastián) / Unidad 6 pág. 49 Bernat Vilaginés / Unidad 7 pág. 57 Heinz Hebeisen, pág. 63 COVER Agencia de fotografía (1), Abigail Guzmán (2 y 3) / Unidad 8 pág. 65 Heinz Hebeisen, pág. 67 Institut Cartogràfic de Catalunya (Ensanche), Institut d'Estudis Territorials de la Generalitat de Catalunya (Barcelona 1860, Ildefons Cerdà y Plan Cerdà), pág. 70 Didac Aparicio (Palermo Viejo), Carlos Mario Sarmiento (Albaicín), pág. 72 Eva García (East Harlem), Miguel Raurich (Little Havana) / Unidad 9 pág. 73 Miguel Raurich / Unidad 10 pág. 81 *Hable con ella* © Miguel Bracho, pág. 82 Europa Press, pág 83 Miguel Ángel Chazo / Más ejercicios pág. 120 Miguel Ángel Chazo, pág. 122 COVER Agencia de fotografía / Más Cultura pág. 127 Fundació Pau Casals (dibujo Pau Casals y partitura), © Pablo Picasso, VEGAP, Barcelona 2004 (El Piano), pág. 128 ACI Agencia de fotografía, pág. 129 Marjorie Manicke, pág 130 Pau Cabruja (E), Lara Jaruchick (B), pág. 131 Fundación Federico García Lorca, pág. 132 COVER Agencia de Fotografía, pág. 133 Miguel Ángel Ramos (Ojos de Brujo), EMI Music (Macaco, Orishas), pág. 134 Europa Press (Dulce Chacón), pág. 135 Lara Jaruchick (Soledad), pág. 136 COVER Agencia de fotografía, pág. 137 Dirk de Kegel (patatas), pág. 142 Fundación Violeta Parra, COVER Agencia de fotografía (Frida Kahlo)

© Gallego, Rubén. *Blanco sobre negro*. Booket (Santillana)
© Chacón, Dulce. *Algún amor que no mate*. Editorial Planeta
© Dibujo Federico García Lorca: [Florero sobre un tejado, Nueva York, ca. 1929-1930]. Tinta china, lápiz y lápices de color sobre papel. Col. Ángel del Río, Nueva York

Contenido del CD audio: © José María López Sanfeliu (Kiko Veneno), "Cuando me levanto", L.L. Editorial. **Locutores:** Mª Isabel Cruz (Colombia), Asunción Forners (España), Lynne Martí (España), Begoña Pavón (España), Eduardo Pedroche (España), Jorge Peña (España), Israel Rivero (España), Leila Salem (Argentina), Juan José Surace (Argentina), Guillermo García (Argentina), Caro (Cuba), Lisandro Vela (Argentina), David Velasco (España), Nuria Viu (España), Yanaida Yadaleki (Venezuela)

Agradecimientos: Albert Roquet, Rosario Fernández, Begoña Montmany, Pablo G. Polite (Sónar), Mª Antonia Ruiz (Bienal de Flamenco), Eliana Vieira (Institut d'Estudis Territorials de la Generalitat de Catalunya), Francisco Rosales, Isabel Catoira (Inditex), Jesús Torquemada (Festival de Jazz de San Sebastián), Eduardo Fraire Coter, Juan Pablo Tonnelier, Mercè Rabionet, Isabel Naveiras, Esdres Jaruchick, Eli Capdevila, Edith Moreno, Ginés (frutas Ginesito), El Deseo S.L.U. Producciones Cinematográficas, Ojos de Brujo, La fábrica de colores, Carlos (El Murmullo), Fundació Pau Casals, Fundación Federico García Lorca, LL editorial, CYO Studios, Adriaan Dekker, Nathalie Schacht.

Reprinted in June 2012
ISBN (European Schoolbooks Publishing): 978-085048-200-3
ISBN (International edition): 978-84-8443-640-9

© Los autores y Difusión, S.L. Barcelona 2009
Depósito legal: B-19515-2012
Impreso en España por Novoprint

difusión
Centro de
Investigación y
Publicaciones
de Idiomas, S.L.

www.difusion.com

AULA
INTERNACIONAL
1

Jaime Corpas
Eva García
Agustín Garmendia
Carmen Soriano

Coordinación pedagógica
Neus Sans

HOW AULA INTERNACIONAL WORKS

With this book and its CD you will learn Spanish to the A1 level of the Common European Framework for Languages, which has become the common standard in education and business right across Europe. The only other thing you need is a notebook.

The book is divided into two main parts: the main coursebook, (pages 9 - 88); and some chapters mostly intended to help you study on your own.

Each unit of the coursebook has the following structure:

COMPRENDER

Throughout the book, a wide range of written and recorded texts present the new language to be learned in realistic contexts. In this section a variety of activities help you to engage with these texts and to develop essential comprehension skills and techniques.

EXPLORAR Y REFLEXIONAR

In this section you will carry out tasks based on close study of small samples of language, to help you discover for yourself how Spanish works, with your teacher's help when necessary.

The aim is to equip you with your own tools for learning. By consolidating and applying the rules - the grammar - of Spanish, the traditional teacher-driven grammar lesson is less necessary.

In the same section, grammatical and functional summaries are presented in the form of clear and practical boxes to consult.

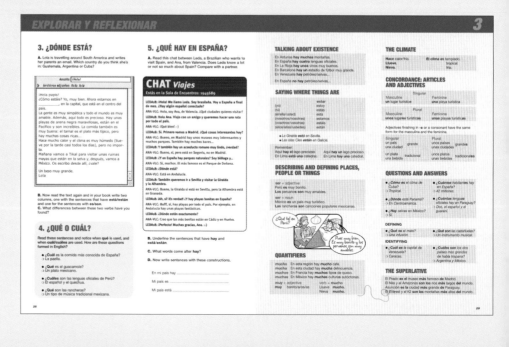

PRACTICAR Y COMUNICAR

The third section is about using the new language for practical communication. The wide range of tasks focus on meaning, and on involving you in active use of the language. The aim is for you to discover how Spanish works by means of communicative 'mini-tasks', many of them designed to make use of your own experience. Your observations and perceptions of your surroundings become the starting points for intercultural reflexion and interactive communication in class.

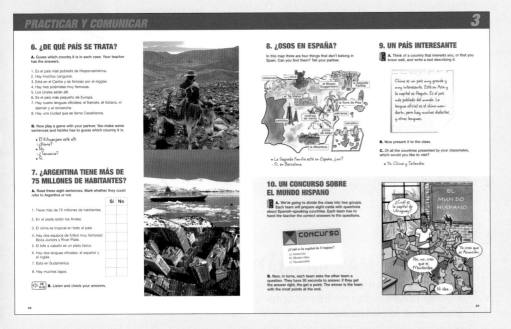

At the end of this section are one or more communicative tasks designed for group work, leading to a final oral or written project: a role-play, a poster, a negotiated solution to a problem, etc.

This icon indicates activities that can be included in your Portfolio.

VIAJAR

The final section of each unit includes cultural material - newspaper and magazine articles, practical information, songs, literary extracts, games and much else, to help you understand everyday life and culture in the Spanish-speaking countries.

▼ The chapters from page 89 onwards are intended mainly for self-study.

MÁS EJERCICIOS

This is your workbook. It contains further exercises, activities and tasks related to the coursebook units. The aim is to reinforce, and make you think about, the language you have learned. Although designed for self-study, these exercises may equally well be used in the classroom.

MÁS CULTURA

This mini-anthology includes a wide variety of texts - press articles, literary extracts, short stories, recipes, poetry - to broaden your understanding of the key cultural features of the Spanish-speaking world presented in the coursebook. These are all authentic texts and so may be a bit more challenging than those in the coursebook. The idea is that you try to work out the meaning, using the tools you have learned in the course, before consulting the glossary. The graphic content and the illustrations are there to help you and, as a last resort, your teacher.

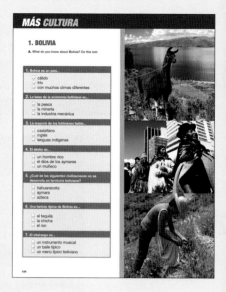

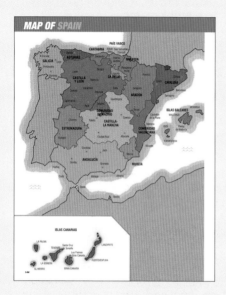

MÁS INFORMACIÓN

This section is a mini-gazetteer of the Spanish-speaking countries, with maps of Spain and Latin America and essential data on each country.

MÁS GRAMÁTICA

Each unit in the coursebook includes a grammar section. In this chapter all the grammar is reassembled in its formal categories and presented again with more detail and more explanation. Verb conjugation tables are included.

TRANSCRIPCIONES Y GLOSARIO

The book ends with transcriptions of all the material recorded on the CD and a Spanish-English glossary of all the vocabulary used in the course.

ÍNDICE

NOSOTROS

In this unit
we'll get to know our classmates

You will learn:
> to give and ask for personal information (name, age, etc)
> to say hello and say goodbye > ways to ask > about words > gender
> the three conjugations: **-ar, -er, -ir** > the verbs **ser**, **tener** and **llamarse**
> numbers 1-100 > the alphabet > nationalities > occupations

1. HOLA, ¿QUÉ TAL?

A. Introduce yourself to your classmates.

B. If you don't know each other, write your name on a piece of paper and put it on your desk.

2. PALABRAS EN ESPAÑOL

A. How many of these words do you understand? Mark them. Then check with a partner.

1	uno	11	once
2	dos	12	doce
3	tres	13	trece
4	cuatro	14	catorce
5	cinco	15	quince
6	seis	16	dieciséis
7	siete	17	diecisiete
8	ocho	18	dieciocho
9	nueve	19	diecinueve
10	diez	20	veinte

- Yo comprendo ocho palabras: taxi, teatro...
- Yo no comprendo "bar de tapas". ¿Qué significa?

3. FAMOSOS QUE HABLAN ESPAÑOL

A. Here are some famous people from the Spanish-speaking world. Match the photo with the corresponding information.

1. Mercedes Sosa

2. Fernando Botero

3. Mario Benedetti

Es un arquitecto español.	
Es una diseñadora venezolana.	
Es un artista colombiano.	
Es una bailarina cubana.	
Es un escritor uruguayo.	
Es una cantante argentina.	

4. Carolina Herrera

5. Santiago Calatrava

6. Alicia Alonso

B. What other famous Spanish-speaking people do you know? Say the names aloud. Your classmates will have to say who the person is.

- Pablo Neruda.
- ¿Es un escritor argentino?
- No, no es argentino.
...

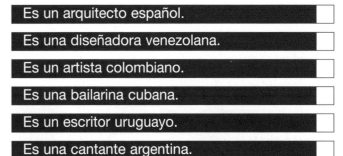

B. Now you're going to hear the words. Beside each word, write the order in which you hear them.

__ taxi	__ teléfono	__ música	__ calle
__ teatro	__ hotel	__ estación	__ televisión
__ perfumería	__ plaza	__ euro	__ museo
__ diccionario	__ bar	__ aeropuerto	__ aula
__ restaurante	__ libro	__ escuela	__ metro

C. What other words do you know in Spanish? Make a list. Then compare with a partner. Are any of the words new for you? Find out what they mean and add them to your list.

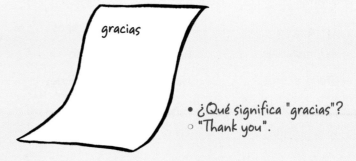

gracias

- ¿Qué significa "gracias"?
- "Thank you".

4. EN LA RECEPCIÓN

CD 2-4 **A.** Three students are enrolling at a Spanish language academy in Madrid. Listen and complete the student cards.

1. **Nombre:** Paulo
   Apellido: de Souza
   Nacionalidad: ....
   Edad: ....
   Profesión: estudiante
   Teléfono: ....
   Correo electrónico:
   paulo102@aula.com

2. **Nombre:** Katia
   Apellido: Vigny
   Nacionalidad: francesa
   Edad: ....
   Profesión: camarera
   Teléfono: ....
   Correo electrónico: ----
   -----

3. **Nombre:** ....
   Apellido: Meyerhofer
   Nacionalidad: alemana
   Edad: 24
   Profesión: ....
   Teléfono: --------
   Correo electrónico:
   ....

- Barbara
- barbara5@mail.com
- 27
- 19
- enfermera
- brasileño
- 675312908
- 91 3490025

CD 2-4 **B.** Now listen again. What are the following questions for?

PREGUNTAS

¿Cómo te llamas?
¿Cuántos años tienes?
¿A qué te dedicas?
¿Tienes correo electrónico?
¿Cuál es tu número de teléfono?
¿Cuál es tu nombre?
¿En qué trabajas?
¿De dónde eres?
¿Tienes móvil?

**PARA PREGUNTAR
O PARA SABER:**

- el nombre
- la nacionalidad /
  el lugar de origen
- la edad
- la profesión
- el número de teléfono
- el correo electrónico

C. Complete the following file card with your own data.

Me llamo .... y soy (de) .... Vivo en

.... Tengo .... años

y soy/trabajo en .... Mi número de

teléfono es el .... y mi (dirección de)

correo electrónico es ....

5. AFICIONES

A. Here is a list of leisure activities. Match them to the corresponding image.

1. cocinar
2. ver la tele
3. el esquí
4. ir al gimnasio
5. cantar
6. el tenis
7. salir de noche
8. leer novelas
9. jugar al fútbol
10. escribir
11. coleccionar
    sellos

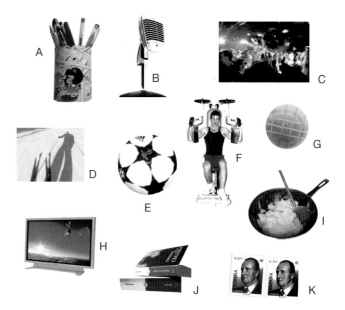

B. Now underline the verbs in the list above. What three endings do verbs in Spanish have?

....

6. LETRAS Y SONIDOS

CD 5 Listen to the following words and write them in your notebook, classifying them according to the first sound.

/k/ Ej: **c**asa	/θ/ Ej: **z**apato	/x/ Ej: **j**amón	/g/ Ej: **g**ato
gimnasio	Zaragoza	guitarra	
cero	jefe	cinco	
comida	cincuenta	cuenta	
queso	gol	zoo	
jugar	camarero	general	
guerra	cine	joven	
colección	quilo	cantar	

THE ALPHABET

A	a	H	hache	Ñ	eñe	U	u
B	be	I	i	O	o	V	uve
C	ce	J	jota	P	pe	W	uve
D	de	K	ca	Q	cu		doble
E	e	L	ele	R	erre	X	equis
F	efe	M	eme	S	ese	Y	i griega
G	ge	N	ene	T	te	Z	ceta

PERSONAL INFORMATION

¿Cómo te llamas/se llama?	**(Me llamo)** Katia Vigny.
¿Cuál es tu/su nombre?	Katia.
¿Cuál es tu/su apellido?	Vigny.
¿De dónde eres/es?	**Soy** alemán/alemana. **(Soy) de** Berlín.
¿Eres/Es francesa?	**No, soy** italiano/a. **Sí, (soy) de** París.
¿Cuántos años tienes/tiene?	23. **Tengo** 23 **años**.
¿En qué trabajas/trabaja?	**Soy** profesor/a. **Trabajo en** un banco. **Trabajo de** camarero/a.
¿Cuál es tu número de teléfono?	**(Es el)** 93 555689
¿Tienes/tiene móvil?	**Sí, es el** 627629047
¿Tienes/tiene correo electrónico?	**Sí,** pedro86@aula.com*

! *@ is called **arroba** in Spanish.

NUMBERS

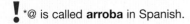

0 **cero**	16 **dieciséis**	32 **treinta y dos**
1 **uno**	17 **diecisiete**	33 **treinta y tres**
2 **dos**	18 **dieciocho**	34 **treinta y cuatro**
3 **tres**	19 **diecinueve**	35 **treinta y cinco**
4 **cuatro**	20 **veinte**	36 **treinta y seis**
5 **cinco**	21 **veintiuno**	37 **treinta y siete**
6 **seis**	22 **veintidós**	38 **treinta y ocho**
7 **siete**	23 **veintitrés**	39 **treinta y nueve**
8 **ocho**	24 **veinticuatro**	40 **cuarenta**
9 **nueve**	25 **veinticinco**	50 **cincuenta**
10 **diez**	26 **veintiséis**	60 **sesenta**
11 **once**	27 **veintisiete**	70 **setenta**
12 **doce**	28 **veintiocho**	80 **ochenta**
13 **trece**	29 **veintinueve**	90 **noventa**
14 **catorce**	30 **treinta**	99 **noventa y nueve**
15 **quince**	31 **treinta y uno**	100 **cien**

SAYING HELLO AND GOODBYE

Buenos días.
Buenas tardes.
Buenas noches.

¡Hola!
Hola, ¿qué tal?

¡Adiós!
¡Hasta luego!

GENDER
IN NATIONALITIES

masculine	feminine	masculine and feminine
-o	**-a**	belg**a**
italian**o**	italian**a**	marroqu**í**
británic**o**	británic**a**	estadounid**ense**
-consonante	**-consonante + a**	
irlandés	irlandes**a**	
francés	frances**a**	

IN OCCUPATIONS

masculine	feminine	masculine and feminine
camarer**o**	camarer**a**	period**ista**
cociner**o**	cociner**a**	deport**ista**
secretari**o**	secretari**a**	estudiant**e**

For some occupations, only the article changes according to the gender of the person (**un/a juez, un/a médico, el/la presidente...**). However it's becoming more common to change the noun as well (**una jueza, una médica, la presidenta...**).

THE THREE CONJUGATIONS

First conjugation: -ar	Second conjugation : -er	Third conjugation : -ir
estudi**ar**	le**er**	escrib**ir**
cant**ar**	ten**er**	**ir**
cocin**ar**	s**er**	viv**ir**

VERBS SER, TENER AND LLAMARSE

	ser	tener	llamarse
(yo)	soy	tengo	me llamo
(tú)	eres	tienes	te llamas
(él/ella/usted)	es	tiene	se llama
(nosotros/nosotras)	somos	tenemos	nos llamamos
(vosotros/vosotras)	sois	tenéis	os llamáis
(ellos/ellas/ustedes)	son	tienen	se llaman

Hola, ¿qué tal? ¿Cómo
Bien, ¿y tú?
Muy bien.

7. LAS COSAS DE LA CLASE

Do you know the names of these classroom objects? In pairs, note down the names that you know, and ask your classmates or your teacher the ones you don't know. Who knows the most words?

¿Cómo se llama esto en español?
¿Cómo se escribe "bolígrafo"? ¿Con be o con uve?
¿Cómo se dice "TV" en español?

8. EL PRIMER DÍA DE CLASE

CD 6 **A.** Antonio, an Argentinean who lives in London, has just had his first class in an international marketing school. Listen to his conversation with a friend and mark the names of Antonio's classmates on the list.

Alice
Keiko
Robert
Eli
Andrea
Claudia
Catrina
Fuat
Hanae
Peter
Eva
Montse
Karen

CD 6 **B.** Now listen again and note down the information that you have about each of Antonio's classmates

NOMBRES	■ ■ ■
1 Karen	es ....
	....
2	es ....
	....
3	es ....
	....
4	es ....
	....
5	es ....
	....
6	es ....
	....

9. LOS COMPAÑEROS DE CLASE

 A. We're going to make a poster with information about your classmates. Each person is responsible for providing information about one classmate. Here's a model.

B. Then you can pin the poster up on the classroom wall. You can also add a photo or a caricature.

VIAJAR

10. MÚSICA LATINA

CD 7-10 **A.** You will hear four fragments of music from Spanish-speaking countries. Which country do you think each one is from?

España

México

Cuba

Guatemala Honduras
El Salvador Nicaragua
Costa Rica
Panamá

República Dominicana

Puerto Rico

Venezuela

Colombia

Ecuador

Perú

Bolivia

Paraguay

Chile

Uruguay

Argentina

B. Now read this short text and match each paragraph with one of the photos.

La música de mariachi es típica de México. El conjunto tiene ocho músicos, que tocan diversos instrumentos, como la guitarra, el violín y la trompeta. Esta música es muy popular en bodas, cumpleaños y fiestas de quinceañeras.

El son cubano tiene su origen en melodías africanas, españolas e indígenas. El son es la base de la salsa, estilo que amplía y moderniza los sonidos cubanos con influencias de otras músicas latinoamericanas.

El flamenco es una música y un baile típicos del sur de España. El instrumento principal es la guitarra, que normalmente se acompaña con las palmas.

El tango es argentino. Este baile nace en los barrios marginales de Buenos Aires. El tango expresa toda la melancolía del emigrante. Hoy, es conocido en todo el mundo.

11. SALUDOS Y DESPEDIDAS

CD 11 Some 400 million people speak Spanish as their first language. They all speak the same language, but there are differences. These are all ways of saying hello and goodbye between friends. Which mean 'hello' (H), and which mean 'goodbye' (G)?

	H	G
1. Argentina **Hola, ¿qué tal? ¿Todo bien?**		
2. Venezuela **Chao y hasta la próxima.**		
3. Cuba **Hasta luego.**		
4. Argentina **Chau, nos vemos.**		
5. Venezuela **Hola, ¿cómo están?**		
6. Cuba **Hola, ¿qué tal?**		
7. España **Adiós, hasta luego.**		
8. México **¿Qué onda? ¿Cómo estás?**		

2

QUIERO
APRENDER ESPAÑOL

In this unit

**we'll decide what we want to achieve
in this Spanish course**

You will learn:

> to express intentions > to talk about interests
> to talk about our motives for what we do
> the **Presente indicativo** tense (verbs finishing in
en **-ar/-er/-ir**) > some uses of **a**, **con**,
de, **por** and **para** > the definite article
> subject pronouns

1. ESTE FIN DE SEMANA...

A. Eva has plans for this weekend. Which things on the list does she want to do? Mark them and check with your partner.

- ❐ estudiar español
- ❐ ir al cine
- ❐ ir a un museo
- ❐ salir de noche
- ❐ escribir un correo electrónico a un amigo
- ❐ ir al teatro
- ❐ trabajar
- ❐ hacer fotos
- ❐ invitar a cenar a unos amigos
- ❐ ir de compras
- ❐ ir de excursión
- ❐ leer
- ❐ hacer ejercicio
- ❐ pasear

- Eva quiere hacer fotos...

B. What about you? What do you want to do this weekend? Tell your classmates.

- Yo quiero salir de noche. ¿Y tú?
- Yo también. Y quiero hacer fotos.
- Pues yo quiero ir de excursión a...

2. ¿TE INTERESAN ESTAS ACTIVIDADES?

A. Imagine that your school is organising these activities for its students of Spanish. Mark the ones that interest you.

CLUB SOCIAL
- ¡Viva el fútbol! ¡Todos los partidos de las ligas española y argentina en pantalla gigante!
- Noche de salsa todos los jueves.

ACTIVIDADES CULTURALES
- Taller de teatro
- Debate del mes: ¿Gran Hermano o telenovela? El impacto de la televisión en los países latinoamericanos.
- Cine: esta semana la película argentina *Luna de avellaneda*.

CURSOS ESPECIALES
· Curso de guitarra flamenca
· Curso de cocina española
· Curso de literatura española y latinoamericana
· Curso de cine
· Curso de teatro
· Curso de pronunciación
· Curso de gramática

Intercambios y clases particulares
- Me llamo Sergio y soy de Madrid. ¿Quieres practicar el español conmigo? sergio47@hotmail.com

- ¿Quieres aprender español? Profesor nativo. 3 años de experiencia. Precio

B. Now compare your answers with those of your classmates. Which three activities are the most popular?

● A mí me interesan el curso de guitarra, el fútbol y el intercambio con Sergio.
○ Pues a mí me interesan los cursos de teatro y de cine, y la película argentina.

3. ¿POR QUÉ ESTUDIAN ESPAÑOL?

A. All of these people study Spanish. Why do you think they do it? With your partner, compare answers.

A. Para viajar por Sudamérica.
B. Por su trabajo.
C. Porque su novia es colombiana.
D. Para leer en español.
E. Para chatear con sus amigos.
F. Porque quiere vivir en España.
G. Para mejorar su currículum.
H. Para aprobar el curso.

🔊 CD 12-14 **B.** Now listen to three Spanish students. Which language do they study and why? Write down your answers.

4. ¿ESTUDIAS O TRABAJAS?

A. Underline the verbs in the speech bubbles.

B. Write the verbs that you have just underlined, next to the corresponding personal pronoun. Then complete the grid with the correct form of each verb for each personal pronoun.

	estudiar	trabajar
(yo)	....	....
(tú)	....	....
(él/ella/usted)	....	....
(nosotros/nosotras)	....	....
(vosotros/vosotras)	....	....
(ellos/ellas/ustedes)	....	....

C. Now can you conjugate the Present tense of the verb **practicar**?

5. QUIERO, QUIERES, QUIERE...

A. Apart from learning Spanish, you must have other wishes or hopes. Would you like to do any of these things in the future? Choose two and mark them.

- ❑ viajar por Latinoamérica
- ❑ aprender otros idiomas
- ❑ vivir en España
- ❑ tener hijos
- ❑ escribir un libro
- ❑ tener una pareja estable
- ❑ ser millonario/a
- ❑ tener una casa muy grande
- ❑ ser famoso/a
- ❑ ir a la Luna
- ❑ vivir 100 años

B. Now ask your classmates. Then, with your answers and theirs, complete the sentences, as in the examples.

1. (Yo) Quiero ser famoso y tener una casa muy grande.
2. Mi compañero/a Joe quiere ir a la Luna y vivir 100 años.
3. Anne y yo queremos ser famosos.
4. Katerina y Michael quieren viajar por Latinoamérica y aprender otros idiomas.

1. (Yo) Quiero ....
2. Mi compañero/a .... quiere ....
   ....
3. .... y yo queremos ....
4. .... y .... quieren ....
   ....

C. Can you conjugate the verb **querer**?

	querer
(yo)	....
(tú)	quieres
(él/ella/usted)	....
(nosotros/nosotras)	....
(vosotros/vosotras)	queréis
(ellos/ellas/ustedes)	....

D. Now, compare the verb **querer** with another one ending in **-er**: **aprender**. Do they have the same endings? How are they different?

	aprender
(yo)	aprendo
(tú)	aprendes
(él/ella/usted)	aprende
(nosotros/nosotras)	aprendemos
(vosotros/vosotras)	aprendéis
(ellos/ellas/ustedes)	aprenden

EXPRESSING INTENTIONS

	querer	+ infinitive
(yo)	quiero	
(tú)	quieres	
(él/ella/usted)	quiere	viajar
(nosotros/nosotras)	queremos	tener hijos
(vosotros/vosotras)	queréis	ir a la Luna
(ellos/ellas/ustedes)	quieren	

- ¿Qué *queréis hacer* este fin de semana?
- Yo *quiero hacer* deporte.
- Pues yo *quiero leer* un buen libro y *pasear*.

EXPRESSING INTERESTS

(A mí)	me	
(A ti)	te	
(A él/ella/usted)	le	interesa **el curso** de gramática.
(A nosotros/nosotras)	nos	interesan **los cursos** de cocina.
(A vosotros/vosotras)	os	
(A ellos/ellas/ustedes)	les	

- ¿*A vosotros* qué curso *os interesa*?
- *A mí me interesa* el curso de teatro.
- *A mí*, el de cocina.

TALKING ABOUT MOTIVES

	Porque + conjugated verb **Porque** quiero vivir en Cuba.
Por qué + conjugated verb ¿**Por qué** estudias español?	**Para** + Infinitive **Para** viajar por Chile.
	Por + noun **Por** mi trabajo.

PERSONAL SUBJECT PRONOUNS

	Singular	Plural
1ª persona	yo	nosotros/nosotras
2ª persona	tú/usted*	vosotros/vosotras/ustedes*
3ª persona	él/ella	ellos/ellas

❗ * **Usted** and **ustedes** take the third person of the verb.

PRESENTE DE INDICATIVO: REGULAR VERBS ENDING IN -AR

	hablar
(yo)	hablo
(tú)	hablas
(él/ella/usted)	habla
(nosotros/nosotras)	hablamos
(vosotros/vosotras)	habláis
(ellos/ellas/ustedes)	hablan

Other verbs: **estudiar**, **trabajar**, **viajar**, **bailar**, **visitar**, **entrar**, **comprar**...

PRESENTE DE INDICATIVO: REGULAR VERBS ENDING IN -ER/-IR

	comprender	escribir
(yo)	comprendo	escribo
(tú)	comprendes	escribes
(él/ella/usted)	comprende	escribe
(nosotros/nosotras)	comprendemos	escribimos
(vosotros/vosotras)	comprendéis	escribís
(ellos/ellas/ustedes)	comprenden	escriben

Other verbs: **leer**, **aprender**, **comer**, **vivir**, **descubrir**...

VERBS AND PREPOSITIONS

	conocer	México.
	visitar	Barcelona.
	aprender	otras lenguas.
Quiero	practicar	español.
	estudiar	fotografía.
	hacer	muchas fotos
	descubrir	lugares nuevos.

Quiero	ir	a la playa / **al*** cine / a bailar. **de** compras.
Quiero	salir	**con** mis compañeros. **de** noche.

When the direct object refers to people, it takes the preposition a: **Quiero conocer a tu hermano**.

❗ * **al** = **a** + **el**

THE DEFINITE ARTICLE

	Singular	Plural
Masculino	**el** pueblo **el** museo **el** curso	**los** pueblos **los** museos **los** cursos
Femenino	**la** playa **la** fiesta **la** discoteca	**las** playas **las** fiestas **las** discotecas

- Me interesan *los* museos y *la* historia.

Usually, nouns ending in **-o** are masculine, and those ending in **-a** are feminine. However, there are many exceptions: **el idioma**, **la mano**, **la moto**, etc. Nouns ending in **-e** could be masculine or feminine: **la gente**, **el/la estudiante**...

❗ Singular feminine nouns beginning with a stressed syllable use the definite article **el**: **el aula**, **el ave**...

6. ¿QUÉ COSAS TE INTERESAN DEL MUNDO HISPANO?

A. Write some sentences about things that interest you, then tell a classmate about them.

la historia
la gente
la comida
el cine
el arte
la literatura
la cultura
la música
la vida nocturna
la política
la artesanía
la naturaleza
las playas
las fiestas
los toros
los museos
el fútbol
la economía

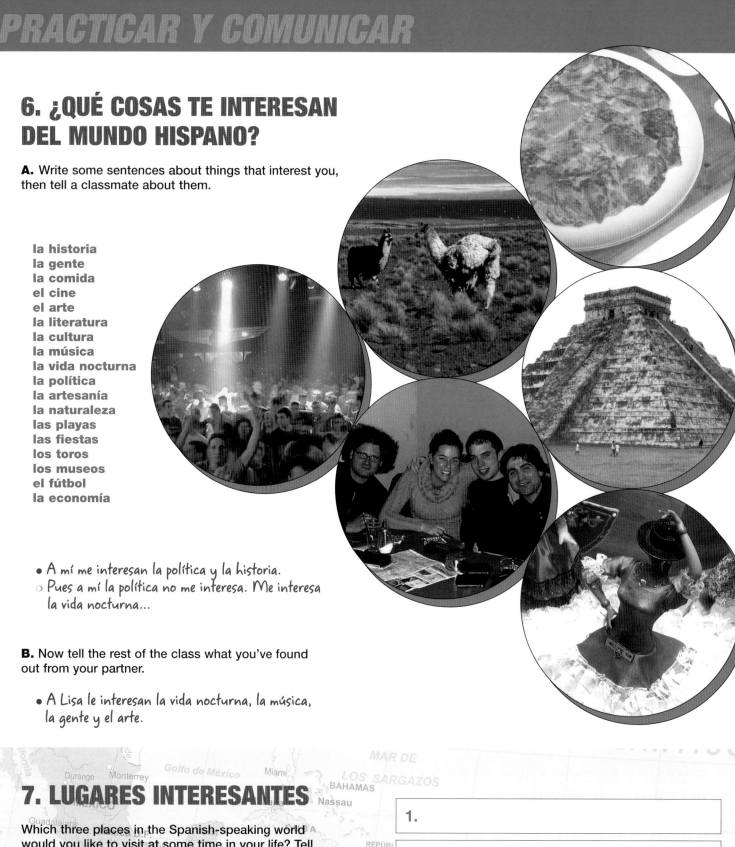

- A mí me interesan la política y la historia.
- Pues a mí la política no me interesa. Me interesa la vida nocturna...

B. Now tell the rest of the class what you've found out from your partner.

- A Lisa le interesan la vida nocturna, la música, la gente y el arte.

7. LUGARES INTERESANTES

Which three places in the Spanish-speaking world would you like to visit at some time in your life? Tell your classmates and say why.

- Yo quiero ir a Argentina para ver la Patagonia.
- Yo también, porque tengo familia en Buenos Aires.

1.

2.

3.

8. ¿QUÉ IDIOMAS HABLAS?

A. There must be people in the class who speak or who have contact with more than one language. Why don't you ask them? Make a file card with the following information about three of your classmates.

Hablo polaco **muy bien**.
Leo **bastante bien** en francés.
Entiendo portugués **regular**. = Entiendo **un poco de** portugués.
Escribo en italiano, pero **muy mal**.

● ¿Qué idiomas hablas?
○ Yo hablo inglés porque es mi lengua materna, hablo italiano bastante bien y un poco de francés.

NOMBRE David	
IDIOMA	**¿QUÉ SABE HACER EN ESTE IDIOMA?**
alemán italiano francés	Habla y escribe muy bien. Habla bastante bien y escribe regular. Habla y escribe regular.

B. Is there anyone in the class who speaks more than two languages? What about more than three? Or more than four? Who could be the class *official interpreter*?

9. ¿QUÉ QUIERES HACER EN ESTE CURSO?

A. Mark the three things that you'd most like to do or learn in this course.

❏ LEER PERIÓDICOS Y REVISTAS EN ESPAÑOL
❏ ESCUCHAR CANCIONES EN ESPAÑOL
❏ HACER EJERCICIOS DE GRAMÁTICA
❏ LEER LITERATURA
❏ HABLAR MUCHO EN CLASE
❏ ESCUCHAR GRABACIONES
❏ PRACTICAR LA PRONUNCIACIÓN
❏ VER PELÍCULAS EN ESPAÑOL
❏ ESCRIBIR POSTALES
❏ IR DE EXCURSIÓN CON LOS COMPAÑEROS DE CLASE
❏ PRACTICAR ESPAÑOL CON JUEGOS
❏ APRENDER A PREPARAR PLATOS TÍPICOS
❏ TRADUCIR
❏ BUSCAR INFORMACIÓN EN ESPAÑOL EN INTERNET
❏ CANTAR EN ESPAÑOL
...

B. In small groups, decide which three things all of you would like to do.

● Yo quiero hablar mucho en clase, ver películas en español y leer periódicos y revistas. ¿Y tú?
○ A mí me interesa escuchar canciones...

 C. Now complete the text and talk about your preferences with the rest of the class.

En este curso, nosotros queremos...

VIAJAR

10. ¡TE QUIERO!

A. Read this poem. What does *Te quiero* mean?

B. Why not write a short text for a Saint Valentine's Day card?

*Tú eres el aire
que quiero besar,
tú eres el cuerpo
que quiero sentir.*

*Tú eres la rosa
que quiero mirar,
tú eres la luz
que quiero seguir.*

*Tú eres la idea
que quiero soñar,
tú eres la vida
que quiero vivir.*

*Besar, sentir, mirar,
seguir, soñar, vivir...*

¡Te quiero!

*(Para Margarita, de Amador,
San Valentín, 1962)*

11. TE QUIERO PERO... ¿EN QUÉ IDIOMA?

In how many languages do you know how to say Te quiero? Here's a list of how to say Te quiero in different languages. Do you recognise them? Match the expression with the language. Your teacher has the answers.

1. *Ich liebe Dich*	*japonés*
2. *I love you*	*holandés*
3. *Ya tyebya lyublyu*	*portugués*
4. *S'agapó*	*alemán*
5. *Ik hou van jou*	*ruso*
6. *Je t'aime*	*inglés*
7. *Aloha i'a au oe*	*español*
8. *Eu te amo*	*francés*
9. *Kimi o ai shiteru*	*griego*
10. *Te quiero*	*hawaiano*

3

¿DÓNDE ESTÁ SANTIAGO?

In this unit

we'll have a competition to find out how much you know about the Spanish-speaking world

You will learn:

> to describe places and countries > to say what there is
> to say where things are > to talk about climate
> some uses of **hay** > the verb **estar** > the superlative form
> un/una/unos/unas > mucho/mucha/muchos/muchas
> qué/cuál/cuáles/cuántos/cuántas/dónde/cómo

Peregrinos en Santiago de Compostela

Map labels:
MÉXICO — Ciudad de México
La Habana
CUBA
PUERTO RICO — San Juan
Santo Domingo
REPÚBLICA DOMINICANA
HONDURAS — Tegucigalpa
GUATEMALA — Guatemala
NICARAGUA — Managua
EL SALVADOR — San Salvador
San José
COSTA RICA
PANAMÁ — Panamá
ISLAS GALÁPAGOS (ARCHIPIÉLAGO DE COLÓN) (Ecuador)
ECUADOR — Quito
VENEZUELA — Caracas
COLOMBIA — Bogotá
PERÚ — Lima
BOLIVIA — Sucre
PARAGUAY — Asunción
CHILE
ARGENTINA — Buenos Aires
URUGUAY — Montevideo
Santiago

1. POR LA PANAMERICANA

A. Read the text and look at the map. Which Spanish-speaking countries does the Pan-American Highway pass through? Mark them on the map and talk about it with a classmate.

Los países de América Latina están unidos por una lengua común. Pero hay también otra cosa que une a muchos de ellos: la autopista Panamericana.

Esta famosa carretera recorre todo el oeste del continente americano, desde Alaska en el norte hasta Chile en el sur. Esta ruta de 25 750 kilómetros pasa por 14 países, cruza paisajes espectaculares y se encuentra con una gran diversidad geográfica y climática: pasa por zonas de densa selva tropical y por altos y fríos puertos de montaña.

Clima: seco en el norte, templado en el centro y frío en el sur
Un producto importante: el cobre

Capital: San José
Lengua oficial: el español

Moneda: el dólar
Población: 11,8 millones

Clima: tropical
Un producto importante: el café

Un plato típico: la empanada
Lugares de interés turístico: los Andes, la isla de Pascua

Moneda: el peso
Población: 15 millones

Clima: tropical en la costa, frío en el interior
Un producto importante: el cacao

Moneda: el colón
Población: 3,9 millones

Un plato típico: el gallopinto
Lugares de interés turístico: el volcán Arenal, los parques naturales

Capital: Quito
Lengua oficial: el español y el quechua

Un plato típico: el locro
Lugares de interés turístico: las islas Galápagos, Ingapirca

Capital: Santiago
Lengua oficial: el español

B. Which country do you think each of the series of file cards refers to: Chile, Costa Rica or Ecuador? Do you and your partner agree?

- La capital de Chile es Santiago, ¿verdad?
- Sí, sí, seguro. ¿Y la moneda es el peso?
- No sé, yo creo que…

C. What do you know about Spain? Complete the file card with the data on the map.

Capital: . . . .

Lenguas oficiales: . . . .

Clima: . . . .

Moneda: . . . .

Un producto importante: . . . .

Población: . . . .

Un plato típico: . . . .

Lugares de interés turístico: . . . .

• Madrid

• Islas Canarias, Andalucía, Cataluña, Islas Baleares

• el euro

• templado

• 40 millones

• el español, el catalán, el vasco y el gallego

• la paella

• el aceite

2. JUEGA Y GANA

A. The supermarket chain Todoprix is raffling a trip to Mexico for customers who can answer these questions correctly. Do you want to have a go?

Contesta a estas preguntas sobre México y gana un fabuloso viaje a Cancún para dos personas con todos los gastos pagados en un fantástico hotel de cinco estrellas.

SUPERMERCADOS
¡TODOPRIX!

1. ¿Cuál es la capital de México?
☐ A. Buenos Aires
☐ B. México DF
☐ C. Acapulco

2. ¿Cuántos habitantes tiene el país?
☐ A. 105 millones
☐ B. 50 millones
☐ C. 10 millones

3. ¿Cuántas lenguas oficiales hay?
☐ A. Ninguna
☐ B. Dos, el español y el maya
☐ C. Una, el español

4. ¿Hay selvas y desiertos?
☐ A. Selvas sí, pero desiertos no
☐ B. Desiertos sí, pero selvas no
☐ C. Sí, hay selvas y desiertos

5. ¿Dónde está Oaxaca?
☐ A. En el norte
☐ B. En el centro
☐ C. En el sur

6. ¿Cuál es la moneda?
☐ A. El euro
☐ B. El peso
☐ C. El dólar

7. ¿Qué es una "ranchera"?
☐ A. Una música típica
☐ B. Una lengua indígena
☐ C. Un plato típico

8. ¿Cómo es el clima en la costa atlántica?
☐ A. Frío
☐ B. Tropical y lluvioso
☐ C. Seco

9. ¿Qué es el "tequila"?
☐ A. Un estado
☐ B. Una fiesta popular
☐ C. Una bebida

10. ¿Qué son Yucatán y Puebla?
☐ A. Dos estados
☐ B. Dos ríos
☐ C. Las dos montañas más altas del país

ENVÍA TUS RESPUESTAS AL APARTADO DE CORREOS 09090 DE MADRID

B. Compare your answers with a partner. Who got the most right? Your teacher has the answers.

3. ¿DÓNDE ESTÁ?

A. Lola is travelling around South America and writes her parents an email. Which country do you think she's in: Guatemala, Argentina or Cuba?

Asunto: ¡Hola!

▷ Archivos adjuntos: *foto lola*

¡Hola papis!
¿Cómo estáis? Yo, muy bien. Ahora estamos en _____, en la capital, que está en el centro del país.
La gente es muy simpática y todo el mundo es muy amable. Además, aquí todo es precioso. Hay unas playas de arena negra maravillosas, están en el Pacífico y son increíbles. La comida también es muy buena: el tamal es el plato más típico, pero hay muchas cosas ricas...
Hace mucho calor y el clima es muy húmedo (llueve por la tarde casi todos los días), pero no importa.
Mañana vamos a Tikal para visitar unas ruinas mayas que están en la selva y, después, vamos a México. Os escribo desde allí, ¿vale?

Un beso muy grande.
Lola

B. Now read the text again and in your notebook write two columns, one with the sentences that have **está/están** and one for the sentences with **es/son**.

C. What differences between these two verbs have you found?

4. ¿QUÉ O CUÁL?

Read these sentences and notice when **qué** is used, and when **cuál/cuáles** are used. How are these questions formed in English?

- ¿**Cuál** es la comida más conocida de España?
- La paella.

- ¿**Qué** es el guacamole?
- Un plato mexicano.

- ¿**Cuáles** son las lenguas oficiales de Perú?
- El español y el quechua.

- ¿**Qué** son las rancheras?
- Un tipo de música tradicional mexicana.

5. ¿QUÉ HAY EN ESPAÑA?

A. Read this chat between Leda, a Brazilian who wants to visit Spain, and Ana, from Valencia. Does Leda know a lot or not so much about Spain? Compare with a partner.

CHAT *Viajes*

Estás en la Sala de Encuentros: 1945689

LEDA18: ¡Hola! Me llamo Leda. Soy brasileña. Voy a España a final de mes. ¿Hay algún español conectado?

ANA-VLC: Hola, soy Ana, de Valencia. ¿Qué ciudades quieres visitar?

LEDA18: Hola Ana. Viajo con un amigo y queremos hacer una ruta por todo el país.

ANA-VLC: ¡Qué bien! :-)

LEDA18: Sí. Primero vamos a Madrid. ¿Qué cosas interesantes hay?

ANA-VLC: Bueno, en Madrid hay unos museos muy interesantes y muchos parques. También hay muchos bares...

LEDA18: Y también hay un acueducto romano muy lindo, ¿verdad?

ANA-VLC: Bueno, sí, pero está en Segovia, no en Madrid.

LEDA18: ¿Y en España hay parques naturales? Soy bióloga y...

ANA-VLC: Sí, muchos. El más famoso es el Parque de Doñana.

LEDA18: ¿Dónde está?

ANA-VLC: Está en Andalucía.

LEDA18: También queremos ir a Sevilla y visitar la Giralda y la Alhambra.

ANA-VLC: Bueno, la Giralda sí está en Sevilla, pero la Alhambra está en Granada.

LEDA18: ¡Ah, sí! ¡Es verdad! ¿Y hay playas bonitas en España?

ANA-VLC: Bufff, sí, hay playas por todo el país. Por ejemplo, en Andalucía hay unas playas fantásticas.

LEDA18: ¿Dónde están exactamente?

ANA-VLC: Creo que las más bonitas están en Cádiz y en Huelva.

LEDA18: ¡Perfecto! Muchas gracias, Ana. :-)

B. Underline the sentences that have **hay** and **está/están**.

C. What words come after **hay**?

D. Now write sentences with these constructions.

En mi país hay ....

Mi país es ....

Mi país está ....

SAYING WHAT THERE IS

En Asturias **hay muchas** montañas.
En España **hay cuatro** lenguas oficiales.
En La Rioja **hay unos** vinos muy buenos.
En Barcelona **hay un** estadio de fútbol muy grande.
En Venezuela **hay** petróleo/selvas...

En España **no hay** petróleo/selvas...

SAYING WHERE THINGS ARE

	estar
(yo)	estoy
(tú)	estás
(él/ella/usted)	está
(nosotros/nosotras)	estamos
(vosotros/vosotras)	estáis
(ellos/ellas/ustedes)	están

- *La Giralda **está** en Sevilla.*
- *Las islas Cíes **están** en Galicia.*

Remember:
Aquí hay el lago precioso.   Aquí **hay un** lago precioso.
En Lima está una catedral.   En Lima **hay una** catedral.

DESCRIBING AND DEFINING PLACES, PEOPLE OR THINGS

ser + adjective
Perú **es** muy bonito.
Los peruano**s son** muy amables.

ser + noun
México **es** un país muy turístico.
Las rancher**as son** canciones populares mexicanas.

¿Qué tal en Perú?

Pues muy bien. Es muy bonito y los peruanos son muy amables.

QUANTIFIERS

mucho	En esta región hay **mucho** café.
mucha	En esta ciudad hay **mucha** delincuencia.
muchos	En Francia hay **muchos** tipos de queso.
muchas	En México hay **muchas** culturas autóctonas.

muy + adjective	verb + **mucho**
muy bonito/a/os/as	Llueve **mucho.**
	Nieva **mucho.**

THE CLIMATE

Hace calor/frío.	**El clima es** templado.
Llueve.	tropical.
Nieva.	frío.

AGREEMENT OF ARTICLES AND ADJECTIVES

Singular	
Masculine	Feminine
un lugar turístic**o**	**una** playa turístic**a**

Plural	
Masculine	Feminine
unos lugares turístic**os**	**unas** playas turístic**as**

Adjectives finishing in **-e** or a consonant have the same form for the masculine and the feminine.

Singular		Plural	
un país	grande	unos países	grandes
una ciudad		unas ciudades	
un plato	tradicional	unos platos	tradicionales
una bebida		unas bebidas	

QUESTIONS AND ANSWERS

- ● ***¿Cómo es*** el clima de Cuba?
- ○ *Tropical.*

- ● ***¿Dónde*** está Panamá?
- ○ *En Centroamérica.*

- ● ***¿Hay*** selvas en México?
- ○ *Sí.*

- ● ***¿Cuántos*** habitantes hay en España?
- ○ *42 millones.*

- ● ***¿Cuántas*** lenguas oficiales hay en Paraguay?
- ○ *Dos, el español y el guaraní.*

DEFINING

- ● ***¿Qué es*** el mate?
- ○ *Una infusión.*

- ● ***¿Qué son*** las castañuelas?
- ○ *Un instrumento musical.*

IDENTIFYING

- ● ***¿Cuál es*** la capital de Venezuela?
- ○ *Caracas.*

- ● ***¿Cuáles son*** los dos países más grandes de habla hispana?
- ○ *Argentina y México.*

THE SUPERLATIVE

El Prado **es el** museo **más** famoso **de** Madrid.
El Nilo y el Amazonas **son los** ríos **más** largos **del** mundo.
Asunción **es la** ciudad **más** grande **de** Paraguay.
El Everest y el K2 **son las** montañas **más** altas **del** mundo.

6. ¿DE QUÉ PAÍS SE TRATA?

A. Guess which country each sentence refers to. Your teacher has the answers.

1. Es el país más poblado de Hispanoamérica.
2. Hay muchos canguros.
3. Está en el Caribe y es famoso por el *reggae*.
4. Hay tres pirámides muy famosas.
5. Los Urales están allí.
6. Es el país más pequeño de Europa.
7. Hay cuatro lenguas oficiales: el francés, el italiano, el alemán y el romanche.
8. Hay una ciudad que se llama Casablanca.

B. Now play a game with your partner. Each of you makes up a sentence, and the partner has to guess which country it refers to.

- El Kilimanjaro está allí.
- ○ ¿Kenia?
- No.
- ○ ¿Tanzania?
- Sí.

7. ¿ARGENTINA TIENE MÁS DE 75 MILLONES DE HABITANTES?

A. Read these eight sentences. Mark whether they could refer to Argentina or not.

	Sí	No
1. Tiene más de 75 millones de habitantes.		
2. En el oeste están los Andes.		
3. El clima es tropical en todo el país.		
4. Hay dos equipos de fútbol muy famosos: Boca Juniors y River Plate.		
5. El bife a caballo es un plato típico.		
6. Hay dos lenguas oficiales: el español y el inglés.		
7. Está en Sudamérica.		
8. Hay muchos lagos.		

 CD 15-22 **B.** Listen and check your answers.

8. ¿OSOS EN ESPAÑA?

In this map there are four things that don't belong in Spain. Can you find them? Tell your partner.

- La Sagrada Familia está en España, ¿no?
- Sí, en Barcelona.

9. UN PAÍS INTERESANTE

A. Think of a country that interests you, or that you know well, and write a text describing it.

China es un país muy grande y muy interesante. Está en Asia y la capital es Pequín. Es el país más poblado del mundo. La lengua oficial es el chino mandarín, pero hay muchos dialectos y otras lenguas.

B. Now present it to the class.

C. Of all the countries presented by your classmates, which would you like to visit?

- Yo, China y Tailandia.

10. UN CONCURSO SOBRE EL MUNDO HISPANO

A. We're going to divide the class into two groups. Each team will prepare eight cards with questions about Spanish-speaking countries. Each team has to hand the teacher the correct answers to the questions.

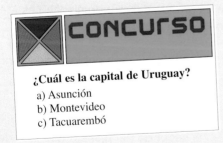

B. Now, in turns, each team asks the other team a question. They have 30 seconds to answer. if they get the answer right, the get a point. The winner is the team with the most points at the end.

VIAJAR

11. ¿TE SORPRENDE?

A. These four photos show some less well known images of the Spanish-speaking world. Which country do you think each one was taken in?

B. Now you'll hear four people talking about what you can see in the photos. Find out what countries they are. Were you right?

CD 23-26

C. Read these odd facts about some Spanish-speaking countries. Can you complete the three last sentences? If you need help, ask your classmates or the teacher.

MUNDO LATINO EN SUPERLATIVO

- El lugar más seco del planeta está en Chile: el desierto de Atacama. En algunas zonas no llueve desde hace 400 años.

- Potosí (Bolivia) es la ciudad más alta del continente americano.

- La montaña más alta del mundo hispano es el Aconcagua, que está en Argentina.

- La ciudad más al sur del planeta es Puerto Williams, en Chile.

- El volcán Arenal, en Costa Rica, es uno de los volcanes más activos del mundo.

- La ciudad más grande del mundo hispano es México D.F., con unos 9 millones de habitantes.

- .... es el país más poblado del mundo hispano, con más de 105 millones de habitantes.

- El mayor productor de café del mundo hispano es ...., el segundo del planeta después de Brasil.

- El país más grande del mundo hispano es: ....

4

¿CUÁL PREFIERES?

In this unit

we'll make a list of the things we need to have a good weekend away

You will learn:

> to identify objects > to express necessity
> to go shopping: ask about products, ask prices, etc.
> to talk about preferences > the demonstratives: **este/esta/estos/estas/esto**
> **el/la/los/las** + adjective > **qué** + noun / **cuál/cuáles**
> **tener que** + Infinitive > the verb **ir** > numbers above 100
> colours > clothes > everyday objects

En una zapatería de Barcelona

1. CAMISETAS

CD 27-30 **A.** Mauricio has to buy a T-shirt. Patricia, a friend of his, goes with him to the shop to help him choose. Listen to their conversation. Which T-shirt are they talking about in each part of the conversation?

42€

camiseta gris
de manga larga
MODELO: Tokio
TALLA: mediana

45€

SAN SEBASTIAN

camiseta azul
de manga larga
MODELO: San Sebastián
TALLA: mediana

35€

camiseta negra
de manga corta
MODELO: Nueva York
TALLAS: mediana y grande

80€

camiseta blanca
de manga larga
MODELO: Moscú
TALLAS: mediana y grande

33€

camiseta naranja
de manga corta
MODELO: Berlín
TALLAS: pequeña y mediana

25€

KINGSTON

camiseta roja
de manga corta
MODELO: Kingston
TALLA: pequeña

35€

camiseta de rayas amarillas
y verdes de manga corta
MODELO: Las Palmas
TALLA: mediana

33€

MONTECARLO

camiseta rosa
de manga corta
MODELO: Montecarlo
TALLA: mediana

25€

DAKAR

camiseta de rayas verdes
de manga corta
MODELO: Dakar
TALLA: mediana

40€

BRISTOL

camiseta lila
de manga corta
MODELO: Bristol
TALLAS: pequeña y grande

45€

VANCOUVER

camiseta amarilla
de manga larga
MODELO: Vancouver
TALLAS: mediana y grande

B. Now, choose a T-shirt for yourself, one for your teacher and one for a classmate.

• Para mí, la roja de manga corta, para Julia, la gris de manga larga, y para Max, la naranja.

2. YO NUNCA LLEVO SECADOR DE PELO

A. Silvia is going to spend a weekend away in an apartment on the coast. This is her suitcase. What are the names of the things she's taking?

12 gel de baño
___ camisetas
___ jersey
___ pantalones
___ zapatos
___ biquini
___ bragas
___ sujetador
___ sandalias
___ toalla de playa
___ libros
___ gafas de sol
___ aspirinas
___ reproductor de MP3
___ carné de identidad
___ dinero
___ tarjeta de crédito
___ cepillo de dientes
___ cepillo
___ pasta de dientes
___ protector solar
___ champú
___ secador de pelo

B. When you go away for the weekend, do you take the same things as Silvia? Do you take other things? Tell a classmate.

• Yo también llevo siempre aspirinas, pero nunca llevo secador de pelo.
○ Pues yo siempre llevo despertador...

C. What about the following situations? What things do you have to take? Match them.

1. Voy de viaje al extranjero.	A. Tengo que llevar dinero o tarjeta de crédito.
2. Salgo de compras.	B. Tengo que llevar el carné de conducir.
3. Quiero alquilar un coche.	C. Tengo que llevar ropa de deporte.
4. Voy a la playa a tomar el sol.	D. Tengo que llevar un regalo.
5. Quiero ir al gimnasio.	E. Tengo que llevar Aula internacional 1.
6. Voy a clase de español.	F. Tengo que llevar un protector solar.
7. Voy a una fiesta de cumpleaños.	G. Tengo que llevar el pasaporte.
8. Voy a cenar a casa de unos españoles.	H. Tengo que llevar una botella de vino o un postre.

3. ¿ESTA O ESTA?

A. In these dialogues the demonstrative pronouns **este**, **esta**, **estos** and **estas** appear. Which does each of them refer to: **jersey**, **camiseta**, **zapatos** or **sandalias**? Write it, also marking the gender and number.

sustantivo:	masculino	femenino	singular	plural

sustantivo:	masculino	femenino	singular	plural

sustantivo:	masculino	femenino	singular	plural

sustantivo:	masculino	femenino	singular	plural

B. Now, in the dialogues above, mark all the words that agree in gender and number with the nouns **sandalias**, **jersey**, **zapatos** and **camiseta**.

- ¿Cuáles son más bonitas? ¿Estas o estas?
- Las verdes.

4. LA AZUL ES MUY PEQUEÑA

What do you think they're talking about? Tick the box, and justify your choice.

1. La azul es muy pequeña.
   - ❑ un jersey
   - ❑ una camiseta
   - ❑ unas sandalias
2. Los verdes son muy bonitos.
   - ❑ unas bragas
   - ❑ un biquini
   - ❑ unos pantalones
3. Las más caras son las rojas.
   - ❑ unos zapatos
   - ❑ unas sandalias
   - ❑ unos jerseys
4. ¡El negro es precioso!
   - ❑ un biquini
   - ❑ unas gafas de sol
   - ❑ una camiseta

5. EN LA TIENDA

A. Read this dialogue and complete the grid.

- Hola, buenos días.
- ○ Buenos días.
- ¿Qué desea?
- ○ Quería un bolígrafo.
- ¿De qué color?
- ○ Azul.
- Pues mire, aquí tiene varios.
- ○ ¿Cuánto cuestan?
- Este, 80 céntimos, y este otro, 2 euros.
- ○ Vale, pues me llevo este.

1. ¿Qué quiere comprar?	
¿Cómo lo dice?	
2. ¿Pregunta precios?	
¿Cómo lo dice?	
3. ¿Compra algo?	
¿Cómo lo dice?	

B. Now complete these questions.

1. ● ¿Cuánto .... estos zapatos?
2. ● Esta camiseta, ¿cuánto .... ?

6. VERBOS DE LA TERCERA CONJUGACIÓN

A. Here are three verbs with **-ir** endings. One is regular, one is irregular with a vowel change, and one is very irregular. Can you say which is which?

	vivir	ir	preferir
(yo)	vivo	voy	prefiero
(tú)	vives	vas	prefieres
(él/ella/usted)	vive	va	prefiere
(nosotros/nosotras)	vivimos	vamos	preferimos
(vosotros/vosotras)	vivís	vais	preferís
(ellos/ellas/ustedes)	viven	van	prefieren

B. The verb **descubrir** is regular. Can you conjugate it?

CARDINAL NUMBERS

100	cien	1000	mil	
101	**ciento** uno*/una	2000	dos mil	
102	**ciento** dos	...		
...		10 000	diez mil	
200	doscientos/as	20 000	veinte mil	
300	trescientos/as	...		
400	cuatrocientos/as	100 000	cien mil	
500	**quinientos**/as	200 000	doscientos/as mil	
600	seiscientos/as	...		
700	**sete**cientos/as	1 000 000	un millón	
800	ochocientos/as	2 000 000	dos millones	
900	**nove**cientos/as	1 000 000 000	mil millones	

3 453 276 = tres millones cuatrocientos/as cincuenta **y** tres mil doscientos/as setenta **y** seis

! * Before a noun: ciento **un** euros.

REFERING TO NOUNS

DEMONSTRATIVES

Demonstrative adjectives	Demonstrative pronouns	
este jersey	**este**	
esta camiseta	**esta**	**esto**
estos zapatos	**estos**	
estas sandalias	**estas**	

- ¡**Este** jersey es precioso!
- ○ Pues yo prefiero **este**.

- **Estas** gafas de sol, ¿cuánto cuestan?
- ○ 40 euros.
- ¿Y **estas**?
- ○ 55 euros.

Unlike other demonstratives, **esto** doesn't refer to a concrete noun.

¿Qué compro para Ángel? ¿Esto o esto?

EL/LA/LOS/LAS + ADJECTIVE

When the noun that is being referred to is obvious from the context, it can be omitted.

- ¿Qué **coche** usamos: **el** nuevo o **el** viejo?
- Luis quiere comprar **la camiseta** verde y Julia, **la** azul.
- **Los zapatos** más caros son **los** negros.
- Tenemos que llevar **las maletas** rojas y **las** negras.

el coche nuevo ➡ **el** nuevo los zapatos negros ➡ **los** negros
la camiseta azul ➡ **la** azul las maletas negras ➡ **las** negras

QUÉ + NOUN AND CUÁL/CUÁLES

To ask about objects or things, we can use **qué** + noun.

- ¿**Qué perfume** usas? ¡Es muy bueno!

When it is obvious what is being referred to, we can use **cuál/cuáles** and avoid repeating the noun.

- ¿**Qué biquini** compro para Julia?
- ○ No sé. ¿**Cuál** es el más barato?

- ¿**Qué zapatos** compro para Pedro?
- ○ No sé. ¿**Cuáles** son los más baratos?

COLOURS

blanco/a	☐	rosa	▨	negro/a	■
amarillo/a	☐	azul	▨	gris	▨
naranja	▨	verde	■	marrón	▨
rojo/a	■	lila	▨	beis	☐

- ¿**De qué color es** el jersey?
- ○ Naranja.

EXPRESSING NECESSITY

	tener	que + infinitive
(yo)	**tengo**	
(tú)	**tienes**	
(él/ella/usted)	**tiene**	**que** + estudiar
(nosotros/nosotras)	**tenemos**	
(vosotros/vosotras)	**tenéis**	
(ellos/ellas/ustedes)	**tienen**	

- Esta noche voy a una fiesta de cumpleaños. **Tengo que llevar** un regalo.

TALKING ABOUT PREFERENCES

	preferir
(yo)	pref**ie**ro
(tú)	pref**ie**res
(él/ella/usted)	pref**ie**re
(nosotros/nosotras)	preferimos
(vosotros/vosostras)	preferís
(ellos/ellas/ustedes)	pref**ie**ren

- ¿Cuál **prefieres**?
- ○ Yo, el rojo. ¿Y tú?

SHOPPING

¿Tienen agua / gorros / gafas…?
Quería agua / un gorro / unas gafas…
¿Cuánto cuesta este gorro? / ¿Cuánto cuestan estas gafas?
Me llevo este gorro. / Me llevo este.
Me llevo estas gafas. / Me llevo estas.

7. ¡BINGO!

A. This is a bingo card. First you have to write the numbers as words in the corresponding gender.

bingo

200 € doscientos	500 £	300 £	900 €
800 £	400 €	600 £	700 £
500 €	200 £ doscientas	900 £	300 €
800 €	600 €	700 €	400 £

CD 31 **B.** We're going to start the bingo. Of the 16 boxes, choose 11 to play. Look carefully at the gender: does it say *doscientos* or *doscientas*?

8. ¿QUÉ JERSEY PREFIERES?

Choose an object of each type: a jersey, a pair of boots, a hat, and a pair of sunglasses. Which do you prefer? Tell a partner.

- ¿Qué jersey prefieres?
- Este, el verde, ¿y tú?
- Yo, el rojo.

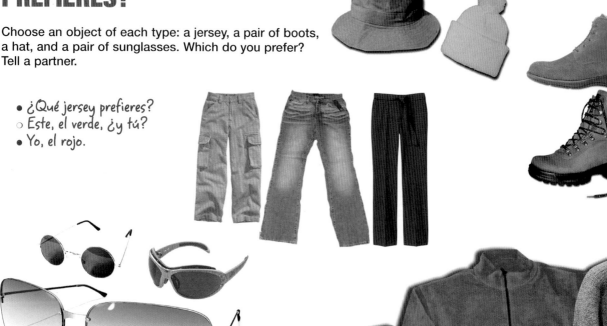

9. EL MERCADILLO DE LA CLASE

We're going to divide the class into stall-keepers and shoppers. Each stall-keeper has to find three objects of the same kind in the classroom, and decide the selling prices. NB: the minimum price per product is €15 and the maximum is €35. The shoppers have to buy three objects but they only have €50 each to spend.

Cliente	Vendedor
Hola. Buenos días. / Buenas tardes.	Hola. Buenos días. / Buenas tardes.
Quería unos zapatos para mí. de hombre. de mujer. de niño. de niña.	¿Qué desea? ¿Es/son para usted? ¿De qué color?
	Sí, tenemos estos. Sí, estos (de aquí).
¿Y estos cuánto cuestan? ¿Cuánto cuestan estos (de aquí)?	X euros.
(Pues) me llevo estos/estos negros. (Pues) me llevo los negros.	
Muchas gracias.	
	(Gracias) A usted.

10. UN FIN DE SEMANA FUERA

A. In threes, imagine that you can spend a weekend away in one of the three places that appear in the photos. Which would you choose?

B. Everyone can carry their own clothes and toiletries in their baggage. But what else would you like to take? In threes, think of five other things that you need; things that you can share. Make a list.

- Yo creo que tenemos que llevar una cámara de fotos.
- ¡Y una guía de la región!
- Sí, es verdad. Y...

C. Now you have to decide how you're going to get these things. Have any of you already got them, or will you have to buy them?

- ¿Quién tiene una cámara de fotos?
- Yo.
- Vale. Entonces llevamos la cámara de Olga. Y no tenemos una guía, ¿verdad?
- No.
- Pues tenemos que comprar una.

A. Hotel en Buenos Aires (Argentina)

B. Casa en Palma de Mallorca (España)

C. Cámping en Los Llanos (Venezuela)

11. MÁS DE 2000 TIENDAS EN TODO EL MUNDO

A. Some Spanish chains have spread all over the world. One of the most famous internationally is the Inditex Group, whose brands offer style and quality at a good price. Read this article about Inditex and mark all the brands that you know. Do they operate in your country too?

B. Now read the text again and fill in the box.

INDITEX EN NÚMEROS

Año de creación: ....

Número de marcas: ....

Número de países en los que está presente: ....

Número total de tiendas: 2181

C. Do you know any other Spanish chains, or ones from other countries? Tell your classmates.

HISTORIA

1975
ZARA abre su primera tienda de ropa en A Coruña (España).

1976
ZARA abre tiendas en otras ciudades de España.

1985
Creación de Inditex, nombre del grupo de empresas.

1988
En diciembre, Inditex inaugura la primera tienda ZARA fuera de España, en Oporto (Portugal).

1989-1990
Estados Unidos y Francia son los siguientes mercados en los que Inditex inicia su actividad con la apertura de tiendas en Nueva York (1989) y París (1990).

1991
Nace la cadena de tiendas de moda PULL&BEAR. Inditex compra el 65% de MASSIMO DUTTI.

1992-1994
Inditex continúa su expansión internacional: México en 1992, Grecia en 1993, y Bélgica y Suecia en 1994.

1995-1996
Inditex compra el 100% de MASSIMO DUTTI y abre nuevas tiendas en Malta y en Chipre.

1997
Inditex abre tiendas en Noruega y en Israel.

1998
Nace BERSHKA, cadena dirigida al público femenino más joven. Inditex abre nuevas tiendas en Japón, Turquía, Argentina, Emiratos Árabes, Venezuela, Líbano, Kuwait y Reino Unido.

1999
Inditex compra la cadena STRADIVARIUS y abre tiendas en Holanda, Alemania, Polonia, Arabia Saudí, Bahrein, Canadá, Brasil, Chile y Uruguay.

2000
Apertura de tiendas en Austria, Dinamarca, Qatar y Andorra. Inditex construye una espectacular sede central en Arteixo (A Coruña, España).

2001
Inditex empieza a cotizar en bolsa. El grupo se introduce en Puerto Rico, Jordania, Irlanda, Islandia, Luxemburgo, República Checa e Italia. Nace OYSHO, una cadena de tiendas dedicada a la lencería.

2002
Inditex su imparable crecimiento. Se abren tiendas en Suiza, Finlandia, República Dominicana, El Salvador y Singapur. Nace KIDDY'S CLASS, nueva marca del grupo dedicada a la moda infantil.

2003
Se abren las primeras tiendas del grupo en cuatro nuevos países: Rusia, Malasia, Eslovenia y Eslovaquia. ZARA HOME, marca especializada en productos para el hogar y en cosmética, se convierte en el octavo formato comercial de Inditex.

2004
Se abren las primeras tiendas de Inditex en Estonia, Letonia, Lituania, Hungría, Marruecos, Hong-Kong, Rumanía y Panamá.

In this unit
we'll describe and present someone

TUS AMIGOS SON MIS AMIGOS

You will learn:
> to talk about appearance and character
> to express likes and dislikes
> to talk about and compare likes and dislikes
> to talk about personal relationships
> the verb **gustar** > possessives
> family relationships

1. ¿QUIÉN ES?

A. The magazine *Aula de música* has published an article about a well-known Spaniard. With a partner, match the information at the bottom of the page with the numbered gaps on the right.

AULA**DE**MÚSICA

1   Lugar de nacimiento

2   Año de nacimiento

3   Nombre

4   Apellido

5   Nombre de su madre

6   Hermanos

7   Profesión

8   Título de su primer disco

9   Color favorito

10   Deporte preferido

11   Ciudades preferidas

12   Escritores favoritos

13   Comida favorita

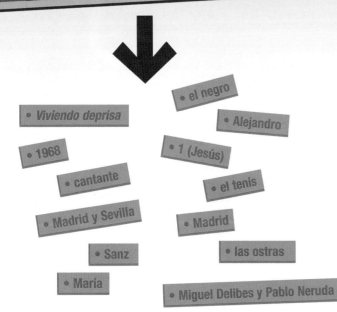

- *Viviendo deprisa*
- el negro
- Alejandro
- 1968
- 1 (Jesús)
- cantante
- el tenis
- Madrid y Sevilla
- Madrid
- Sanz
- las ostras
- María
- Miguel Delibes y Pablo Neruda

- Cantante es su profesión, ¿no?
- Sí, claro. ¿Y María?

B. Write five pieces of information about yourself, in no special order. Your partner will have to guess what they refer to.

- ¿York es tu ciudad preferida?
- No.
- ¿Tu lugar de nacimiento?
- ¡Sí!

C. Now tell the rest of the class something interesting about your partner.

- El deporte favorito de Carol es el esquí.

2. CONTACTOS

A. On this page are three messages from language students who want to do on-line language exchanges. Match the descriptions to the three photos.

File   Edit   View   Favorites   Tools   Help

← Back ▾ → ▾ ⊗ ▣ ⌂ | 🔍 Search 📑 Favorites 🕒 His

Address 📄 www.contacto.com   ▾

contacto. LA PÁGINA DE CONTACTOS PARA ESTUDIANTES DE IDIOMAS

1. ¡Hola! Me llamo Tania. Soy cubana, pero vivo en Valencia. Tengo 26 años, soy periodista y me encanta aprender idiomas. Estudio inglés, francés y griego. También me gusta cocinar, viajar y estar con mis amigos, pero mi gran pasión es la fotografía. ¡Un abrazo!

2. Hola, amigos y amigas. Soy una chica argentina, tengo 31 años y me llamo Leyla. Estudio portugués y japonés. Me gusta mucho leer, escribir y viajar, y me encantan el mar y los deportes náuticos. También me gusta salir de noche. Espero vuestros mensajes.

3. ¡Hola desde Bilbao! Me llamo Cristina y tengo 20 años. Estudio inglés y alemán. Me gusta leer revistas de moda, pasear, ir al cine y sobre todo escuchar música. Mi cantante favorita es Björk. ¿Quieres conocerme? ¡Hasta pronto!

🔊 CD 32-34 **B.** The three women have left voice mail messages on the website saying a bit about themselves. Listen to what they say. Who's talking in each case? Write her name next to the corresponding number.

1 ....

2 ....

3 ....

C. What do you think these women are like? Complete the grid and then compare your answers with a classmate's.

TANIA	LEYLA	CRISTINA	■ ■ ■
			Parece muy simpática.
			Parece una persona alegre y divertida.
			Parece bastante inteligente.
			Parece una chica muy interesante.
			Parece un poco antipática.
			Parece una persona bastante agradable.
			Parece una chica un poco cerrada.
			Es una chica muy guapa.

● Leyla es una chica muy guapa, ¿no?
○ Sí, y también parece muy simpática.

3. TIEMPO LIBRE

A. The magazine *Aula de música* is out on the street to ask young people about their tastes in music. Underline the information in the text that you agree with.

1. ANABEL. 30 años. Valencia
¿Qué tipo de música escuchas normalmente? Me gustan muchos tipos de música, pero últimamente escucho mucha música *New Age*. **¿Dónde escuchas música?** En todas partes: en el coche, en casa, en el trabajo. **¿Tu cantante o grupo favorito?** Enya.

2. MÓNICA. 25 años. Madrid
¿Qué tipo de música escuchas normalmente? De todo. Escucho mucho flamenco, mucha música electrónica... **¿Dónde escuchas música?** En casa, pero también me gusta ir a actuaciones de flamenco. **¿Tu cantante o grupo favorito?** Camarón. También me gustan mucho Niña Pastori, Ketama, Enrique Morente...

3. SERGIO. 38 años. Bogotá
¿Qué tipo de música escuchas normalmente? Clásica y jazz, sobre todo. **¿Dónde escuchas música?** Escucho mucha música en casa. A mi novia también le gusta la música y tenemos muchísimos discos. **¿Y os gusta el mismo tipo de música?** Más o menos. A mi novia le gusta mucho la música soul, a mí me interesan más el jazz y la música clásica.

B. Circle all the phrases in which **gusta/gustan**, **encanta/encantan** and **interesa/interesan** appear. Do you understand the difference between these two forms? Talk about it with your teacher.

C. Now complete this box with the corresponding pronouns.

A mí	....	
A ti	*te*	gusta/n
A él/ella/usted	....	encanta/n
A nosotros/nosotras	*nos*	interesa/n
A vosotros/vosotras	....	
A ellos/ellas/ustedes	*les*	

4. PABLO. 31 años. Guadalajara
¿Qué tipo de música escuchas normalmente? De todo, pero escucho mucho pop rock. **¿En inglés?** Sí, pero también me interesa el rock en español. **¿Tus grupos favoritos?** Me encantan Café Tacuba, Maná y Maldita Vecindad.

5. DAVID. 23 años. Santiago de Chile
¿Qué tipo de música escuchas normalmente? Hip hop sobre todo y algo de pop y de rock. **¿Dónde escuchas música?** En todos lados: en el metro, en casa... **¿Tus cantantes o grupos favoritos?** Tengo muchos: Eminem, Public Enemy, Radiohead...

4. LA FAMILIA DE PACO Y DE LUCÍA

This is the family tree of a Spanish family. Read the sentences and write in the missing family words.

- Paco es el **marido** de Lucía.
- Lucía es la **abuela** de Carla y de Daniel.
- Carla es la **hija** de Abel y de Luisa.
- Daniel es el **nieto** de Paco y de Lucía.
- Marta es la **hermana** de Abel.
- Paco es el **padre** de Marta y de Abel.

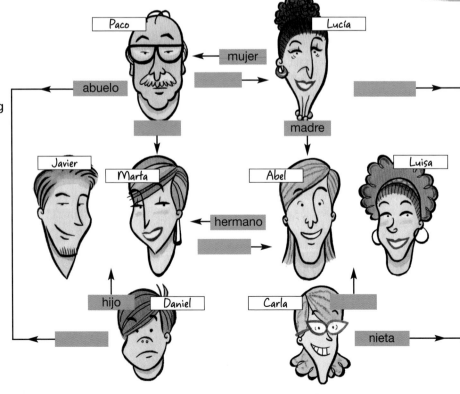

APPEARANCE AND PERSONALITY

PHYSICAL APPEARANCE

Es	(un chico/una chica) (un hombre/una mujer)	muy bastante un poco*	guapo/a atractivo/a feo/a

FIRST IMPRESSIONS

Parece	(un chico/una chica) (un hombre/una mujer) (una persona**)	muy bastante un poco*	divertido/a aburrido/a abierto/a cerrado/a serio/a simpático/a tímido/a majo/a interesante inteligente alegre agradable desagradable sociable

! * only with negative adjectives
! ** NB: We say: **Parece buena persona.**

- *¿Qué tal la nueva profesora?*
- *No sé, **parece bastante** maja.*

LIKES AND DISLIKES

THE VERB GUSTAR

(A mí) (A ti) (A él/ella/usted) (A nosotros/nosotras) (A vosotros/vosotras) (A ellos/ellas/ustedes)	me te le nos os les	gusta gustan	el cine (NOMBRES EN SINGULAR) ir al cine (VERBOS) las películas de acción (NOMBRES EN PLURAL)

(A mí) **Me encanta** (A mí) **Me gusta mucho** (A mí) **Me gusta bastante** (A mí) **No me gusta mucho** (A mí) **No me gusta** (A mí) **No me gusta nada**	el flamenco.

ASKING ABOUT LIKES AND DISLIKES

- **¿Te gusta** el jazz?
- Pues no, no mucho.

- **¿Qué tipo de** música **te gusta (más)?**
- La música electrónica.

- **¿Qué** deporte **te gusta (más)?**
- El baloncesto.

- **¿Cuál** es tu color **favorito/preferido?**
- El verde.

COMPARING LIKES AND DISLIKES

☻ Me encanta el golf.   ☹ No me gusta nada el golf.

☻ **A mí también.** ☹ **A mí no.** ☹ **A mí tampoco.** ☻ **A mí sí.**

- *¿Qué hacéis normalmente los viernes por la noche?*
- ***A mí me** gusta ir al cine, pero **a ella le** encanta quedarse en casa.*

- *¿Con quién vas al cine normalmente?*
- *Con mi marido. **A los dos nos** encanta el cine.*

PERSONAL RELATIONSHIPS

THE POSSESSIVES

Singular	Plural
mi padre **mi** madre	**mis** hermanos **mis** hermanas
tu padre **tu** madre	**tus** hermanos **tus** hermanas
su padre **su** madre	**sus** hermanos **sus** hermanas

mi amigo Luis **mi** amiga Carla	**un** amigo (**mío**) **una** amiga (**mía**) **un** compañero de trabajo

- Paco y Lucía son **los padres de** Marta y de Abel. (madre + padre = **padres**)
- Marta y Abel son **los hijos de** Paco y de Lucía. (hijo + hija = hij**os**)
- Paco y Lucía son **los abuelos de** Daniel y de Carla. (abuelo + abuela = abuel**os**)
- Marta y Abel son **hermanos**. (hermano + hermana = herman**os**)
- The terms used for divorced couples are **ex** marido and **ex** mujer.
- For people who live together without being married **compañero/compañera**, or **(mi) pareja**. are used. You can also use **novio/novia**, though this doesn't necessarily mean that they live together.

5. LA MADRE DE MI MADRE

Look at the family vocabulary in activity 4. Write five sentences about your family, and then read them to your partner, who will have to work out how they are related to you.

- Se llama Robert. Es el padre de mi padre.
- Es tu abuelo.

1 ....

2 ....

3 ....

4 ....

5 ....

6. SOY UNA PERSONA BASTANTE TÍMIDA

What are you like? Use this file card as a model to write a description of yourself on a separate paper. Then your teacher will collect all the papers and hand them out again. Each student will have to work out whose description it is.

Creo que soy una persona muy/bastante/un poco ... y muy/bastante/un poco ... Pero mucha gente piensa que soy ...

En mi tiempo libre me encanta ... Otras cosas que me gusta hacer son ... y ...

No me gusta/n nada ... ni ...

Mi color favorito es el ...

Mi comida favorita es/son ...

Mi deporte favorito es el/la ...

¿QUIÉN SOY?

7. ES UN HOMBRE DE UNOS 45 AÑOS

Put together a description of a famous person, real or fictitious, or of a student in your class. Then read the description to your classmates, who will have to work out who it is. They can ask questions.

- un actor, una actriz
- un deportista, una deportista
- un cantante, una cantante
- un hombre de negocios, una mujer de negocios
- un político, una política
- un alumno de la clase, una alumna de la clase
- ...

| un **niño** | un **chico** | un **hombre/señor** | un **señor mayor** |
| una **niña** | una **chica** | una **mujer/señora** | una **señora mayor** |

Tiene 20 años.
Tiene unos 40 años. = **Tiene aproximadamente 40 años.**

- Es un hombre de unos 45 años. Es muy guapo y es español. Parece una persona muy simpática. Es actor. Hace películas de amor, comedias...
- ¿Su mujer es norteamericana y también es actriz?
- Sí.
- ¿Antonio Banderas?

8. YO QUIERO CONOCER AL AMIGO DE ANNE

A. Would you like to bring a relative or a friend to class to learn some Spanish? Make a description of the person chosen: their name, their relation to you, their age, their occupation, their tastes, their personality, and so on.

Persona elegida . . . .

Relación conmigo . . . .

Ocupación . . . .

Edad . . . .

Aspecto físico . . . .

. . . .

. . . .

Carácter . . . .

. . . .

. . . .

Cualidades . . . .

. . . .

. . . .

Gustos y aficiones . . . .

. . . .

. . . .

. . . .

. . . .

B. Now describe this person to the rest of the class, and listen carefully while your classmates do the same. You can also ask questions. You could record yourselves to check your spoken Spanish.

- Mi invitado se llama Sam, es mi hermano. Tiene 29 años y es informático. Es un chico muy simpático y muy divertido: le gusta mucho bailar, ir a la playa y conocer a gente nueva. Y es muy deportista: juega al fútbol y...
○ ¿Es guapo?
- Sí, muy guapo.
■ ¿Le gusta el cine?
  ...

C. Now each student should say which candidate, other than his/her own, he/she would most like to meet, and why. Have any of you chosen the same person?

- Yo quiero conocer al hermano de Luciana, Sam, porque a los dos nos gusta ir a la playa, bailar...

VIAJAR

sónar

www.sonar.es

Tres días y tres noches del mes de junio en Barcelona para estar en contacto con las últimas tendencias y los artistas más relevantes del panorama nacional e internacional. DJs, conciertos, cine y trabajos en todos los formatos multimedia: instalaciones, arte en la red, diseño, etc. Sónar es una cita imprescindible para públicos despiertos, artistas de última generación y para los profesionales y las empresas más influyentes del sector de la música y del arte electrónicos.

9. A MÍ ME INTERESA EL FESTIVAL DE JAZZ

A. There are lots of music festivals every year in Spain. Here are three of them. When are they held? In which cities? Do you know where they are?

B. Which of these would interest you the most? Why? Find two other people in the class who are interested in the same festival.

FESTIVAL DE JAZZ DE SAN SEBASTIÁN

El Festival de Jazz de San Sebastián se celebra el mes de julio. Su programa es un verdadero "Quién es Quién" del mundo del jazz, y cuenta siempre con la presencia de grandes figuras históricas y de músicos que influyen decisivamente en la formación del jazz contemporáneo. Entre las estrellas que han pasado por este festival, destacan nombres míticos como Miles Davis, Chick Corea, Dexter Gordon, Ella Fitzgerald, Dizzy Gillespie, Charles Mingus o Sarah Vaughan.

www.jazzaldia.com

Bienal de flamenco

www.bienalflamenco.org

La Bienal de Flamenco de Sevilla es un impresionante festival que, cada dos años, programa casi 100 actuaciones de cante, baile y guitarra. Dura casi todo el mes de septiembre y suele acoger estrenos mundiales y actuaciones de grandes estrellas del flamenco como Sara Baras, Antonio Canales, Tomatito, Manolo Sanlúcar o Vicente Amigo. Entre las actividades complementarias destacan "A palo seco", ciclo de conciertos sin micrófono, la "Semana del cine flamenco" y "La Bienal va por barrios", que programa conciertos en numerosos barrios de la ciudad.

6

DÍA A DÍA

In this unit

we'll find out about the lifestyles of our fellow students

You will learn:

> to talk about daily life > to express frequency
> the Presente Indicativo tense of some irregular verbs
> reflexive verbs > **Yo también/Yo tampoco/Yo sí/Yo no**
> **Primero/Después/Luego** > telling the time
> the days of the week > parts of the day

1. ¿CUIDAS TU IMAGEN?

A. Do you think you look after your appearance?
Complete this questionnaire published by a Spanish magazine.

TEST ¿CUIDAS TU IMAGEN?

1. ¿Cuánto tiempo necesitas para vestirte?
   - a) Una hora.
   - b) 20 minutos como mínimo.
   - c) 5 minutos (o menos).

2. ¿Vas mucho a la peluquería?
   - a) Una vez al mes como mínimo.
   - b) Unas tres o cuatro veces al año.
   - c) No, casi nunca.

3. ¿Te maquillas o te afeitas todos los días?
   - a) Sí, todos los días.
   - b) No, solo a veces.
   - c) No me maquillo/afeito nunca.

4. ¿Te pones perfume todos los días?
   - a) Sí.
   - b) No, solo en ocasiones especiales.
   - c) No, nunca me pongo perfume.

5. ¿Te miras mucho al espejo?
   - a) Sí, cada vez que veo uno y también en los escaparates de las tiendas...
   - b) No mucho, dos o tres veces al día.
   - c) No, odio los espejos.

6. ¿Haces deporte?
   - a) Sí, voy al gimnasio tres veces a la semana como mínimo.
   - b) Sí, los fines de semana.
   - b) No, nunca.

7. ¿Te cuidas la piel?
   - a) Sí, me pongo varias cremas todos los días.
   - b) Sí, a veces.
   - c) No, no me gusta ponerme cremas.

8. ¿Planchas toda la ropa?
   - a) Sí.
   - b) No, solo algunas cosas.
   - c) No, no plancho nunca.

B. Now count up your answers and look at the results. Do you agree? Then compare your answers in small groups. Who looks after their appearance the most?

Número de respuestas A ....

Número de respuestas B ....

Número de respuestas C ....

¿CUIDAS TU IMAGEN?

Resultados del Test

Mayoría de respuestas A
Eres una persona presumida. La imagen es muy importante para ti y te gusta tener muy buen aspecto.

Mayoría de respuestas B
Te gusta tener un buen aspecto, pero eso para ti no es lo más importante.

Mayoría de respuestas C
¡Eres un desastre! No cuidas nada tu imagen.

2. ANIMALES

A. Here are some interesting facts about these animals. Match the facts to the animals, then complete the sentences in the box below.

LA ABEJA

....
PUEDE CORRER A UNA VELOCIDAD DE 100 KM POR HORA.

EL OSO PANDA

....
VIVE EN UNA COMUNIDAD MUY BIEN ESTRUCTURADA. HAY DIFERENTES GRUPOS QUE REALIZAN DIFERENTES TRABAJOS.

BURP!

....
SE LAVA APROXIMADA-MENTE 20 VECES AL DÍA.

EL GUEPARDO

EL GATO

.... COME ENTRE 10 Y 20 KILOS DE BAMBÚ AL DÍA.

LA TORTUGA

....
LEVANTA 50 VECES SU PROPIO PESO Y 30 VECES EL VOLUMEN DE SU CUERPO.

LA HORMIGA

A .... LE GUSTA MUCHO EL CALOR Y DUERME DURANTE LOS MESES DE FRÍO, NORMALMENTE DESDE OCTUBRE HASTA ABRIL.

1. .... es el animal más dormilón.

2. .... es el animal más limpio.

3. .... es el animal más rápido.

4. .... es el animal más comilón.

5. .... es el animal más organizado.

6. .... es el animal más fuerte.

B. And what about you? What are you like? Tell your partner.

Yo soy el/la más...	**de** mi familia.
	de mi trabajo.
	de mis amigos.
	de la clase.

3. ¿QUÉ HORA ES?

A. This is how we tell the time in Spanish.

La una y diez.

Las nueve menos veinte.

Las doce y cuarto.

Las nueve menos cuarto.

Las ocho y media.

Las doce en punto.

B. Can you write these times in words?

A. 12:30 ....

B. 18:20 ....

C. 20:55 ....

D. 17:15 ....

E. 19:45 ....

F. 15:25 ....

CD 35-40 **C.** Now listen to the recording and mark the order in which you hear the times above. Also notice the different ways to ask the time.

4. UN DÍA NORMAL

A. What's a normal day like for a primary school teacher in your country? In pairs, complete the boxes. At what time do you think they do these things?

Se levanta a las... [ ]

Empieza a trabajar a las... [ ]

Come a las... [ ]

Sale del trabajo a las... [ ]

Cena a las... [ ]

Se acuesta a las... [ ]

- Yo creo que se levanta a las ocho y media...

CD 41 **B.** Now listen to Merche, a Spanish teacher, talking about a normal day for her. Then compare her daily routine with that of a teacher in your country. Are they similar?

C. In Spanish some verbs use the pronouns **me/te/se/nos/os/se** (like **levantarse**). These are called reflexive verbs. Can you find more reflexive verbs in part A? What about in the preceding pages? Make a list of them in your notebook.

5. TODOS LOS DÍAS

A. Pedro is a bit of a control freak, and has to write down everything he does. How often does he do these things? Complete the sentences.

ir al teatro   ir a clases de inglés

hacer deporte   hacer yoga   salir con Fernando

cenar con amigos   comer con la familia

Todos los días ....

Una vez a la semana ....

Dos veces a la semana ....

Los domingos ....

Normalmente, los viernes, ...

A veces ....

A menudo ....

B. Have you got anything in common with Pedro? Write it down.

Yo también hago deporte todos los días.

Lunes	Martes	Miércoles	Jueves	Viernes	Sábado	Domingo
GIMNASIO INGLÉS 1	FÚTBOL FERNANDO 2	GIMNASIO INGLÉS 3	FÚTBOL YOGA 4	GIMNASIO CENA CON CARMEN Y ROSA 5	TENIS FERNANDO 6	COMIDA EN CASA DE LA ABUELA 7
GIMNASIO INGLÉS 8	FÚTBOL 9	GIMNASIO INGLÉS FERNANDO 10	FÚTBOL YOGA 11	GIMNASIO "LA CELESTINA" TEATRO NACIONAL 12	TENIS 13	COMIDA EN CASA DE LA ABUELA 14
GIMNASIO INGLÉS 15	FÚTBOL 16	GIMNASIO INGLÉS 17	FÚTBOL YOGA 18	GIMNASIO CENA CON JUAN Y MARÍA 19	TENIS FERNANDO 20	COMIDA EN CASA DE LA ABUELA 21
GIMNASIO INGLÉS 22	FÚTBOL 23	GIMNASIO INGLÉS FERNANDO 24	FÚTBOL YOGA FERNANDO 25	GIMNASIO CENA CON CARMEN 26	TENIS 27	COMIDA EN CASA DE LA ABUELA

REFLEXIVE VERBS

	levantarse
(yo)	**me** levanto
(tú)	**te** levantas
(él/ella/usted)	**se** levanta
(nosotros/nosotras)	**nos** levantamos
(vosotros/vosotras)	**os** levantáis
(ellos/ellas/ustedes)	**se** levantan

other verbs: **despertarse, acostarse, vestirse, ducharse...**

THE DAYS OF THE WEEK

**lunes / martes / miércoles / jueves / viernes
sábado / domingo ➡ fin de semana**

- *¿Sabes qué día es hoy?*
- *¿Hoy? (Ø) Lunes.*

- *¿Cuándo llegas?*
- ***El** viernes a las siete de la tarde.*

- *¿Qué haces **los** domingos?*
- *Normalmente me levanto tarde y como con mi familia.*

TELLING THE TIME

- *¿Qué hora es? / ¿Tienes/Tiene hora?*
- **La una en punto**.
  Las dos **y** diez.
  Las cuatro **y cuarto**.
  Las seis **y media**.
  Las ocho **menos** veinte.
  Las diez **menos cuarto**.

- *¿A qué hora llega el avión?*
- **A las** seis **de la mañana**. (06.00)
  A las doce **del mediodía**. (12.00)
  A las seis y media **de la tarde**. (18.30)*
  A las diez **de la noche**. (22.00)*

❗ * In public services, the 24-hour clock is also used: a las **dieciocho treinta**, a las **veintidós**...

PARTS OF THE DAY

Por la mañana	**Por la tarde**
A/Al mediodía	**Por la noche**

- ***Por la mañana** voy a la universidad y, **por la tarde**, trabajo en un bar.*

SEQUENCERS

Primero, ...   Después, ...   Luego, ...

- *Yo, **primero**, voy al baño y **después** me ducho. **Luego**, me visto...*

EXPRESSING FREQUENCY

Todos los días / **Todos los** sábados / **Todos los** meses...
Todas las tardes / **Todas las** semanas...

Una vez a la semana / **Una vez al mes**...
Dos veces a la semana / **Dos veces al mes**...

Los viernes / **Los sábados** / **Los domingos**...

Normalmente
A menudo
A veces

(Casi) siempre
(Casi) nunca

- *Yo voy al gimnasio **tres veces a la semana**.*
- *Pues yo no voy **casi nunca**.*

YO TAMBIÉN / TAMPOCO, YO SÍ / NO

- Yo siempre me acuesto antes de las once.
- **Yo también**.
- **Yo no**. Yo normalmente me acuesto a la una o a las dos.

- Yo nunca me levanto pronto los domingos.
- **Yo tampoco**.
- **Yo sí**. Yo normalmente me levanto a las ocho o a las nueve.

IRREGULAR VERBS IN THE PRESENT

O - UE	E - IE	E - I	1st person singular (**yo**)
poder	empezar	vestirse	hacer
puedo	empiezo	me visto	hago
puedes	empiezas	te vistes	haces
puede	empieza	se viste	hace
podemos	empezamos	nos vestimos	hacemos
podéis	empezáis	os vestís	hacéis
pueden	empiezan	se visten	hacen
dormir	preferir	pedir	poner (pongo)
acostarse	despertarse	servir	salir (salgo)

6. HORARIOS DE TRABAJO

A. Read this article about a typical working day for these three women. Who do you think gave each answer?

VIDA Y PROFESIONES

trabajoyhorarios

¿Cuál es tu horario de trabajo?

A. Eso depende del turno. Cuando trabajo de día, me levanto pronto, a las 7h más o menos. Empiezo a trabajar a las 8h y, normalmente, vuelvo a casa a las 6h de la tarde. A las 3h paro un rato para comer algo. Si trabajo de noche, salgo sobre las 10h. Estos días llego a casa a las 7h de la mañana aproximadamente. Me acuesto siempre a una hora diferente. Por suerte, los domingos no trabajo. ¡Es mi único día de descanso!

B. Depende. Algunos días trabajo muchas horas y otros, casi no trabajo. Eso sí, siempre me levanto tarde, a las 10h o a las 11h. Después, voy a desayunar y luego doy un paseo. A mediodía vuelvo a casa, como algo y veo la tele un rato. Luego bajo a la calle y empiezo a trabajar. A veces trabajo hasta las 9h o las 10h de la noche. Cuando acabo, voy a casa, preparo la cena y leo un poco. Me acuesto a la 1h o a las 2h más o menos.

C. En general duermo muy poco. Me levanto a las 8.30h o a las 9h menos cuarto. Las clases empiezan a las 9h y muchas veces llego tarde. A mediodía, normalmente como con mis compañeros de clase en el bar de la facultad y a las 3h volvemos a clase. Terminamos a las 5h o a las 6h. Después voy a la biblioteca, pero no todos los días. Por la noche me gusta salir con mis amigos y, claro, nunca me acuesto antes de la 1h.

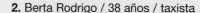

2. Berta Rodrigo / 38 años / taxista

1. Natalia Aparicio / 20 años / estudiante

3. Felisa Alcázar / 51 años / pintora

 CD 42 **B.** Now listen to Juanjo. Which of the three women does he live with?

C. Which of the three women has the most similar timetable to yours? Write at least three sentences.

Yo también me acuesto tarde, como Natalia y Felisa.

D. Find someone in the class who does three things at the same time as you.

- ¿A qué hora te levantas?
- ○ A las ocho.
- Yo también.

7. PRIMERO, DESPUÉS, LUEGO

A. In what order do you do these things every morning? Number them, then compare with a partner.

☐ desayunar	☐ lavarte los dientes
☐ ir al baño	☐ vestirte
☐ hacer la cama	☐ maquillarte/afeitarte
☐ salir de casa	☐ ducharte

B. Now tell the class about any interesting differences you have found.

- Yo, primero, voy al baño y después me lavo los dientes. Luego…
- Pues yo, primero desayuno…

C. What about at the weekend? Do you do the same?

8. YO TAMBIÉN

A. Here are some things that students learning Spanish do to improve their level. Say whether you do the same, then compare your answers with your partner's.

1. Nunca llego tarde a las clases de español.
....

Yo también
Yo tampoco
Yo sí
Yo no

2. Yo leo revistas y periódicos en español.
....

3. Yo practico con amigos españoles.
....

4. Yo voy mucho al cine y veo muchas películas españolas, argentinas, mexicanas...
....

5. Hago los deberes todos los días.
....

6. No siempre busco en el diccionario todas las palabras que no entiendo.
....

7. Yo veo bastantes programas de televisión en español.
....

8. Escucho muchos programas de radio en español.
....

B. Do you do other things to improve your Spanish?

9. PREMIOS

A. We're going to work in pairs. Each pair will award one of these prizes to someone in the class. First, choose the prize you'd like to give, then devise a questionnaire to find the winner.

PREMIO AL MÁS DORMILÓN
PREMIO AL MÁS TRABAJADOR
PREMIO AL MÁS VAGO
PREMIO AL MÁS SANO
PREMIO AL MÁS INTELECTUAL
PREMIO AL MÁS JUERGUISTA
PREMIO AL MÁS DEPORTISTA

B. You can ask your classmates the questions, then select the winner on the basis of their answers.

- ¿Cuántas horas duermes normalmente?
- Siete u ocho.
- ¿Y a qué hora te levantas?

PREMIO AL MÁS DORMILÓN	Nombre: Paolo	Nombre: Brigitte	Nombre: Damon
¿Cuántas horas duermes normalmente?	Siete u ocho.	Unas nueve.	Seis o siete.
¿A qué hora te levantas?	A las 7.	A las 10 más o menos.	A las 11.
¿A qué hora te acuestas?	A las 11 o a las 12.	A la 1.	A las 4 o a las 5.
¿Duermes la siesta?	No, nunca.	Sí, todos los días.	A veces.

C. Now, award the prize.

- Nosotros entregamos el premio al más dormilón a… ¡Antonio!

VIAJAR

10. ESTADÍSTICAS

A. Read this survey about how often the Spanish do certain cultural activities. Is it the same in your country?

ESTUDIO SOBRE EL CONSUMO CULTURAL DE LOS ESPAÑOLES

% TODOS O CASI TODOS LOS DÍAS	
VER LA TELEVISIÓN	87%
ESCUCHAR LA RADIO (NO MÚSICA)	49%
ESCUCHAR MÚSICA	42%
LEER PERIÓDICOS	32%
LEER LIBROS	17%
LEER REVISTAS	4%

% AL MENOS UNA VEZ AL MES	
IR AL CINE	28%
HACER CONSULTAS EN BIBLIOTECAS	12%
VISITAR MUSEOS, EXPOSICIONES, MONUMENTOS HISTÓRICOS O ARTÍSTICOS...	7%
ASISTIR A CONFERENCIAS, MESAS REDONDAS...	5%
IR AL TEATRO	3%
ASISTIR A CONCIERTOS DE MÚSICA CLÁSICA, ÓPERA, ZARZUELA...	2%
ASISTIR A CONCIERTOS DE MÚSICA MODERNA	2%

(FUENTE: CIS)

B. What about you? How often do you do those things? Compare with a partner.

- Yo solo veo la televisión los fines de semana.
- Pues yo casi todos los días.

11. CUANDO ME LEVANTO

CD 43 Listen to this song. Match each verse with the corresponding picture.

CUANDO ME LEVANTO Kiko Veneno

☐ Cuando me levanto por la mañana
miro por la ventana
y me entran ganas de pensar.

☐ Pongo la cafetera mientras me afeito
el café se quema y mi cabeza
también se quema de tanto pensar.

☐ Cómo es el mundo,
por qué somos así,
por qué es tan difícil
simplemente vivir.

☐ Las vueltas y más vueltas
que da este mundo
que no se cansa de tantas vueltas
quién las puede controlar.

☐ Este grillo marino que llevo dentro
de la cabeza nunca se para
nunca me para de recordar.

☐ Dime algo, no me digas nada
el mar todo lo borra
el mar todo lo ama.

☐ Hoy empieza todo, tú y yo solos
contra el mundo dentro del mundo
y en un segundo la eternidad.

7

¡A COMER!

In this unit
we'll produce today's menu

You will learn:

> to survive in restaurants
> to ask for and give information about food
> the impersonal form with **se**
> the verbs **poner** and **traer**
> eating habits of the Spanish
> typical dishes around the Hispanic world

POLY

AYOREO y
ENUDEO

Crush
oran

Tienda de frutas y verduras en México

1. BOCADILLOS

A. Here's the menu of *El Bocata*, a fast-food place specialising in bocadillos (sandwich rolls). Do you know all the fillings and products that appear on the menu?

¡ELIGE TU BOCATA PREFERIDO!

EL BOCATA
ESPECIALIDAD EN BOCADILLOS

BOCADILLOS FRÍOS

chorizo	2,85 €
salchichón	2,85 €
jamón serrano	3,75 €
jamón york	2,85 €
queso	3,25 €
atún	3,25 €
anchoas	2,85 €
vegetal (lechuga, queso, tomate, huevo duro, cebolla)	3,75 €

BOCADILLOS CALIENTES

tortilla francesa	3,00 €
tortilla de patatas	3,25 €
bacon	3,00 €
hamburguesa	3,00 €
lomo	3,50 €
calamares	3,75 €
mixto (jamón york y queso caliente)	3,75 €
salchicha de frankfurt	3,00 €

TODOS NUESTROS BOCADILLOS PUEDEN PEDIRSE CON MAYONESA, MOSTAZA O KETCHUP.

- ¿Chorizo es un embutido?
- Sí, creo que sí. Y la tortilla francesa, ¿qué lleva?
- Solo huevos.

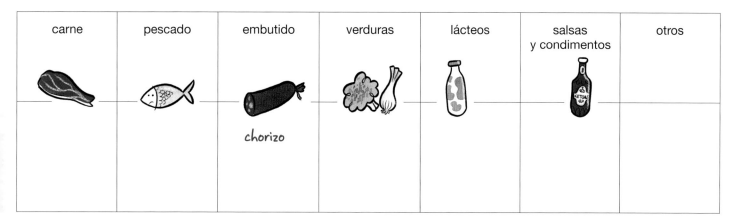

carne	pescado	embutido	verduras	lácteos	salsas y condimentos	otros
		chorizo				

B. Imagine that you're in *El Bocata*. One of you takes the orders, and the rest are customers. Which *bocadillo* do you want to try?

- Hola, ¿qué desea?
- Un bocadillo de lomo, por favor.
- ¿Alguna salsa?
- No, gracias.
- ¿Y usted?
- Yo...

C. The Spanish make *bocadillos* with every kind of filling. Make up your own and give it a name. What does it have in it? Describe it to your classmates.

MI BOCADILLO
nombre ....
ingredientes ....
....

- Mi bocadillo lleva atún, cebolla y mayonesa.
- ¿Y cómo se llama?

～ Casa Paco ～

Menú del día

PRIMEROS
Sopa del día
Ensalada mixta
Macarrones gratinados

****

SEGUNDOS
Pollo asado con patatas
Calamares a la romana con ensalada
Lomo a la plancha con pimientos

****

POSTRES
Flan
Yogur
Melón

Pan, agua o vino

9,95 euros sin IVA

(Menú de lunes a viernes)

2. DE PRIMERO, ¿QUÉ DESEAN?

CD 44 A. It's lunchtime at *Casa Paco*, a typical restaurant in Spain. The waiter is taking the order for two customers. Make a note of what they order.

B. Here are some other dishes at *Casa Paco*. Which part of the menu would you find them in: starters, main course or dessert? Some could be first or main courses. Compare with a partner.

Arroz con leche	Lentejas
Paella	Sardinas a la plancha
Merluza a la romana	Verdura con patatas
Gazpacho	Tortilla de patatas
Canelones	Arroz a la cubana
Bistec con patatas	Huevos fritos con patatas
Helado	Fruta

- El arroz con leche es un primero, ¿no?
- No, es un postre.

3. LA CUENTA, POR FAVOR

A. Read these brief dialogues. Who do you think is saying each sentence, the bartender/waiter (A), or the customer (B)? Mark it.

- ● Hola. Buenos días. ¿Qué le pongo?
- ○ Hola. ¿Me pone un café, por favor?

- ● ¿Me pone otro café, por favor?
- ○ Ahora mismo.

- ● ¿Qué le debo?
- ○ Dos con treinta.

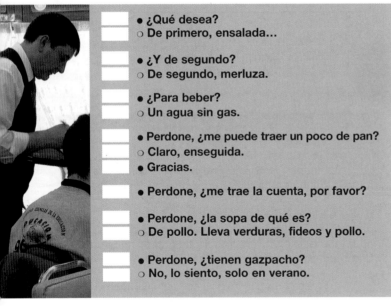

- ● ¿Qué desea?
- ○ De primero, ensalada…

- ● ¿Y de segundo?
- ○ De segundo, merluza.

- ● ¿Para beber?
- ○ Un agua sin gas.

- ● Perdone, ¿me puede traer un poco de pan?
- ○ Claro, enseguida.
- ● Gracias.

- ● Perdone, ¿me trae la cuenta, por favor?

- ● Perdone, ¿la sopa de qué es?
- ○ De pollo. Lleva verduras, fideos y pollo.

- ● Perdone, ¿tienen gazpacho?
- ○ No, lo siento, solo en verano.

B. Imagine you're in a restaurant. Complete the phrases.

1. ● De primero, ...
2. ● ...., ... con patatas.
3. ● Perdone, ¿tienen ....?
4. ● ¿Me puede traer ....?

4. SITUACIONES DIFERENTES

A. Here are two very similar dialogues but the situations are different. Underline the differences that you find.

- ● ¿Quiere cenar, señora?
- ○ No, gracias, más tarde.
- ● ¿Y para beber? ¿Desea algo?
- ○ Sí, un zumo, por favor.

- ● ¿Quieres cenar, cariño?
- ○ No, más tarde. No tengo hambre.
- ● ¿Y para beber? ¿Quieres algo?
- ○ Sí, un zumo, venga.

B. What differences have you found? Why are they different?

5. VERBOS TERMINADOS EN -ER

A. Underline the verbs in these sentences. What is the infinitive in each case? Write them in the box below.

Los martes siempre **hago** macarrones.

Como casi todos los días en un restaurante.

¿Qué le pongo?

Ahora le traigo el pan.

No, no bebo vino.

---

hago ➡ hacer
....
....
....
....

B. Some of these forms are irregular. Which ones?

PRESENTE DE INDICATIVO: THE VERBS PONER AND TRAER

	pon**er**	tra**er**
(yo)	pon**go**	trai**go**
(tú)	pon**es**	tra**es**
(él/ella/usted)	pon**e**	tra**e**
(nosotros/nosotras)	pon**emos**	tra**emos**
(vosotros/vosotras)	pon**éis**	tra**éis**
(ellos/ellas/ustedes)	pon**en**	tra**en**

- ¿Qué le **pongo**?
- Un café y un cruasán.

- ¿Me **trae** la carta, por favor?
- Sí, ahora mismo.

GENERALISING: THE IMPERSONAL FORM WITH SE

se + 3rd person singular
En mi casa **se** cen**a** a las nueve y media.
(= En mi casa cenamos a las nueve y media.)

se + 3rd person singular+ singular or uncountable noun
En España **se** com**e** much**o** pescad**o**.
(= Los españoles comen mucho pescado.)

se + 3rd person plural + plural countable noun
En Venezuela **se** beb**en** much**os** zumo**s**.
(= Los venezolanos beben muchos zumos.)

BARS AND RESTAURANTS

BARTENDER/WAITER	CUSTOMER
Para preguntar qué quiere el cliente	Para pedir en un restaurante
¿Qué desea/n? **¿Qué le/les pongo?**	**De primero (quiero)** sopa, y **de segundo**, pollo al horno.
¿Para beber?	**(Para beber)**, una cerveza, por favor.
Para ofrecer	Para preguntar por los platos de un menú
¿Alguna cosa de postre? **¿Algún** café/licor?	**¿Qué hay/tienen de** primero/segundo/postre?
	Para pedir algo más
	Perdone, ¿me pone otra agua? **Perdone, ¿me trae un poco más de** pan?
	Para pagar en un bar
	¿Cuánto es? / ¿Qué le debo?
	Para pagar en un restaurante
	La cuenta, por favor.

When dealing with customers, the verbs forms corresponding to **usted** or **ustedes** are normally used.

- ¿Qué desea?
- ¿Tienen cerveza sin alcohol?

ASKING AND GIVING INFORMATION ABOUT FOOD

- **¿Qué es** "merluza"?
- Un pescado.

- **¿La merluza es** carne **o** pescado?
- Pescado.

- El gazpacho, **¿qué lleva?**
- (Pues **lleva**) tomate, pepino, pimiento, ajo, cebolla, agua, aceite, sal, vinagre y pan.

- ¿La sangría **lleva** naranja?
- Sí, un poco.

WAYS OF COOKING

frito/a/os/as	*casserole*	al horno
guisado/a/os/as		a la plancha
cocido/a/os/as		al vapor
asado/a/os/as	*roast*	
crudo/a/os/as		

- El pescado, ¿cómo está hecho?
- **A la plancha**.

GARNISH / SERVED WITH VEGETABLES

con   patatas / arroz / ensalada / verduras...

- ¿El pollo va **con** acompañamiento?
- Sí, **con** ensalada o **con** patatas.

THE MAIN MEALS OF THE DAY

el desayuno   la comida / el almuerzo   la merienda   la cena

The verbs: **desayunar**, **comer/almorzar**, **merendar** y **cenar**.

- ¿Qué **desayunas** normalmente?
- Un zumo y unas tostadas.

¿A qué hora es la cena?

A las nueve y media... No, mejor a las diez y media.

6. PESCADO FRESCO

A. Spain has the second highest fish consumption in the world. In Spain fish is eaten in several different ways. What about where you live? Do you eat a lot of fish? Compare with a partner.

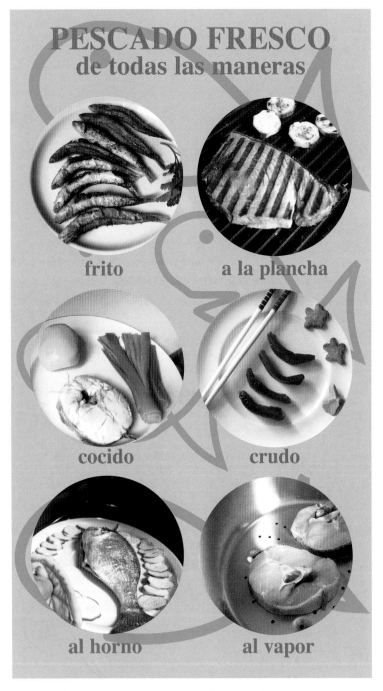

PESCADO FRESCO
de todas las maneras

frito   a la plancha

cocido   crudo

al horno   al vapor

- En mi casa no se come mucho pescado, pero normalmente se come frito.
- Pues en mi casa normalmente se come crudo. Nos gusta mucho la comida japonesa.

B. How do you usually eat these things? Write your answers in your notebook, then discuss them with your partner.

pollo	carne	huevos	patatas

El pollo **lo** como...
La carne **la** como...
Los huevos **los** como...
Las patatas **las** como...

frito/a/os/as   al horno
guisado/a/os/as   a la plancha
cocido/a/os/as   al vapor
asado/a/os/as
crudo/a/os/as

- Yo no como carne. No me gusta.
- Yo, la carne, normalmente la como a la plancha.

7. ¿CÓMO TOMAS EL CAFÉ?

A. We all have different tastes in drinks. Ask your partner how he/she drinks the following.

el café	(muy) caliente

el café   (muy) caliente
el té   (muy) frío/a
la leche   del tiempo
el agua   con leche
la coca-cola   con hielo
la cerveza   con limón
el vino blanco   con/sin gas
                 con/sin azúcar
                 No tomo nunca.

- ¿Cómo tomas tú el café?
- Yo no tomo nunca café. No me gusta. ¿Y tú?
- Yo, lo tomo con leche y sin azúcar.

B. Tell the rest of the class something interesting you've found out about your partner.

- Yannis toma el café frío.

8. COCINA LATINA

A. *La Hacienda* is a restaurant serving Latin American dishes. Today's menu has these four dishes. Can you match them to the photos?

☐ empanadas (Chile)
☐ ceviche (Perú)

☐ moros y cristianos (Cuba)
☐ guacamole (México)

B. Do you know which dish has the following ingredients? Talk about it with a partner and then write the corresponding number in each box.

☐ harina y carne picada

☐ pescado y limón

☐ arroz y frijoles

☐ aguacate y cebolla

• El guacamole se hace con aguacate, ¿no?
○ Sí, y también lleva...

C. Imagine that you're going to eat at La Hacienda. Which of the above dishes will you order? If you like, ask your teacher more questions to help you decide.

• ¿Las empanadillas chilenas son picantes?

9. EL MENÚ DE HOY

A. Now we'll produce today's menu for the class. We need a starter, a main course and a dessert. They can be Spanish or Latin American dishes, specialities of your own country or just things you happen to like a lot. Write down the name and ingredients of each dish, then describe it to your classmates.

B. On the board, the teacher will write the dishes suggested by each of you. If someone doesn't know what the dishes are, they can ask.

• Yo, de primero, propongo macarrones a la "Nicoletta".
○ ¿Qué son?
• Son los macarrones de mi abuela. Llevan...

C. Today's menu is now on the board. One of the class will be the waiter/waitress and will take down your order. You can order by tables, as you would in a restaurant.

CAMARERO	CLIENTE
¿Qué desea/n? **¿Qué le/les pongo?**	**De primero (quiero)** sopa, y **de segundo**, pollo al horno.
¿Para beber?	**(Para beber)**, una cerveza, por favor.
¿Alguna cosa de postre?	Perdone, ¿**qué hay/tienen de** postre?

• Hola, buenos días.
○ Buenos días.
• ¿Qué desea?
○ Mire, de primero, quiero...

D. Which dishes are the most popular?

10. ¿DÓNDE COMES HOY?

A. Read the following article about eating times and customs in Spain and make a note of things that are different in your country.

LOS ESPAÑOLES Y SUS MENÚS

Las ciudades son cada vez más grandes. No hay tiempo para ir a casa a comer. Sin embargo, el horario "español" no ha cambiado en muchas empresas y algunos españoles todavía hacen una larga pausa al mediodía y una comida fuerte. Algunos piensan que hay que cambiar las costumbres. Otros prefieren ir al restaurante de la esquina a comer con los compañeros de la oficina. Aquí tenemos cuatro ejemplos.

Armando, propietario del restaurante "Cangas de Onís"

Nosotros solo servimos comidas de 13.30 a 16h, para gente que trabaja aquí cerca. Muchos no tienen tiempo de ir a casa a comer y, además, ya nadie quiere cocinar. Aquí se puede elegir entre cinco primeros, cinco segundos y cuatro postres. Ya conocemos los gustos de la gente: comida casera y sencilla, para todos los gustos... Hoy, por ejemplo, tenemos sopa, ensalada, macarrones, gazpacho o lentejas, o sea, que combinamos platos fríos, calientes, ligeros, fuertes... Y de segundo, básicamente carne, pescado o huevos. Hoy, por ejemplo, hay pollo, lomo, calamares, merluza o huevos fritos con patatas. También tenemos platos fijos algunos días de la semana: los jueves, paella, y los lunes, cocido, por ejemplo.

Estrella, secretaria

Yo vivo muy lejos de la oficina y no tengo tiempo para ir a casa y volver. Alguna vez como una pizza o un bocata, pero casi todos los días me traigo al trabajo la fiambrera con la comida. En la oficina tenemos un microondas y comemos todos los compañeros juntos. Luego, salimos a tomar un café.

Leonor, comerciante

Yo vivo cerquita de mi tienda y, como cierro a las 14h y por la tarde abro a las 17h, tengo tiempo para ir a comer con mi marido. Comemos a las 14.30 o a las 14.45h. A veces, también vienen los chicos, pero normalmente salen tarde de la universidad y comen sobre las 16h. O sea, que comemos en dos turnos. Pero eso sí, siempre comida casera: un día arroz, otro macarrones, pescadito fresco, unos buenos filetes... ¡Es importante comer bien en casa! Y, además, luego, me da tiempo de echar una siestecita delante de la tele antes de volver a la tienda.

Vicente, ejecutivo

Yo, muchos días, tengo comidas de trabajo, con mi jefe o con clientes. Si no, como un menú del día en algún restaurante del barrio. El problema es que, al final, todos te cansan... Un día por semana, los martes, juego al tenis con unos amigos y como un plato combinado en el club. La verdad es que no hay nada como comer en casa, pero yo vivo a 50 kilómetros del trabajo... Mi mujer es profesora y tampoco come en casa. Por la noche cenamos bien, con los niños. A mí me encanta cocinar y a mi mujer también.

B. Now talk all together about the things that surprised you most.

8

EL BARRIO IDEAL

In this unit
we'll imagine an ideal neighbourhood

You will learn:
> to describe villages, neighbourhoods and towns
> to say what we like about a place
> to ask for and give information about a place
> quantifiers > to highlight an aspect
> the services available in a neighbourhood

Calle de la ciudad de Oaxaca (México)

1. EL BARRIO DE SAN ANDRÉS

A. This is the centre of the San Andrés neighbourhood. Where are the things on the list? Write the number alongside them.

- [ ] una zona peatonal
- [ ] un restaurante
- [ ] un parque
- [ ] contenedores de basura
- [ ] un cajero automático
- [ ] un teléfono público
- [ ] un centro comercial
- [ ] una tienda de ropa
- [ ] bares
- [ ] una estación de metro
- [ ] un párking
- [ ] una escuela
- [ ] una biblioteca
- [ ] un supermercado
- [ ] una parada de autobús

B. Complete the list of the other amenities or businesses that you can see in the picture.

C. Do you think there's anything missing in this neighbourhood? Tell a partner.

En este barrio **no** hay **ningún** teatro.
En este barrio **no** hay **ninguna** iglesia.
En este barrio **no** hay panaderías.

D. What about you? What neighbourhood do you live in? What about your partner? Ask each other questions.

- ¿Vives cerca de la escuela?
- No, vivo en las afueras.
- ¿Y qué hay cerca de tu casa?

2. CREAR UNA CIUDAD

A. Here is a description of a famous neighbourhood: el *Ensanche*. Read the text. Do you know what city it's in?

Pocos lugares del mundo pueden ofrecer tanto en un solo barrio. En el Ensanche hay edificios muy famosos, algunos de Gaudí, como la Pedrera, la Casa Batlló o la Sagrada Familia. El Ensanche es un barrio elegante y burgués, especialmente el Paseo de Gracia, lleno de tiendas de moda, lujosos hoteles, galerías de arte…

Todas las calles son rectas, paralelas y perpendiculares, y forman espacios cuadrados entre ellas llamados "manzanas". La mayoría de los edificios tienen seis plantas. De noche, el Ensanche es un barrio ordenado y tranquilo. De día, el tráfico y el ruido nos recuerdan que estamos en una gran ciudad. En el barrio hay dos grandes hospitales y varios mercados, pero no hay ningún cementerio. También hay escuelas, iglesias y todo tipo de servicios básicos. Sin embargo, hay pocos parques y zonas verdes.

B. Do you want to find out more about Barcelona? Read the text about Ildefons Cerdà, the town planner who designed the Ensanche, and his original plan. Compare it with the Ensanche as it is now and then decide if the sentences in the box are about the Plan Cerdà, the Ensanche as it is now, or both. Compare with a partner. Can you find any other differences?

	Plan Cerdà	Ensanche actual	Los dos
1. Es un barrio burgués.			
2. No hay ningún hospital dentro del barrio.			
3. Dentro de las manzanas hay jardines comunitarios.			
4. Hay varias escuelas, iglesias y mercados.			
5. La casas no tienen más de tres pisos de altura.			
6. No hay cementerios dentro del barrio.			
7. Todas las calles son rectas.			
8. Hay cien árboles en cada manzana.			
9. No hay muchas zonas verdes.			
10. En el barrio hay bastante ruido y contaminación.			

Barcelona, 1860

Barcelona es solo la ciudad medieval, rodeada de murallas. Es necesario abrir la ciudad porque los barceloneses necesitan más espacio. El ingeniero Ildefons Cerdà crea un nuevo plan urbanístico: el Ensanche.

El Plan Cerdà: el Ensanche

Ildefons Cerdà (1815 - 1876)

Cerdà quiere crear una ciudad para todas las personas, gente de todas las clases en un mismo barrio. En su plan todas las calles son rectas, paralelas y perpendiculares, y forman cuadrados o islas: las manzanas. Todas las manzanas tienen jardines en el interior y todos los pisos tienen sol y aire fresco. Cada manzana tiene cuatro lados; normalmente solo dos o tres lados están edificados, con casas de no más de tres pisos. Los lados sin edificar permiten entrar al jardín interior de la manzana, que es para uso de todos los vecinos del Ensanche. La idea es la "ciudad-jardín", donde la gente vive rodeada de aire fresco y espacios verdes, ya que, además de los jardines, las calles están llenas de árboles; en total, cien árboles en cada manzana. Dentro del Ensanche hay escuelas, iglesias, centros sociales, mercados y los servicios básicos, pero los hospitales

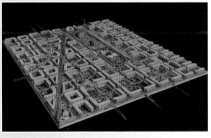

y los cementerios están fuera. El Ensanche es una ciudad perfecta; una ciudad sin diferencias y sin límites que se puede extender infinitamente en todas las direcciones.

3. EN MI BARRIO HAY DE TODO

A. What is your neighbourhood or town like? Tick the sentences that are true for where you live.

- ❏ Es muy bonito.
- ❏ Hay muchos bares y restaurantes.
- ❏ Es bastante feo.
- ❏ Las calles son estrechas.
- ❏ Es muy tranquilo.
- ❏ Hay pocas zonas verdes.

- ❏ Está lejos del centro.
- ❏ No hay ninguna iglesia.
- ❏ Es muy aburrido.
- ❏ Está cerca del centro / de una ciudad importante.
- ❏ Hay poco ambiente.
- ❏ Es especial.
- ❏ Hay bastantes tiendas.
- ❏ Es muy ruidoso.
- ❏ Hay algunas plazas.
- ❏ Está bien comunicado.
- ❏ Hay de todo.

B. Write six sentences describing your neighbourhood or village.

En mi | barrio / pueblo | hay ....
 | | no hay ningún/ninguna ....

Mi | barrio / pueblo | es ....
 | | está ....

Lo que más me gusta de mi barrio/pueblo es/son ....
.... y ....

Lo que menos me gusta de mi barrio/pueblo es/son ....
.... y ....

C. Describe your neighbourhood or village to the rest of the class.

- Yo vivo en... Es un barrio antiguo y con mucho ambiente. Es un poco ruidoso, pero a mí me encanta. Lo que más me gusta es que está en el centro y lo que menos me gusta es que no hay ningún parque.

4. PERDONE, ¿SABE SI HAY...?

A. In these dialogues, various people are asking how to get to the different places. Match the directions given to the maps.

A
- Perdone, ¿sabe si hay alguna farmacia por aquí?
- Sí, a ver, la primera... no, la segunda **a la derecha**. Está justo **en la esquina**.

C 3
- Perdona, ¿sabes si hay una estación de metro cerca?
- Cerca, no. Hay una, pero está un poco **lejos**, a unos diez minutos de aquí.

B
- Perdona, ¿sabes si el hospital está por aquí **cerca**?
- ¿El hospital? Sí, mira. Sigues **todo recto** y está al final de esta calle, **al lado** de la Universidad.

D 2
- Perdone, ¿la biblioteca está en esta calle?
- Sí, pero al final. Sigues todo recto hasta la plaza y está en la misma plaza, **a la izquierda**.

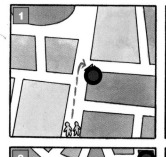

 B. Listen and check. (CD 45-48)

C. Notice the expressions in bold in the dialogues. They express location, direction or distance. Write them below the corresponding icon.

1. .... 2. .... 3. .... 4. al esqu

5. .... 6. .... 7. todo directo

QUANTIFIERS

Singular	
Masculine	Feminine
*__ningún__ parque	__ninguna__ plaza
__poco__ tráfico	__poca__ gente
*__un__ parque	__una__ plaza
*__algún__ parque	__alguna__ plaza
__bastante__ tráfico/gente	
__mucho__ tráfico	__mucha__ gente

Plural	
Masculine	Femenine
__pocos__ parques	__pocas__ plazas
__algunos__ parques	__algunas__ plazas
__varios__ parques	__varias__ plazas
__bastantes__ parques/plazas	
__muchos__ parques	__muchas__ plazas

❗ * When we're referring to a known noun that we don't
● need to repeat, use __ninguno, uno__ and __alguno__.

● *Perdona, ¿hay algún hotel por aquí?*
○ *Mmm... no, no hay __ninguno__.*

● *En mi barrio no hay ningún parque.*
○ *Pues en el mío hay __uno__ muy bonito.*

● *En mi barrio no hay ningún hospital,
¿en tu barrio hay __alguno__?*

> *La calle es muy tranquila. Hay muy poco ruido... normalmente.*

EXPRESSING TASTES: HIGHLIGHTING AN ASPECT

__Lo que más/menos me gusta__ de mi barrio __es/son__ + noun
__Lo que más/menos me gusta__ de mi barrio __es__ + __que__ + clause

● *¿Qué es __lo que más te gusta__ de tu barrio?*
○ *__Lo que más me gusta es__ la gente y __lo que menos me gusta es que__ hay pocas zonas verdes.*

ASKING FOR DIRECTIONS

¿sabes/sabe si hay una farmacia (__por__) __aquí cerca__?
¿sabes/sabe si el hospital __está__ (__por__) __aquí cerca__?
Perdona/e, ¿está muy lejos de aquí el estadio de fútbol?
¿__dónde está__ la estación de metro?
¿la biblioteca __está en esta calle__?

> *Disculpe, ¿sabe si hay algún banco por aquí?*

> *Sí, mire, en la plaza hay uno, justo en la esquina.*

GIVING DIRECTIONS

__Está a__	(unos) 20 minutos __a pie__ / __en metro__ / __en coche__ / __en tren__ / __en autobús__...
__Está a__	(unos) 200 metros __de aquí__.

	muy lejos.
	bastante lejos.
	un poco lejos.
__Está__	bastante cerca.
	muy cerca.
	aquí al lado.
	aquí mismo.

● *¿La Universidad está muy lejos de aquí?*
○ *¡Qué va! __Está aquí al lado. A cinco minutos a pie.__*

__Todo recto__	__En__ la esquina
__A la derecha (de...)__	__En__ la plaza...
__A la izquierda (de...)__	__En__ la calle...
__Al lado (de...)__	__En__ la avenida...
__Al final de la calle__	__En__ el paseo...
__La primera/segunda...__ (calle) __a la derecha/izquierda__...	

● *Perdona, ¿sabes si hay alguna farmacia por aquí cerca?*
○ *Sí, mira, hay una __al final de__ la calle, __a la derecha__, __al lado de__ un gimnasio.*

5. TRES BARRIOS CON ENCANTO

A. These are three neighbourhoods in the Spanish-speaking world. Working in threes, each of you reads the information about one of the neighbourhoods and describes it to the others.

palermo viejo - buenos aires

Un barrio inmortalizado en la literatura de Borges que combina lo moderno y lo antiguo. En Palermo, el espíritu bohemio de la gente contrasta con los modernos bares y restaurantes. En el barrio viven muchos artistas y hay muchas galerías de arte y pintorescos talleres. Las casas son antiguas y hay algunos pasajes llenos de plantas y paseos llenos de árboles. También hay varias placitas donde la gente se reúne para hacer actividades culturales. La más conocida es la plaza de Julio Cortázar, donde hay varios restaurantes que ofrecen comida de distintos países. De Palermo Viejo se dice que es el Soho porteño.

B. Now tell the others about what you have read. What do you like most about the neighbourhood?

- Lo que más me gusta de El Albaicín es que las calles son estrechas y que las casas tienen patios interiores.

el albaicín - granada

Su nombre viene del árabe y es el barrio más antiguo de Granada. En El Albaicín, las calles son estrechas, empinadas y están limitadas por una muralla. En la zona de los Cármenes, las calles son blancas y tienen hermosos patios interiores. En la calle de la Calderería hay teterías y carnicerías árabes. De noche, el barrio se llena de estudiantes universitarios de todas las nacionalidades. El Albaicín es un barrio muy especial, que se ve, se oye y se toca, un lugar donde se unen el pasado y el presente.

el vedado - la habana

Antiguamente un bosque de difícil acceso y zona residencial de la burguesía criolla, El Vedado es hoy el corazón de la capital cubana. La principal zona del barrio es La Rampa, donde se encuentra el famoso Hotel Nacional. En el barrio hay tiendas, mercados populares de artesanía, la famosa heladería Coppelia y varios palacetes rodeados de jardines con vegetación tropical. Las calles de El Vedado son rectas y limpias. En la actualidad, el barrio ofrece mucha actividad, tanto de día como de noche: restaurantes, discotecas, cines, hoteles…

6. MIS LUGARES PREFERIDOS

A. What are your favourite places in your town or village? Do you have a favourite shop? Is there a restaurant that you really like going to? Write it in the file card.

> Mis lugares preferidos:

B. Now, using a map, you're going to explain where your favourite places are.

- Yo voy mucho a un bar que se llama "Ritmo latino". Ponen música en español todos los viernes y no es muy caro. A ver… Está aquí…
- Pues en mi barrio hay una tienda de discos muy buena. Tienen discos viejos de jazz y de blues. Está…

C. In threes, imagine that a Spaniard is going to live in your town or village and asks for your help to find various places. One of you is the Spaniard and the other two help him/her.

**una biblioteca   una tienda de productos biológicos
un gimnasio   un parque   una piscina   un hospital
un restaurante japonés   una tienda de discos**

- ¿Hay algún gimnasio por aquí cerca?
- Creo que hay uno en la plaza, al lado de la farmacia.

7. ICARIA

A. Icaria is a town that has four main neighbourhoods. In which one do you think each of these people live? Why?

ICARIA es una ciudad con mucha historia. Está situada en la costa y no es muy grande, pero es moderna y dinámica. En Icaria hay cuatro grandes barrios: el barrio Sur, el barrio Norte, el barrio Este y el barrio Oeste.

EL BARRIO SUR es el centro histórico. Está al lado del mar y tiene una playa preciosa. Es un barrio bohemio, antiguo y con pocas comodidades, pero con mucho encanto. Las calles son estrechas y hay muchos bares y discotecas. Los alquileres no son muy caros y por eso muchos artistas y jóvenes viven allí. En el barrio viven muchos extranjeros.

EL BARRIO NORTE es un barrio nuevo, elegante y bastante exclusivo. Está situado bastante lejos del centro y del mar. Hay muchos árboles y zonas verdes. Las calles son anchas, no hay edificios altos y casi todas las casas tienen jardín. En el barrio Norte hay pocas tiendas, pero hay un centro comercial enorme, un polideportivo y un club de tenis.

EL BARRIO ESTE es un barrio céntrico y bastante elegante. Las calles son anchas y hay muchas tiendas de todo tipo. También hay muchos cines, teatros, restaurantes y varias galerías de arte. Hay, sin embargo, pocas zonas verdes.

EL BARRIO OESTE es un barrio de edificios altos, construidos la mayoría en los años 60. En el barrio no hay mucha oferta cultural, pero hay tres mercados, varias escuelas y muchas tiendas... Está un poco lejos del centro de la ciudad, pero está muy bien comunicado. Tiene un gran parque y dos centros comerciales.

1. Ester Cruz

26 años / Profesora de yoga / Vive con dos amigas / Tiene una bicicleta / Le gustan la música y el mar

2. Conchita Casas

73 años / Jubilada / Vive con su prima Sole / Le gusta mucho pasear por el parque y jugar a las cartas

3. Toni Navarro

43 años / Publicista / Vive solo / Le gusta salir a cenar con amigos / Le interesan el arte y el cine

4. Alicia Serra

32 años / Empresaria / Vive con su compañero, Alex / Tienen dos hijos y un perro / Le gusta jugar al tenis por las mañanas / Tiene una moto

- Yo creo que Alicia Serra vive en el barrio Norte porque...

🔊 **CD 49** **B.** Listen to Fernando talking about his neighbourhood. Which part of Icaria does he live in?

C. What's the most beautiful neighbourhood in your town? What's the most exciting? What's the quietest? Can you all agree?

8. UN BARRIO IDEAL

A. Today, you're going to think about your dream neighbourhood. In groups, complete this file card.

1. Cómo se llama:

2. Dónde está:

3. Cómo es:

4. Qué hay:

5. Qué tipo de gente vive en él:

B. Now draw a map to describe the neighbourhood you've designed to the rest of the class. The rest of the class can ask questions because later, all together, you're going to decide which is the best neighbourhood of all.

Nuestro barrio se llama Los Marineros y está al lado del mar. Es un barrio de pescadores precioso. En el barrio hay muchos restaurantes...

VIAJAR

9. PODER LATINO

A. Do you know how many Latinos there are in the USA? Which three countries do most Latin immigrants come from? Talk about it together and then read the article below.

PODER LATINO

★★★★★★★★★★★★⊛★★★★★★★★★★★★

Los latinos en Estados Unidos suelen vivir agrupados en los mismos barrios; así que, cuando hablamos de barrios hispanos del mundo, no tenemos por qué pensar únicamente en lugares de América Latina o de España, como la Boca en Buenos Aires, el Albaicín en Granada, Lavapiés en Madrid o la Habana Vieja… Los aproximadamente 40 millones de latinos que viven en Estados Unidos tienen el peso suficiente como para formar comunidades en las que se respira el ambiente de sus países de origen.

En el East Harlem de Nueva York, también conocido como "El Barrio" o *Spanish Harlem*, Puerto Rico está en el aire. Hay mucha gente en las calles: unos conversan, otros juegan al dominó, otros simplemente pasean. De las ventanas de las casas, de los restaurantes y de los coches, sale un tipo especial de música: la salsa. Un dato curioso: viven más puertorriqueños en Nueva York que en San Juan, la capital de Puerto Rico.

¿Y el mítico barrio de La Misión, en San Francisco? En los restaurantes hay burritos, quesadillas, enchiladas y otros platos de la cocina mexicana adaptados al gusto americano. En las paredes de las calles hay murales enormes que recuerdan a Diego Rivera. México está presente.

También Cuba está presente en Little Havana. En las diez manzanas que forman este barrio de Miami hay siempre mucho tráfico y ruido. La calle principal es la famosa calle Ocho, donde se celebra el carnaval. En los parques hay hombres en guayabera fumando cigarros habanos; juegan al dominó y charlan, muchas veces de política. Las tiendas ofrecen productos de Cuba y en la calle se oye el inconfundible acento de la isla. Un buen lugar para captar el espíritu de Little Havana es "El Versalles", un conocido restaurante con paredes cubiertas de espejos, siempre lleno de gente que habla animadamente y donde se sirve una deliciosa comida cubana.

01 Little Havana
02 La Misión
03 East Harlem

B. What about your town? Are there neighbourhoods with lots of people from other countries? And are there places in other countries with lots of people from your country or culture?

9

¿SABES COCINAR?

In this unit

we'll choose a driver, the tour guide, the cultural organizer and the cook for the class to go camping for a few days

You will learn:

> to talk about past experiences
> to talk about skills and abilities
> to talk about people's strong and weak points
> the Pretérito Perfecto > **saber** + Infinitive
> expressions of frequency
> character adjectives

Paella gigante en las fiestas de la localidad española de Benifato (Alicante)

1. CUALIDADES DE UN AMIGO

A. The adjectives on the right are used to describe character and personality. Which do you think are positive and which are negative?

+ CUALIDADES	− DEFECTOS

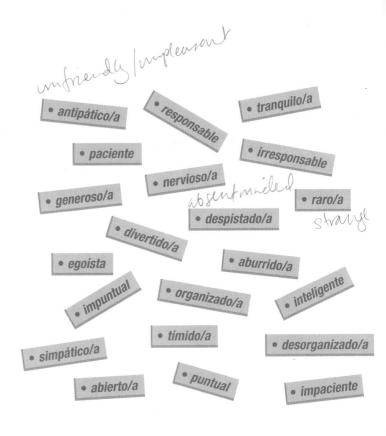

unfriendly/unpleasant

- antipático/a
- responsable
- tranquilo/a
- paciente
- irresponsable
- generoso/a
- nervioso/a
- raro/a
- despistado/a   *absentminded   strange*
- divertido/a
- egoísta
- aburrido/a
- impuntual
- organizado/a
- inteligente
- simpático/a
- tímido/a
- desorganizado/a
- abierto/a
- puntual
- impaciente

B. Which of the following qualities (and defects) do you think you have?

- Yo creo que soy bastante generoso, un poco tímido y muy tranquilo.

C. For you, what are the three most important qualities in a friend?

- Para mí, un amigo tiene que ser, primero, generoso, después, divertido y también...

use less — such America — he conocido el — past part.

2. DOS NOVIOS PARA RAQUEL

A. Read this email that Raquel has sent to her friend
Rocío. Who do you think Albert and Luís are? Talk about
it with a partner.

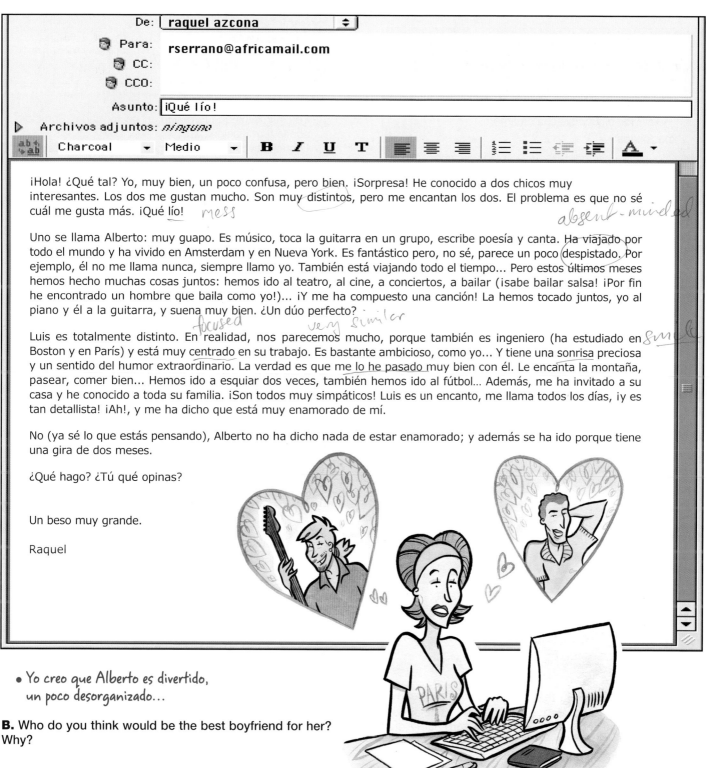

De:	raquel azcona ▾
Para:	rserrano@africamail.com
CC:	
CCO:	
Asunto:	¡Qué lío!

Archivos adjuntos: *ninguno*

| Charcoal ▾ | Medio ▾ | **B** *I* <u>U</u> **T** | ≣ ≣ ≣ | ⅑≡ ⦂≡ ⦂≡ ⦂≡ | **A** ▾ |

¡Hola! ¿Qué tal? Yo, muy bien, un poco confusa, pero bien. ¡Sorpresa! He conocido a dos chicos muy interesantes. Los dos me gustan mucho. Son muy distintos, pero me encantan los dos. El problema es que no sé cuál me gusta más. ¡Qué lío!   *mess*   *absent-minded*

Uno se llama Alberto: muy guapo. Es músico, toca la guitarra en un grupo, escribe poesía y canta. Ha viajado por todo el mundo y ha vivido en Amsterdam y en Nueva York. Es fantástico pero, no sé, parece un poco despistado. Por ejemplo, él no me llama nunca, siempre llamo yo. También está viajando todo el tiempo... Pero estos últimos meses hemos hecho muchas cosas juntos: hemos ido al teatro, al cine, a conciertos, a bailar (¡sabe bailar salsa! ¡Por fin he encontrado un hombre que baila como yo!)... ¡Y me ha compuesto una canción! La hemos tocado juntos, yo al piano y él a la guitarra, y suena muy bien. ¿Un dúo perfecto?   *focused*   *very similar*

Luis es totalmente distinto. En realidad, nos parecemos mucho, porque también es ingeniero (ha estudiado en *smile* Boston y en París) y está muy centrado en su trabajo. Es bastante ambicioso, como yo... Y tiene una sonrisa preciosa y un sentido del humor extraordinario. La verdad es que me lo he pasado muy bien con él. Le encanta la montaña, pasear, comer bien... Hemos ido a esquiar dos veces, también hemos ido al fútbol... Además, me ha invitado a su casa y he conocido a toda su familia. ¡Son todos muy simpáticos! Luis es un encanto, me llama todos los días, ¡y es tan detallista! ¡Ah!, y me ha dicho que está muy enamorado de mí.

No (ya sé lo que estás pensando), Alberto no ha dicho nada de estar enamorado; y además se ha ido porque tiene una gira de dos meses.

¿Qué hago? ¿Tú qué opinas?

Un beso muy grande.

Raquel

• Yo creo que Alberto es divertido,
un poco desorganizado...

B. Who do you think would be the best boyfriend for her?
Why?

3. ¿ERES UNA PERSONA ROMÁNTICA?

A. Have you ever done any of these things for someone special?

	Sí	No
1. ¿Has preparado alguna vez una cena romántica?	☐	☐
2. ¿Alguna vez has escrito un poema de amor?	☐	☐
3. ¿Has vivido alguna historia de amor apasionada?	☐	☐
4. ¿Alguna vez has cantado una canción de amor a alguien?	☐	☐
5. ¿Te has enamorado alguna vez a primera vista?	☐	☐
6. ¿Has tenido que mentir por amor?	☐	☐
7. ¿Has dicho alguna vez: "Te quiero"?	☐	☐
8. ¿Alguna vez has declarado tu amor a alguien por la radio o por la televisión?	☐	☐
9. ¿Has hecho alguna vez un viaje muy largo por amor?	☐	☐
10. ¿Alguna vez has enviado rosas o bombones a alguien después de un fin de semana?	☐	☐

B. Let's look at the results. Count the things you have done. Are you a romantic person?

Entre **0 y 2** respuestas afirmativas.
Eres una persona un poco fría. No sabes lo que significa la palabra romanticismo. Pero cuidado, recuerda que todo el mundo necesita un poco de amor.

Entre **3 y 6** respuestas afirmativas.
Eres una persona bastante romántica. Te gusta demostrar tus sentimientos a la persona amada y hacer que él o ella se sienta bien.

7 o más respuestas afirmativas.
Sin duda eres una persona muy romántica. Pero, cuidado, vivir contigo puede ser como vivir en una novela rosa.

C. Have you noticed that this test contains a new verb tense? It's the Pretérito Perfecto. It's used to talk about past experiences and is formed with the verb *haber* and the past participle. Underline all the verbs in the Pretérito Perfecto in part A.

D. Complete this grid with the infinitives and the participles that you've found. Then, complete the rules.

Participio: -ado		Participio: -ido		otros	
Infinitivo	Participio	Infinitivo	Participio	Infinitivo	Participio
preparar	preparado	ir	ido	escribir	escrito
cantar	cantado	tener	tenido	ver	visto
hablar	hablado	vivir	vivido	hacer	hecho
declar	declarado			Decir	dicho

PARTICIPIOS REGULARES
- Los infinitivos que terminan en **-ar** forman el Participio con la terminación: ...... *ado*
- Los infinitivos que terminan en **-er** forman el Participio con la terminación: ...... *ido*
- Los infinitivos que terminan en **-ir** forman el Participio con la terminación: ...... *ido*

E. Now ask your partner the questions in the test. Who is the more romantic of the two of you?

• ¿Has preparado una cena romántica alguna vez?
○ Sí, muchas veces. ¿Y tú?

4. ¿NO SABES O NO PUEDES?

A. Look at the picture. Why does the young man say *no*? What about the young woman?

B. Which of these things can you do well? Mark them and then tell you partners. Who can do the most things?

☐ dibujar   ☐ nadar   ☐ jugar al ajedrez
☐ tocar la guitarra   ☐ cocinar   ☐ coser
☐ contar chistes   ☐ esquiar   ☐ bailar

• Yo sé tocar la guitarra, contar chistes y bailar.

TALKING ABOUT PAST EXPERIENCES: THE PRETÉRITO PERFECTO

	Present of verb haber +	Past Participle
(yo)	**he**	
(tú)	**has**	
(él/ella/usted)	**ha**	est**ado**
(nosotros/nosotras)	**hemos**	ten**ido**
(vosotros/vosotras)	**habéis**	viv**ido**
(ellos/ellas/ustedes)	**han**	

The Pretérito Perfecto is used to talk about past experiences without saying when they happened.

- ● *He viajado por todo el mundo.*
- ○ *¡Qué suerte!*

We very often use time adverbs to say how often we've done something.

muchas veces
varias veces
tres veces
un par de veces (= **dos veces**)
alguna vez
una vez
nunca

- ● *¿Has estado **alguna vez** en Latinoamérica?*
- ○ *Sí, he estado **muchas veces** en Argentina y* ***un par de veces*** *en Costa Rica.*

- ● *¿Has estado **alguna vez** en Japón?*
- ○ *No, **nunca**.*

> Fíjate:
> **Nunca** he estado en Japón. = **No** he estado **nunca** en Japón.
>
> Pero: He estado **nunca** en Japón.

! The auxiliary verb and the participle function as one indi-
● visible unit; nothing can come between them:
No he **nunca** estado en Japón.

¡Nunca he ido de vacaciones sin mi familia!

THE PARTICIPLE

–ar verbs: -ado	–er/–ir verbs: -ido	irregular verbs
viaj**ado**	viv**ido**	**escrito**
cant**ado**	ment**ido**	**dicho**
enamor**ado**	ten**ido**	**hecho**
envi**ado**	le**ído**	**compuesto**
habl**ado**	re**ído**	**vuelto**
est**ado**	com**ido**	**puesto**
escuch**ado**	conoc**ido**	**roto**
gust**ado**	sal**ido**	
prepar**ado**	**ido**	

TALKING ABOUT ABILITY

	saber +	Infinitive
(yo)	**sé**	
(tú)	**sabes**	
(él/ella/usted)	**sabe**	cocinar
(nosotros/nosotras)	**sabemos**	
(vosotros/vosotras)	**sabéis**	
(ellos/ellas/ustedes)	**saben**	

- ● *¿**Sabes** conducir?*
- ○ *Sí, pero no puedo porque no tengo carné.*

Cocina **muy bien**.
Cocina **bastante bien**.
Cocina **bastante mal**. = **No** cocina **muy bien**.
Cocina **muy mal**.
Cocina **fatal**.

- ● *¿Cocina bien tu padre?*
- ○ *No, cocina **fatal**.*

CHARACTER ADJECTIVES

GENDER
Remember that adjectives can be masculine (normally ending in -**o**) or feminine (normally ending in -**a**). However, there are adjectives that have the same form for the masculine and for the feminine.

Ending in -e	Ending in -ista	Ending in -al
inteligent**e**	ego**ísta**	puntu**al**
pacient**e**	optim**ista**	especi**al**
responsabl**e**	pesim**ista**	norm**al**
amabl**e**	real**ista**	le**al**

5. BUSCA A ALGUIEN QUE...

Stand up and ask your classmates if they've ever done any of the things on the list. Next to the question, write the name of the first person who says yes, (don't go on to the next question until you find someone who has done the thing you're asking about). Before you begin, add two more questions to the list.

	NOMBRE
1. perder las llaves de casa	....
2. ir a trabajar sin dormir	....
3. salir en la tele	....
4. enamorarse a primera vista	....
5. ganar un premio	....
6. mentir a un buen amigo	....
7. viajar sin dinero	....
8. encontrar algo de valor en la calle	....
9.	....
10.	....

- ¿Has perdido alguna vez las llaves de casa?
- Sí, muchas veces.

6. GENTE ÚNICA

CD 50-53

A. A radio programme in Spain is looking amongst its listeners for unusual people; people who have done things that no one else has done. Listen to what these people say and write below why they are unusual.

1. ....
2. ....
3. ....
4. ....

B. In small groups, comment on these people's experiences, comparing them with your own.

- Yo nunca he estado casado.
- Yo tampoco, pero un tío mío se ha casado tres veces.

C. Now, each of you will say something you've done that you think no one else in your class has. Are you really the only person in your class who has done it?

- Yo he vivido dos años en Japón.

7. ¡ADIÓS PAPÁS!

A. Do you agree with what the introduction to this article says?

B. Think about the questions you have to ask yourself before going to live on a desert island.

¿QUIERES VIVIR SOLO?

Antes de decir adiós a papá y mamá, pregúntate:

- ¿Sabes cocinar?
- ¿Eres organizado?
- ¿Sabes poner la lavadora?
- ¿Eres responsable?
- ¿Sabes hacer la compra?
- ¿Sabes barrer?

• Yo creo que para vivir solo es importante saber...

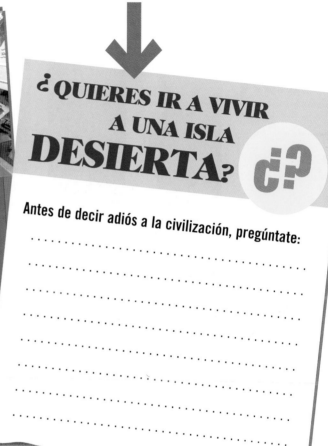

¿QUIERES IR A VIVIR A UNA ISLA DESIERTA? ¿?

Antes de decir adiós a la civilización, pregúntate:

. . . .
. . . .
. . . .
. . . .
. . . .
. . . .
. . . .
. . . .
. . . .

8. SE BUSCA CHÓFER, GUÍA, ANIMADOR Y COCINERO

A. Imagine you're all going camping together for a few days. To do that, you're going to need a cook, a driver, a cultural organizer, and a tour guide. Each student chooses one of the four jobs and writes down the reasons why he/she should be chosen.

B. Now, each of you is going to present their reasons to the rest of the class.

- Yo quiero ser el cocinero porque me gusta mucho cocinar. Sé preparar platos de todo tipo: vegetarianos, japoneses, franceses... Además, soy muy organizado con el dinero y he trabajado cinco años en un restaurante.
  ○ ¿Sabes hacer pizzas?
  ■ ¿Sabes cocinar para mucha gente?
  ❑ ¿Has cocinado alguna vez en un cámping?

C. Let's vote. Who has been chosen?

SALIDA DE SOCORRO

VIAJAR

9. VIVO CON MIS PADRES

Read this information about the ages at which Spaniards do various things. Is it the same in your country? Talk with your classmates about the differences you see between the Spanish and people from your country.

A LOS 20 AÑOS...
◆ La mayoría de los jóvenes españoles...
   vive con sus padres.
   ha tenido relaciones sexuales.
   no ha terminado los estudios.

A LOS 30 AÑOS...
◆ El 70% de los españoles no ha dejado la casa de sus padres.
◆ La mayoría ha empezado a ahorrar.
◆ La mayoría de las mujeres no han tenido su primer hijo.

A LOS 35 AÑOS...
◆ La mayoría de los españoles...
   ha comprado su primera vivienda.
   se ha casado.
   ha tenido su primer hijo.
   no ha empezado a pensar en la jubilación.

A LOS 45 AÑOS...
◆ La mayoría de los españoles ha empezado a pensar en su jubilación.

10. ¿Y TÚ? ¿QUÉ SABES HACER?

A. Is it possible to live without money? Read the following text to find out about an alternative to using money.

Vivir sin dinero

¿Qué hace una persona cuando, por ejemplo, necesita una tarta de cumpleaños, pero no sabe hacer tartas o no tiene tiempo?

Muy sencillo: va a la pastelería y compra una. El dinero sirve para solucionar casi todo. Sin embargo, muchas personas en todo el mundo creen que se puede vivir sin dinero.

Se llaman "prosumidores" (porque son productores y consumidores al mismo tiempo) y creen que se puede mejorar la calidad de vida a través del intercambio imaginativo de artículos o servicios entre grupos de personas. Por ejemplo, si una persona sabe hacer tartas y otra sabe cortar el pelo, pueden realizar un trueque sin necesidad de recurrir al dinero.

Las redes de trueque se han convertido en una opción para cientos de personas que luchan contra una crisis económica. Nacidos en los años noventa en Argentina y Uruguay, estos clubes de trueque se han extendido por toda Latinoamérica e incluso han llegado a países con economías estables como Canadá, Bélgica o Finlandia.

B. What do you think of the idea? Does this happen in your country? Do you know of any cases? Talk to your classmates.

C. How about offering your skills, or products you would like to exchange, and setting up a swap club in your class?

- Yo sé tocar el piano.
- Pues yo sé informática y, además, tengo algunas cosas para cambiar: una impresora...

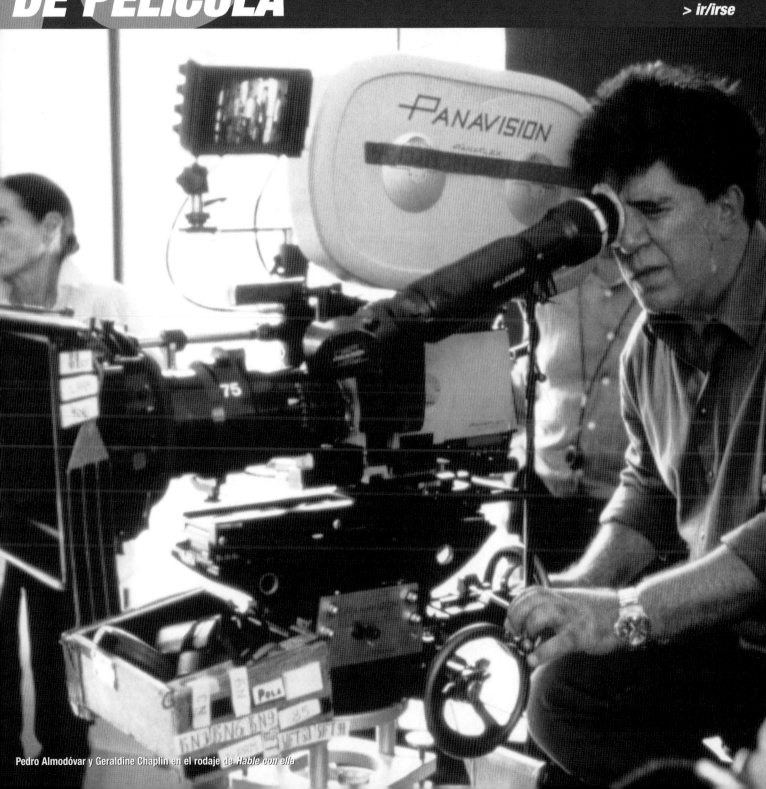

10

UNA VIDA DE PELÍCULA

In this unit
we'll write an imaginary biography

You will learn:
> **to narrate and describe past events**
> **to talk about duration**
> **the form and some uses of the Pretérito Indefinido**
> **adverbials of past time**
> **empezar a + Infinitive**
> **ir/irse**

Pedro Almodóvar y Geraldine Chaplin en el rodaje de *Hable con ella*

1. CINEMANÍA

A. Some of the following statements concerning the history of a film aren´t true. Which? Check your answers with a partner.

1. Los hermanos Lumière inventaron el cinematógrafo (el primer proyector de cine) y proyectaron la primera película el 28 de diciembre de 1895.
2. Pedro Almodóvar recibió un Oscar a la mejor película extranjera por *Todo sobre mi madre* en 2000 y otro, al mejor guión original por *Hable con ella* en 2003.
3. En los años 50, Marilyn Monroe hizo varias películas en Cuba.
4. Halle Berry fue la primera mujer negra que ganó un Oscar a la mejor actriz.
5. Alfred Hitchcock, el maestro del suspense, no consiguió nunca un Oscar al mejor director.
6. *Toy Story* fue el primer largometraje realizado en su totalidad por ordenador.
7. Ava Gardner estuvo en España en 1951 y tuvo un romance con el torero Luis Miguel Dominguín.
8. El director de cine japonés Akira Kurosawa dirigió *2001: Una odisea en el espacio*.
9. Federico Fellini nació en Argentina en 1920.
10. Las tres películas de la trilogía de *El señor de los anillos* se filmaron en Nueva Zelanda durante casi dos años de forma ininterrumpida.

- Los hermanos Lumière inventaron el cine...
- Yo creo que es verdad, pero no sé cuándo proyectaron la primera película.
- Yo tampoco.

B. What do you know about Spanish or Latin-American cinema? Do you know any directors, actors/actresses, from Spain or Latin-America? Compare with your classmates.

- A mí me gusta bastante el cine, pero no sé casi nada del cine español ni del cine latinoamericano.
- Yo conozco a Pedro Almodóvar y a Antonio Banderas...

2. PEDRO ALMODÓVAR

A. Pedro Almodóvar is probably the best-known Spanish film director internationally. What do you know about him? Have you seen any of his films? Compare with your classmates. Then read the text.

- Yo he visto "Todo sobre mi madre".
- ○ Yo también, es muy buena.

DATOS PERSONALES
Fecha de nacimiento: 24/09/1951
Lugar de nacimiento: Calzada de Calatrava (Ciudad Real)
Horóscopo: Libra
Color de ojos: marrones
Color del cabello: castaño

CURIOSIDADES
- Le gustan mucho las tapas.
- Su madre participó como actriz en varias de sus películas.
- Es muy exigente con los decorados de sus películas y elige personalmente todos los detalles, incluso la tela de un sofá.
- Su casa está llena de fotos antiguas de su padre y de su madre.

FILMOGRAFÍA
- *Pepi, Luci, Bom y otras chicas del montón* (1980)
- *Laberinto de pasiones* (1982)
- *Entre tinieblas* (1983)
- *¿Qué he hecho yo para merecer esto?* (1984)
- *Matador* (1985)
- *La ley del deseo* (1986)
- *Mujeres al borde de un ataque de nervios* (1988)
- *Átame* (1990)
- *Tacones lejanos* (1991)
- *Kika* (1993)
- *La flor de mi secreto* (1995)
- *Carne trémula* (1997)
- *Todo sobre mi madre* (1999)
- *Hable con ella* (2002)
- *La mala educación* (2004)
- *Volver* (2006)
- *Los abrazos rotos* (2009)

B. In groups, after reading the text and without looking back at it, recall some of the key dates in Pedro Almodóvar's life.

En 1951 ....
A los 8 años ....
En Madrid ....
En 1980 ....
En 1989 ....
En 2000 ....
En 2003 ....
En 2004 ....
En 2006 ....
En 2009 ....
Actualmente ....

Pedro ALMODÓVAR

El director de cine Pedro Almodóvar es el cineasta español de más éxito internacional. Su obra destaca por el colorido de sus decorados y por la capacidad de crear una galería de personajes excéntricos y entrañables.

Pedro Almodóvar Caballero nació en 1951 en Calzada de Calatrava (Ciudad Real). A los 8 años se fue a vivir con su familia a Cáceres. En esta ciudad extremeña estudió hasta los 16 años.

A mediados de los 60 se trasladó a Madrid, donde trabajó como administrativo en la Compañía Telefónica. En esa época, Pedro empezó a colaborar en diferentes revistas *underground*, escribió relatos, formó parte del grupo punk Almodóvar y McNamara y realizó sus primeros cortometrajes.

En 1980 estrenó su primer largometraje, *Pepi, Luci, Bom y otras chicas del montón*. La película fue un éxito y, al cabo de poco tiempo, Pedro decidió dejar su trabajo en Telefónica para dedicarse por completo al mundo del cine.

Con *Mujeres al borde de un ataque de nervios*, en 1989 se convirtió en el director extranjero de cine independiente más taquillero en Estados Unidos.

En 2000 su película *Todo sobre mi madre* ganó numerosos premios, entre ellos, el Oscar a la mejor película extranjera. Tres años después, recibió su segundo Oscar, esta vez al mejor guión original, por su película *Hable con ella*, que lo consagró definitivamente como el director de cine español más reconocido internacionalmente.

En 2004 su película número quince, *La mala educación*, inauguró el festival de cine de Cannes. Dos años después, Almodóvar estrenó *Volver*, filme con el que volvió a conseguir multitud de galardones, como el de mejor director en los Premios del Cine Europeo.

Los abrazos rotos, estrenada en 2009, fue el siguiente paso en la filmografía de Pedro Almodóvar, que actualmente es también propietario de la productora El Deseo S.A., que produce sus películas y las de otros importantes realizadores españoles.

3. AYER, HACE UN MES...

A. Read these sentences and mark all the information that is true for you. Then, compare with a partner.

❐ Fui al cine la semana pasada.
❐ Ayer hice los deberes.
❐ Estuve en Cuba en junio.
❐ Anoche me acosté tarde.
❐ Viví en África del 97 al 99.
❐ El domingo comí paella.
❐ Me casé hace dos años.
❐ Empecé a estudiar español el año pasado.

❐ He ido al cine esta semana.
❐ Últimamente no he hecho los deberes.
❐ No he estado nunca en Cuba.
❐ Hoy me he levantado pronto.
❐ He vivido en Asia.
❐ Todavía no he probado la paella.
❐ Me he casado dos veces.
❐ He empezado a estudiar español este año.

- Yo fui al cine la semana pasada.
○ Pues yo he ido esta semana.

B. In the sentences above, there are two verb tenses: the Pretérito Indefinido and the Pretérito Perfecto. Mark all the examples of these verb tenses. Which time expressions does each one use? Write them in the box. Can you think of more?

Pretérito Indefinido	Pretérito Perfecto
la semana pasada	

4. UN CURRÍCULUM

On the right is Nieves's CV. Read it and then complete these sentences.

1. Estudió en la Universidad de Salamanca de .... a ....
2. Llegó a Cambridge en 1996 y al .... siguiente volvió a Salamanca.
3. Trabajó como profesora de español durante .... años.
4. Empezó la carrera en 1995 y .... después la terminó.
5. Trabajó como traductora en una editorial de Barcelona hasta ....
6. Trabaja como traductora en la ONU desde ....

C. The Pretérito Indefinido is used to talk about past actions that happened at a definite time (as in the left-hand column in B). Look at the way it is formed, and add the missing forms.

VERBOS REGULARES

-AR estudiar	-ER comer	-IR vivir
....	....	....
estudiaste	comiste	viviste
estudió	comió	vivió
estudiamos	comimos	vivimos
estudiasteis	comisteis	vivisteis
estudiaron	comieron	vivieron

VERBOS IRREGULARES

ir	estar	hacer
....	....	......
fuiste	estuviste	hiciste
fue	estuvo	hizo
fuimos	estuvimos	hicimos
fuisteis	estuvisteis	hicisteis
fueron	estuvieron	hicieron

D. Which two conjugations have the same endings in the Pretérito Indefinido?

E. In two cases, the form is the same as in the Presente Indicativo. Which?

F. Compare the regular forms with the irregular ones. Is the stress in the same place? Mark the stressed syllables.

DATOS PERSONALES

- Nombre: Nieves
- Apellidos: Ruiz Camacho
- DNI: 20122810-W
- Lugar y fecha de nacimiento: Salamanca, 12/06/1976

FORMACIÓN ACADÉMICA

- 1995-2000   Universidad de Salamanca. Licenciatura en Filología Inglesa.
- 1996-1997   Estudiante Erasmus en Anglia University, Cambridge (Gran Bretaña).
- 2001-2002   Universidad de París-Cluny (Francia). Máster en Traducción.

EXPERIENCIA LABORAL

- 1996-1997   Camarera en The King's Pub, Cambridge (Gran Bretaña).
- 1998-2000   Profesora de español en la Academia ELE, Salamanca.
- 2001-2002   Traductora en la Editorial Barcana, Barcelona.
- 2002-actualidad   Traductora en la ONU, Ginebra (Suiza).

IDIOMAS

- Inglés: nivel avanzado, oral y escrito.
- Francés: nivel avanzado, oral y escrito.
- Alemán: nociones básicas.

OTROS DATOS DE INTERÉS

- Amplios conocimientos de informática y dominio de programas de edición.
- Disponibilidad para viajar.

vers+aal.com

PRETÉRITO INDEFINIDO

The Pretérito Indefinido is used to talk about past actions. Unlike the Pretérito Perfecto, we use the Pretérito Indefinido to talk about time not directly related to the present.

REGULAR VERBS

	-AR cambiar	-ER nacer	-IR escribir
(yo)	cambié	nací	escribí
(tú)	cambiaste	naciste	escribiste
(él/ella/usted)	cambió	nació	escribió
(nosotros/nosotras)	cambiamos*	nacimos	escribimos*
(vosotros/vosotras)	cambiasteis	nacisteis	escribisteis
(ellos/ellas/ustedes)	cambiaron	nacieron	escribieron

- **Cambié** de trabajo hace dos años.

! * These forms are the same as those in the Presente Indicativo.

IRREGULAR VERBS

	estar	
(yo)	estuv-	e
(tú)	estuv-	iste
(él/ella/usted)	estuv-	o
(nosotros/nosotras)	estuv-	imos
(vosotros/vosotras)	estuv-	isteis
(ellos/ellas/ustedes)	estuv-	ieron

- Ayer **estuve** en casa de Roberto.

All verbs that have an irregular root have the same endings in the Pretérito Perfecto.

tener	➡	tuv-	
poner	➡	pus-	e
poder	➡	pud-	iste
saber	➡	sup-	o
hacer	➡	hic*-	imos
querer	➡	quis-	isteis
venir	➡	vin-	ieron
decir	➡	dij**-	

> In the first and third person singular of regular verbs, the stress falls on the last syllable.
> In irregular verbs, however, the last-but-one syllable is stressed.

! * él/ella/usted **hizo**
** ellos/ellas/ustedes **dijeron** ~~dijieron~~

The verbs **ir** and **ser** have the same form in the Indefinido.

	ir/ser
(yo)	fui
(tú)	fuiste
(él/ella/usted)	fue
(nosotros/nosotras)	fuimos
(vosotros/vosotras)	fuisteis
(ellos/ellas/ustedes)	fueron

- **Fui** al cine la semana pasada.
- La película **fue** un gran éxito.

ADVERBIALS OF PAST TIME

All these time adverbials are used with the Pretérito Indefinido.

el martes/año/mes/siglo **pasado**
la semana pasada
hace un año/dos meses/tres semanas/cuatro días...
el lunes/martes/miércoles/8 de diciembre...
en mayo/1998/Navidad/verano...
ayer/anteayer/anoche
el otro día
entonces/en esa época

- ¿**Cuándo** llegaste a Madrid?
  ○ **La semana pasada.**

- Compré el piso **hace** un año.

- ¿**En qué año** te casaste?
  ○ **En** 1998.

- ¿**Qué día** empezó el curso?
  ○ **El** lunes.

EMPEZAR A + INFINITIVE

(yo)	empecé	
(tú)	empezaste	
(él/ella/usted)	empezó	
(nosotros/nosotras)	empezamos	
(vosotros/vosotras)	empezasteis	**a** + Infinitive
(ellos/ellas/ustedes)	empezaron	

- **Empecé a** trabajar en una multinacional hace dos años.

NARRATING PAST EVENTS

- Se casaron en 1997 y tres años **después** se divorciaron.
- Acabó el curso en julio y **al mes siguiente** encontró trabajo.

TALKING ABOUT DURATION

- Vivo en Santander **desde** febrero.
- Estuve en casa de Alfredo **hasta** las seis de la tarde.
- Trabajé en un periódico **de** 1996 **a** 1998. (= **del** 96 **al** 98)
- Trabajé como periodista **durante** dos años.

IR/IRSE

- El domingo **fui** a una exposición muy interesante.
- Llegó a las dos y, media hora más tarde, **se fue***.

! * **Irse** = leave somewhere

5. UNA HISTORIA DE AMOR

A. Put this love story in the correct sequence.

Un mes más tarde, pasaron un fin de semana en la playa y decidieron irse a vivir juntos.

Durante ese tiempo, en el hospital, Rosa se hizo muy amiga del doctor Urquijo, el médico de Álex.

Dos días después, la llamó, quedaron, fueron al cine y cenaron juntos.

El 3 de mayo de 1999, Álex conoció a Rosa en una discoteca. Se enamoraron a primera vista.

El 8 de junio de 1999, Álex tuvo un accidente, perdió la memoria y se quedó dos años en coma en un hospital.

En 2001, un día Rosa fue al hospital con su amiga Beatriz. Ese día Álex finalmente se despertó y cuando vio a Beatriz se enamoró de ella.

 B. What do you think happened next? In pairs, write the end of the story.

6. TODA UNA VIDA

CD 54 **A.** Guillermo is a young Argentinian who lives in Spain. Listen to what he says about his life and write down what he did in each of these places.

1. París (1995-1997):

2. Argentina (1997-1999):

3. Barcelona (1999-2001):

4. California (2001-2003):

B. Write down the names of the three most important places in your life and then tell a partner why they're so important for you.

- Los tres lugares más importantes de mi vida son Norwich, porque es donde nací, Londres, porque es donde conocí a mi marido, y...

7. EL CHE

A. Ernesto Guevara has become one of the best-known figures of Latin America. Do you know anything about his life? In pairs, decide whether the following things are true. Mark them.

☐ Nació en Cuba.

☐ Estudió y ejerció la Medicina.

☐ Conoció a Fidel Castro en México.

☐ No aceptó nunca cargos políticos en el gobierno de Castro.

☐ Participó en movimientos revolucionarios de diferentes países de Sudamérica y África.

☐ Murió a los 60 años en un accidente de tráfico.

☐ En 2004, el actor mexicano Gael García Bernal protagonizó una película sobre la juventud del "Che Guevara".

• ¿Crees que nació en Cuba?
○ No sé, no estoy muy seguro, pero...

B. Now read this brief biography of Che Guevara and check your answers.

Ernesto Guevara, mundialmente conocido como "Che Guevara" o "El Che", nació en Rosario, Argentina, en 1928. A los 9 años se trasladó con su familia a Buenos Aires, donde estudió Medicina. Su juventud estuvo marcada por sus viajes. En 1952 emprendió junto a un amigo su primer gran viaje por América Latina. Su paso por Chile, Bolivia, Perú y Colombia y su contacto directo con la difícil realidad social de la zona fueron una experiencia determinante para consolidar su ideología revolucionaria. Este joven "Che" es el que retrata la película *Diarios de motocicleta* protagonizada por el actor mexicano Gael García Bernal en 2004. En 1953, cuando terminó sus estudios, dejó Argentina y partió hacia Centroamérica, donde apoyó los movimientos revolucionarios de Guatemala y Costa Rica. En 1955, trabajó de médico en México y allí conoció a Fidel Castro. A partir de ese momento y durante diez años, la vida del "Che" estuvo totalmente dedicada a Cuba: participó en la Revolución, obtuvo la nacionalidad cubana, fue comandante del ejército, ministro en dos ocasiones y representó a Cuba en diferentes foros internacionales. En 1965 abandonó su trabajo en Cuba para volver a la clandestinidad y dedicarse por completo a la lucha activa, primero en África y, luego, de nuevo, en Sudamérica. Fue allí, en Bolivia, donde encontró la muerte: en 1967, el ejército boliviano lo apresó, lo fusiló y enterró su cuerpo en algún lugar de la selva. En 1997, se descubrieron sus restos y su tumba se encuentra desde entonces en Cuba, el país que lo ha considerado siempre un héroe nacional.

8. TU BIOGRAFÍA

A. Imagine that we're in the year 2025 and you have to write your autobiography. Write it thinking about your past, but also about projects that you have and things you want to do. Bear in mind that in the next few years there could be major changes (political, technological, social, etc.).

Nací en Belfast en 1982. Terminé mis estudios de Arte Dramático en Londres en 2004. Dos años después, Pedro Almodóvar me contrató para una película y al año siguiente recibí mi primer Oscar. En Hollywood conocí a Leonardo di Caprio y en 2010 nos casamos. Fuimos de luna de miel a Marte...

B. Now each of you is going to read his/her autobiography to the others. At the end, we'll decide together who has had the most interesting life.

VIAJAR

9. BREVE HISTORIA DEL CINE ESPAÑOL

A. Read this short history of cinema in Spain and choose one of the headings on the right for each paragraph.

El primer cinematógrafo llegó a España en 1896. Durante los años 10 Barcelona fue el centro de la producción cinematográfica. Sin embargo, a partir de los años 20, la industria se trasladó a Madrid. En esta década se rodaron clásicos como *La verbena de la Paloma* (1921), protagonizada por Florián Rey (el "Rodolfo Valentino" español), o *Un perro andaluz* (1928) de Luis Buñuel, rodada en París en plena época surrealista.

Con la llegada del cine sonoro empezó una época dorada, con películas como *Nobleza baturra* o *Don Quintín el amargao* (ambas de 1935) y con actores como Imperio Argentina o Angelillo. La Guerra Civil (1936-1939) interrumpió estos años de gran actividad. Durante la guerra, ambos bandos utilizaron el cine como medio de propaganda bélica.

Tras la guerra, muchos cineastas tuvieron que exiliarse. Durante el franquismo, las producciones estuvieron muy controladas por la censura, por lo que se rodaron sobre todo comedias sentimentales y folclóricas. Sin embargo, a partir de 1950, surgió un movimiento realista con directores como Luis García Berlanga o Juan Antonio Bardem. Ambos tuvieron la capacidad de expresar, bajo una apariencia cómica, la triste realidad española de la época. A principios de los 60, tuvieron mucho éxito comedias típicamente españolas con actores tan característicos como Paco Martínez Soria, Gracita Morales o Concha Velasco.

El cine español sufrió una gran crisis durante los años 70. Parale-lamente, la televisión se convirtió en un aparato cada vez más habitual en los hogares españoles. Sin embargo, en estos años se rodaron buenas películas, como *El espíritu de la colmena* (1973) de Víctor Erice o *Cría cuervos* (1975) de Carlos Saura. Con la democracia llegó el "destape", un tipo de cine, entre cómico y erótico, que tuvo mucho éxito.

Los años 80 vieron nacer a uno de los grandes genios del cine español contemporáneo: Pedro Almodóvar. Su cine, irónico y grotesco, sentó las bases de lo que se llamó "comedia madrileña", uno de los géneros más característicos de la década de los 80. Películas como *Sal gorda* (1984) de Fernando Trueba o *Mujeres al borde de un ataque de nervios* (1988) de Almodóvar son ejemplos representativos de esta corriente.

Hoy en día, el cine español goza de prestigio internacional. Directores como José Luis Garci, Pedro Almodóvar o Fernando Trueba ya tienen algún Oscar, Penélope Cruz y Antonio Banderas son estrellas de Holly-wood, y la presencia del cine español va en aumento en todo el mundo. Al mismo tiempo, han aparecido directores de gran éxito, como Álex de la Iglesia, Julio Medem o Alejandro Amenábar, que garantizan el futuro.

La comedia madrileña

El cine mudo

El cine español en la actualidad

EL CINE ESPAÑOL DURANTE LA DICTADURA

El "destape" y el cine de autor

El cine sonoro y la guerra civil

B. Which of the preceding periods do you think these films are from? Compare with a partner.

C. Do you know a lot about cinema in your country? With your classmates, gather all the information you would want to explain to an interested foreigner.

MÁS
EJERCICIOS

• This is your Workbook. Here is where you'll find activities designed to consolidate and expand grammatical and lexical awareness. The exercises can be done independently, but they could be also be used in class when the teacher feels it necessary to reinforce a certain aspect of language.

• It might also be useful to do these activities with a classmate. Remember that we don't just learn from the teacher; very often, reflexion on grammatical questions with a classmate can help both you a lot.

1. NOSOTROS

1. Match the verbs to the corresponding icon.

escuchar	comentar	mirar	escribir	oír	observar	marcar	hablar

1 ....

....

2 ....

....

3 ....

....

4 ....

....

2. Who do you think would say the following things; him or her? Mark them.

■■■	ÉL	ELLA
1. Soy Julia.		
2. Tengo 48 años.		
3. Soy informática.		
4. Soy español.		
5. Me llamo Marcos.		
6. Soy española.		
7. Tengo 26 años.		
8. Soy profesor de francés.		
9. ¿Mis aficiones? El mar.		
10. ¿Mis aficiones? La música.		

3. Which number is mentioned in each dialogue?

- ☐ 917802021
- ☐ 647805511
- ☐ 10188
- ☐ 11811
- ☐ 10168113
- ☐ 917302201
- ☐ 11611703

1. ● ¿Tienes el móvil de Sofía?
   ○ Sí, es el seis, cuatro, siete, ochenta, cincuenta y cinco, once.

2. ● ¿Sabes cuál es el número de información telefónica?
   ○ ¡Uy! Ahora hay muchos, prueba el once, ocho, once, o el...

3. ● Su número del carné de identidad, por favor.
   ○ Sí, es el once, sesenta y uno, diecisiete, cero, tres.

4. ● Necesitas un código de acceso de cinco cifras, fácil de recordar.
   ○ Pues... uno, cero, uno, ocho, ocho; es mi fecha de nacimiento.

5. ● ¿Tienes el número de TeleBurger?
   ○ Sí, es el noventa y uno, siete, ochenta, veinte, veintiuno.

6. ● Un número de contacto, por favor.
   ○ Sí, el de la oficina, es noventa y uno, siete, treinta, veintidós, cero, uno.

7. ● Su número de cuenta, por favor.
   ○ Un momento, sí, aquí está: uno, cero, uno, seis, ocho, uno, uno, tres.

4. Continue this sequence with three more numbers.

1. tres, seis, nueve, ...

2. doce, catorce, dieciséis, ...

3. treinta, cuarenta, cincuenta, ...
   ....

4. veinte, treinta y cinco, cincuenta, ...
   ....

5. noventa y dos, ochenta y dos, setenta y dos, ...
   ....

6. seis, doce, dieciocho, ...

5. Find words in Spanish that begin with the following letters. Make sure you know what they mean.

b ....   n ....

d ....   p ....

f ....   r ....

j ....   t ....

l ....   v ....

6. The receptionist in a hotel is asking for your personal details. Complete the dialogue.

● Hola, buenos días.

○ Hola.

● Su nombre, por favor.

○ ....

● ¿Nacionalidad?

○ ....

● ¿Profesión?

○ ....

● Muchas gracias.

○ De nada. Hasta luego.

● Adiós.

7. In which occupations would these things be used?

policía   carpintero/a   futbolista

jardinero/a   médico/a   mecánico/a   albañil

cocinero/a   cantante   informático/a

1. ....

2. ....   3. ....

4. ....

5. ....

6. ....   7. ....

8. ....

9. ....   10. ....

8. Where do they work? Match the two columns. In some cases more than one match is possible.

un profesor

un mecánico

un enfermero

en

un camarero

un dependiente

un colegio

una tienda

un restaurante

un hospital

un taller

una escuela de idiomas

un bar

9. Write in the missing words in the questions.

1. ● ¿ .... qué te dedicas?
   ○ Soy estudiante.

2. ● ¿ .... te llamas?
   ○ Alberto.

3. ● ¿ .... años tienes?
   ○ 25.

4. ● ¿ .... dónde eres?
   ○ Soy holandés.

5. ● ¿ .... se escribe "banco"? ¿Con "b" o con "v"?
   ○ Con "b".

6. ● ¿ .... se dice *hello* en español?
   ○ Hola.

7. ● ¿ .... mexicano?
   ○ No, soy español.

8. ● ¿ .... significa "gracias"?
   ○ *Thank you*.

10. Where do these things come from? Write next to each thing the nationality that you think corresponds to it.

brasileño/a   italiano/a   portugués/esa

estadounidense   ruso/a   argentino/a

japonés/esa   francés/esa   español/a

indio/a

1. el tango: *argentino*
2. el queso Camembert: ....
3. la pizza: ....
4. el curry: ....
5. el vodka: ....
6. la coca-cola: ....
7. la bossa nova: ....
8. el fado: ....
9. el sushi: ....
10. la paella: ....

11. Complete the names of 10 Latin-American countries with the missing syllables.

_____ XI _____

_____ GEN _____ _____

VE _____ _____ _____

BO _____ _____

GUA _____ _____ _____

_____ BA

_____ CUA _____

HON _____ _____

CHI _____

12. Oliver studies Spanish and is answering some questions about himself. What do you think the questions are? What are they in the *usted* form?

Oliver, Oliver G. Weigle.
Soy austríaco, de Salzburgo.
35 años.
Soy pintor y escultor.
Sí, es oliver2345@yahoo.de.
Sí, es un móvil: 616 331 977.

TÚ	USTED
....	....
....	....
....	....
....	....
....	....
....	....

2. QUIERO APRENDER ESPAÑOL

1. Write in the missing forms.

	escuchar	trabajar	comprar
(yo)	escucho	....	compro
(tú)	....	trabajas	....
(él/ella/usted)	escucha	....	compra
(nosotros/nosotras)	....	trabajamos	....
(vosotros/vosotras)	escucháis	....	compráis
(ellos/ellas/ustedes)	....	trabajan	....

2. Using the verb **comer** as a guide, write in the forms for **leer** and **aprender**.

	comer	leer	aprender
(yo)	como	....	....
(tú)	comes	....	....
(él/ella/usted)	come	....	....
(nosotros/nosotras)	comemos	....	....
(vosotros/vosotras)	coméis	....	....
(ellos/ellas/ustedes)	comen	....	....

3. Put the verb forms beside the corresponding pronoun.

escribís escribe escribimos

escriben escribo escribes

	escribir
(yo)	....
(tú)	....
(él/ella/usted)	....
(nosotros/nosotras)	....
(vosotros/vosotras)	....
(ellos/ellas/ustedes)	....

4. a. Which person do these verb forms correspond to? Write in the personal subject pronoun beside each form.

quieres: tú

leéis: .... leen: ....

hace: .... escribís: ....

ven: .... tenéis: ....

tengo: .... hago: ....

conozco: .... ve: ....

aprendemos: .... queremos: ....

hablas: .... vives: ....

b. What are the infinitives of the verbs above? Classify them into regular / irregular.

REGULARES	IRREGULARES

5. Match the verbs with the words or phrases on the right. In some cases more than one match is possible.

Querer	deporte
Leer	34 años
Hacer	en Argentina
Ver	mensajes de texto
Tener	el periódico
Conocer	aprender árabe
Aprender	la televisión
Hablar	francés bastante bien
Escribir	a cocinar
Vivir	los museos de la ciudad

6. a. ¿Interesa or interesan?

1. A mí no me .... el fútbol.

2. A nosotros nos .... aprender español.

3. A Juan no le .... las matemáticas.

4. A mis compañeros no les .... el flamenco.

5. ¿Te .... los toros?

6. ¿No os .... la gramática?

7. ¿A ti te .... la política?

8. A Alberto le .... los deportes.

9. A ellos les .... los idiomas.

10. ¿Os .... el jazz?

b. What about you? Are you interested in those things? Write sentence answers.

1. El fútbol:
2. Aprender español:
3. Las matemáticas:
4. El flamenco:
5. Los toros:
6. La gramática:
7. La política:
8. Los deportes:
9. Los idiomas:
10. El jazz:

7. Match elements from the two boxes to make logical sentences.

1. ☐   ☐ 4.
2. ☐   ☐ 5.
3. ☐   ☐ 6.

1. Quiero aprender español para...
2. Quiero vivir con una familia española para...
3. Quiero ir a México para...
4. Quiero visitar el Museo del Prado porque...
5. Quiero ver películas en España porque...
6. Quiero comprar muchos discos porque...

A. ... me interesa el cine español.
B. ... quiero ver los cuadros de Goya.
C. ... me interesa mucho la música en español.
D. ... visitar el Museo Frida Kahlo.
E. ... hablar con mi amigo de Argentina.
F. ... practicar español en casa.

8. Which article goes with each of the following nouns?

el   la   los   las

1. .... ciudad

2. .... museos

3. .... historia

4. .... cine

5. .... guitarra

6. .... literatura

7. .... teatro

8. .... gramática

9. .... gente

10. .... playas

11. .... toros

12. .... música

13. .... pueblos

14. .... comida

15. .... arte

16. .... política

17. .... naturaleza

18. .... estudiantes

19. .... aula

20. .... canciones

9. Nina is going to spend the weekend with her best friend, Isabel, who lives in another city. She writes to Isabel to let her know what she'd like to do. Complete the email with the correct prepositions (remember that **a + el = al**).

| ⟶ Enviar ahora | ⟲ Enviar más tarde | 🖫 | 📎 | ✒ Firma ▾ | 🖳 Opciones ▾ |

¡Hola, Isa!

¿Qué tal todo? Bueno, tenemos solo un fin de semana y no hay mucho tiempo, pero me gustaría hacer muchas cosas.

Mira, llego al aeropuerto el viernes a las 6h y primero quiero ir (1) .... hotel a dejar mis cosas.

Luego, ya sabes que quiero conocer (2) .... tu familia. Después, si quieres, podemos salir (3) ....

cenar todos juntos. El sábado, no sé, ¿qué tal un museo? Pero también quiero

ir (4) .... compras :-). Y por la noche, claro, ¡salir (5) .... bailar! Y el domingo, si quieres pode-

mos ir (6) .... excursión, tengo una cámara digital nueva y quiero hacer muchas fotos.

Bueno, son ideas... Hablamos mañana y hacemos los planes juntas, ¿de acuerdo?

Un beso y ¡hasta mañana!

Nina

---

10. a. Write the question for each answer.

1. ● ¿...?

   ○ Trabajo en una orquesta, soy pianista.

2. ● ¿...?

   ○ No, no me interesa mucho, me interesan más los museos.

3. ● ¿...?

   ○ No, no lo conozco pero quiero ir.

4. ● ¿...?

   ○ Sí, pero no muy bien.

5. ● ¿...?

   ○ Quiero trabajar en Roma.

6. ● ¿...?

   ○ ¿En clase? Muchas cosas, hablamos de muchos temas, leemos, estudiamos gramática, vemos vídeos, etc.

b. Now write six questions that you'd like to ask your classmates.

1. ....
   ....

2. ....
   ....

3. ....
   ....

4. ....
   ....

5. ....
   ....

6. ....
   ....

3. ¿DÓNDE ESTÁ SANTIAGO?

1. Look at the map and make sentences with **hay**, **es/son**, and **está/están**.

Ciudad Juárez ← México

Cuba → playas fantásticas

Cartagena de Indias ← Colombia

Venezuela → petróleo

capital: Quito ← Ecuador

Paraguay → lenguas oficiales español y guaraní

bebida típica: mate ← Argentina

Uruguay → playas de Punta del Este

1. ....
   ....
2. ....
   ....
3. ....
   ....
4. ....
   ....
5. ....
   ....
6. ....
   ....
7. ....
   ....
8. ....
   ....

2. Write a possible question for each answer.

1. ● ....
   ○ En África.

2. ● ....
   ○ Templado.

3. ● ....
   ○ ¿Elefantes? ¡No!

4. ● ....
   ○ El portugués.

5. ● ....
   ○ El peso mexicano.

6. ● ....
   ○ Es una bebida.

7. ● ....
   ○ La Habana.

8. ● ....
   ○ Cuatro. El castellano, el catalán, el vasco y el gallego.

9. ● ....
   ○ Un plato típico español.

3. Complete these sentences with **qué**, **cuál** or **cuáles**.

1. ● ¿ .... es la capital de Colombia?
   ○ Bogotá.

2. ● ¿ .... son las tapas?
   ○ Pequeñas raciones de comida.

3. ● ¿ .... es el mate?
   ○ Es una infusión que se bebe en Uruguay, en Paraguay y en Argentina.

4. ● ¿................ son las playas más bonitas de Guatemala?
   ○ Las playas de arena negra del Pacífico.

5. ● ¿.................... es la moneda de Honduras?
   ○ El lempira.

6. ● ¿.................... es el Aconcagua?
   ○ La montaña más alta de América. Está en Argentina.

4. Following the model, make sentences using the superlative.

Ciudad de México / la ciudad / grande / México
Ciudad de México es la ciudad más grande de México.

1. El Pico Bolívar / la montaña / alta / Venezuela

....

2. Cuba / la isla / grande / el Caribe

....

3. El flamenco / el tipo de música / conocido / España

....

4. El Hierro / la isla / pequeña / las Canarias

....

5. La Paz / la capital / alta / el mundo

....

5. What's the climate like in these countries? Make sentences.

Estados Unidos   Grecia   España   Finlandia
Gran Bretaña   Egipto   Canadá   China

lueve mucho   no llueve mucho
hace mucho frío y nieva   tiene un clima tropical
el clima es templado   hace calor y no llueve
hay muchos climas diferentes

En Gran Bretaña llueve mucho.
....
....
....
....
....
....
....
....

6. Complete the sentences with these words.

península   puerto   montaña
isla   ciudad
río   cataratas   cordillera

1. El Nilo es el .... más largo de África.

2. Cuba es una .... del Caribe.

3. El Everest es la .... más alta del mundo.

4. Bilbao es una .... del norte de España.

5. El .... de Rotterdam es el más grande de Europa.

6. La .... de los Andes está en Sudamérica.

7. Portugal está al oeste de la .... Ibérica.

8. Las .... de Iguazú están en la frontera entre Argentina, Brasil y Paraguay.

7. Complete the following text about the climate in Spain with **muy, mucho, muchos, muchas**.

España es un país con _____ climas diferentes. En la zona mediterránea, los veranos son _____ secos, no llueve _____ y no hace frío. En el norte, en general, llueve _____ y las temperaturas son suaves. En el interior, las temperaturas son más extremas: los veranos son _____ calurosos y los inviernos _____ fríos. En _____ zonas del sur, llueve _____ poco durante todo el año y en verano hace _____ calor.

4. ¿CUÁL PREFIERES?

1. Complete the box with the missing forms.

	tener	**preferir**
(yo)	tengo	....
(tú)	....	....
(él/ella/usted)	....	....
(nosotros/nosotras)	....	....
(vosotros/vosotras)	....	preferís
(ellos/ellas/ustedes)	....	....

2. Put the verb forms next to the corresponding pronoun.

	ir	
(yo)	....	vas
(tú)	....	vais
(él/ella/usted)	....	voy
(nosotros/nosotras)	....	va
(vosotros/vosotras)	....	vamos
(ellos/ellas/ustedes)	....	van

3. What has Elisa got in her suitcase? Write the things down.

Una falda amarilla, ...

....

....

....

....

....

....

4. Match the elements in the two columns to make the name of the things.

carné	de pelo
gafas	de ducha
gel	de playa
pasta	de identidad
secador	de crédito
tarjeta	de sol
toalla	de dientes

5. What clothes do you wear in each case? Write them down.

PARA TRABAJAR	PARA IR A CLASE	PARA DORMIR
....	....	....
....	....	....
....	....	....

PARA ESTAR EN CASA	PARA IR AL TEATRO	PARA VIAJAR
....	....	....
....	....	....
....	....	....

6. Transcribe these numbers as words.

456 €: cuatrocientos cincuenta y seis euros

267 €: ....

876 £: ....

745 $: ....

578 €: ....

934 £: ....

888 €: ....

134 £: ....

193 $: ....

934 £: ....

7. Complete these dialogues with the missing words or expressions.

1. ● Buenos días. ¿ .... bolígrafos?

   ○ ¿Bolígrafos? No, no tenemos.

2. ● Buenos días, ... unos pantalones cortos.

   ○ ¿ ....?

   ● Negros o azules.

3. ● Perdone, ¿cuánto .... estos zapatos?

   ○ 74 euros.

4. ● Esta mochila roja, ¿cuánto ....?

   ○ 50 euros.

   ● ¿Y esta verde?

   ○ 40 euros.

   ● Pues .... la verde.

8. Marta is asking the prices of lots of things. What sentences does she use?

¿Cuánto	cuesta	este esta	traje/s de baño? sandalias? paraguas? zapatos? mochila/s? suéter/s? biquini/s?
	cuestan	estos estas	

1. *¿Cuánto cuestan estas camisetas?*

....

2.

....

3.

....

4.

....

5.

....

6.

....

7.

....

8.

....

9. Transcribe in words the ones that are missing.

100	....	1000	mil
101	ciento uno/a	1012	mil doce
102	....	1150	mil ciento cincuenta
110	ciento diez	1456	....
120	....	10 000	diez mil
160	ciento sesenta	10 013	....
200	doscientos/as	10 870	diez mil ochocientos/as
244	....		setenta
300	trescientos/as	20 000	....
310	....	70 345	....
400	cuatrocientos/as	100 000	cien mil
500	quinientos/as	400 000	....
566	....	489 000	....
600	seiscientos/as	1 000 000	un millón
700	setecientos/as	1 010 000	un millón diez mil
766	....	1 120 000	....
800	ochocientos/as	3 444 000	tres millones cuatrocien-
888	....		tos/as cuarenta y cuatro mil
900	novecientos/as	7 500 029	....
999	....		

10. Complete this crossword with words related to clothes, shoes and accessories.

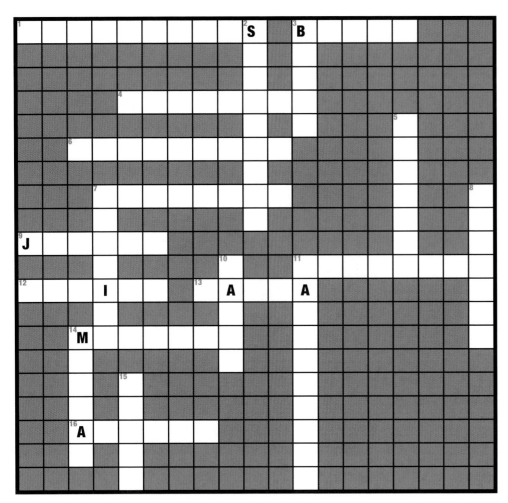

HORIZONTALES

1. Se llevan en las piernas. Los llevan hombres y mujeres. Pueden ser largos y cortos.

3. Es de cuero, tela o plástico. Se usa para llevar cosas. Lo usan más las mujeres.

4. Puede ser de diferentes tipos, pero siempre con mangas. La llevan hombres y mujeres en la parte superior del cuerpo, encima de la camisa o del jersey.

6. Son un tipo de calzado. Se llevan en los pies, en verano: dejan los dedos al descubierto.

7. Son unos pantalones de tejido muy grueso y resistente. Los llevan hombres y mujeres. El color clásico es el azul.

9. En general, es de lana y tiene mangas. Lo llevan hombres y mujeres. Es para el invierno, aunque también puede ser más fino y usarse en otras épocas del año.

11. Es una prenda muy simple, de algodón, con o sin mangas, sin botones ni cremalleras. Pueden tener estampados diversos. Se pone en la parte superior del cuerpo.

12. Es una prenda que se usa en la parte superior del cuerpo. Tiene botones en la parte delantera, cuello y mangas (largas o cortas).

13. Puede ser corta o larga y normalmente la llevan las mujeres. Cubre de la cintura hacia abajo.

14. Es un tipo de bolso que se lleva a la espalda. Algunas son muy grandes, para viajar.

16. Es una prenda que se lleva por encima de todas las demás cuando hace frío. Puede ser más o menos larga y estar hecha de diferentes materiales.

VERTICALES

2. Es una prenda íntima femenina. Se lleva en el pecho.

3. Es un tipo de calzado adecuado para el frío y para la lluvia: no protege solamente los pies sino también parte de la pierna. (Plural)

5. Protegen las manos del frío.

7. Es algo así como una blusa y una falda juntas, todo en una sola pieza. Lo llevan solamente las mujeres.

8. Lo usamos para ir a la playa o a la piscina.

10. Las usamos para proteger los ojos del sol, pero hay otras que son para ver mejor.

11. Sirven para mantener los pies calientes, y no son calzado. Pueden ser de lana, algodón o fibras sintéticas.

14. Es la parte del jersey, la chaqueta o la camisa que cubre los brazos. (Plural)

15. Es un tipo de sombrero sin ala y con una visera. Se usa mucho en algunos deportes, como, por ejemplo, el béisbol.

11. Complete the following dialogues with appropriate forms of **tener** or **tener que**.

1. ● (yo) .... ir a la farmacia, ¿necesitas algo?

   ○ No, gracias.

2. ● ¿(tú) .... un secador de pelo?

   ○ Yo no, pero creo que Teresa .... uno.

3. ● ¿Sabes que en octubre nos vamos de viaje a Suiza?

   ○ ¿Sí? ¡Qué bien! Pero (vosotros) .... llevar mucha ropa de abrigo, que allí hace mucho frío.

4. ● (Nosotros) .... preparar la excursión de este fin de semana. A ver,

   ¿qué cosas .... y qué .... comprar?

   ○ Yo .... una tienda de campaña y creo que Miguel y Ana .... varios sacos de dormir.

   ● Estupendo. ¿Qué más necesitamos?

12. The following are elements of two conversations in different shops. Separate them and put them in the right order.

Sí, tenemos todos estos.

62 euros; no son caras.

30 euros; muy barato.

¿Tienen paraguas?

¿Cuánto cuesta este azul?

¿Cuánto cuestan estas negras?

¿Tienen gafas de sol?

A ver... Sí, perfecto, me quedo estas.

A ver... Sí, perfecto, me quedo este.

Sí, tenemos todas estas.

conversación 1

¿Tienen gafas de sol?

....

....

....

....

....

conversación 2

....

....

....

....

....

....

5. TUS AMIGOS SON MIS AMIGOS

1. Match the adjectives to their meaning.

1. cariñoso 3. organizado 5. optimista 7. sociable
2. amable 4. competitivo 6. creativo 8. tranquilo

a. Le gusta conocer gente nueva.

b. Le gusta ganar siempre, ser el primero en todo.

c. Le gusta inventar cosas, encontrar nuevas ideas, imaginar, etc.

d. Le gusta hacer planes para todo y tener las cosas en orden.

e. Le gusta mostrar el afecto que siente por los demás.

f. Le gusta ver el lado positivo de la vida.

g. No le gustan las prisas ni hacer las cosas con nerviosismo.

h. Le gusta complacer a los demás.

1.	2.	3.	4.	5.	6.	7.	8.

2. What are these people referring to? Clue: do they use **gusta** or **gustan**?

1. No me gustan mucho.
   - ☐ a) las fiestas
   - ☐ b) el flamenco

2. Me gusta mucho.
   - ☐ a) las películas de acción
   - ☐ b) el cine

3. Me encantan.
   - ☐ a) pasear con mi perro
   - ☐ b) los perros

4. No me gusta nada.
   - ☐ a) bailar
   - ☐ b) las discotecas

5. Sí, sí que me gusta.
   - ☐ a) la música étnica
   - ☐ b) los bocadillos de calamares

6. Me gusta, me gusta.
   - ☐ a) esta escuela
   - ☐ b) las clases de español

3. Re-read the text in activity 2 on page 43. Now write a similar text describing yourself.

4. Read this description of Amelia. Are you like her? Compare her tastes with yours.

Amelia

1. Le gusta ir a la playa en invierno.

....

2. Le gusta tener siempre flores en casa.

....

3. Le encanta escuchar música clásica.

....

4. Le encanta caminar descalza en casa.

....

5. Le gusta hablar con los animales.

....

6. Le encanta observar a desconocidos e imaginar sus vidas.

....

7. Le gusta ponerse colonia de hombre para salir.

....

8. Le gusta ver la televisión sin volumen.

....

5. Continue these dialogues.

1. A Hugo le gusta mucho la música brasileña.

☻ Juan   *A mí también.*

☹ Luisa   ....

☹ Mercedes   ....

2. A mi prima le encanta dormir hasta tarde los domingos por la mañana.

☹ Juan   ....

☻ Luisa   ....

☻ Mercedes   ....

3. A mis padres no les gusta nada la televisión.

☹ Juan   ....

☻ Luisa   ....

☻ Mercedes   ....

4. A mí no me interesa mucho la política.

☻ Juan   ....

☹ Luisa   ....

☹ Mercedes   ....

6. Do you consider that your tastes are typical for someone from your country? Write five sentences about different areas of interest: sport, leisure, television, eating, drinking, holidays, etc.

A la gente, en general, le gusta mucho el fútbol, pero a mí no me gusta nada.

1. ....

....

2. ....

....

3. ....

....

4. ....

....

5. ....

....

7. Choose five people from this list and write a sentence about each of them.

| le gusta... | tiene... | se llama... | vive... | es... |

(A) Mi padre
(A) Mi madre
(A) Mi hermano/a (...)
(A) Mi tío/a (...)
(A) Mi abuelo/a (...)
(A) Mi novio/a
(A) Mi amigo/a (...)
(A) Mi jefe/a
(A) Mi compañero/a de piso

1. ....

2. ....

3. ....

4. ....

5. ....

8. Complete the following sentences with the correct possessive: **mi/mis/tu/tus/su/sus**.

1. ● Mira. Te presento a .... hermana, Pilar. Está aquí de vacaciones unos días.
   ○ Hola, ¿qué tal?

2. ● ¿Cuándo es .... cumpleaños?
   ○ El 3 de mayo.
   ● ¡Anda! ¡Eres tauro, como yo!

3. ● ¿Qué vas a hacer este año por Navidad?
   ○ Pues nada especial: descansar y pasar más tiempo con .... padres.

4. ● ¿Entonces Antonio no viene a esquiar?
   ○ No. ¿No lo sabes? Es que .... novia está enferma y prefiere quedarse a cuidarla.

5. ● ¿Cuáles son .... dos grupos favoritos de música?
   ○ Pues... U2 y Nirvana. ¿Y los tuyos?

6. ● ¿Qué tal con Ana? ¿Ya vivís juntos?
   ○ Bueno... Yo quiero irme a vivir con ella, pero ella prefiere vivir con .... padres unos meses más.

9. a. Look at Paco and Lucia's family tree. Can you work out who's talking in each case?

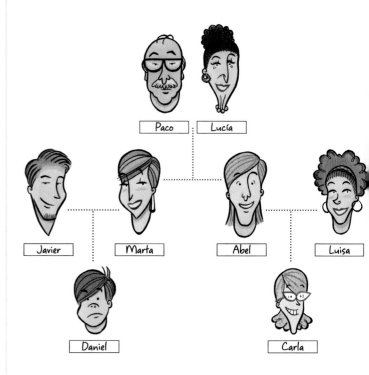

1. ● No tengo hermanos pero tengo un primo de mi edad. Se llama Daniel y es el hijo de mi tía Marta, la hermana de mi padre.

   Soy ....

2. ● Tengo 38 años, estoy casada y tengo una hija.

   Soy ....

3. ● Mi sobrina favorita es Carla, la hija de mi cuñado Abel y de Luisa, su mujer.

   Soy ....

4. ● Me gusta pasar mucho tiempo con mi nieto Daniel. Mi mujer dice que lo mimo demasiado.

   Soy ....

b. Complete the questions with the missing word.

● ¿Cómo se llama la .... de Daniel? ○ Carla

● ¿Cómo se llama el .... de Marta? ○ Javier

● ¿Cómo se llama el .... de Carla? ○ Paco

● ¿Cómo se llama la .... de Daniel? ○ Luisa

● ¿Cómo se llama la .... de Luisa? ○ Marta

● ¿Cómo se llama el .... de Paco? ○ Daniel

6. DÍA A DÍA

1. Notice how the verb **dormir**. is conjugated. Can you now conjugate the verbs **volver** and **acostarse**? Remember that one is an -er verb and the other is -ar.

	dormir	volver	acostarse
(yo)	duermo	....	....
(tú)	duermes	....	....
(él/ella/usted)	duerme	....	....
(nosotros/nosotras)	dormimos	....	....
(vosotros/vosotras)	dormís	....	....
(ellos/ellas/ustedes)	duermen	....	....

2. What is the infinitive of these verbs?

tengo	empieza ....
quiero	prefieren ....
vuelve	vas ....
pido	salgo ....
pongo	hago ....

3. Complete these sentences with **de**, **del**, **por** or **a**.

1. Tengo que ir al dentista .... las siete.

2. Normalmente salgo con mis amigos .... la noche.

3. Mi avión sale .... las seis .... la tarde.

4. ¿Vas a casa .... mediodía?

5. .... la mañana no trabajo.

6. Muchas veces, los fines de semana vuelvo a casa

 .... las seis .... la mañana.

7. Normalmente como .... las dos .... mediodía.

8. Las clases empiezan .... las diez.

9. Siempre ceno .... las nueve.

10. Adolfo llega hoy .... las diez .... la noche.

4. Complete the grid.

	levantarse	despertarse	vestirse
(yo)	me levanto	....	me visto
(tú)	te levantas	te despiertas	....
(él/ella/usted)	....	....	se viste
(nosotros/as)	....	nos despertamos	....
(vosotros/as)	os levantáis	....	os vestís
(ellos/as/ustedes)	....	se despiertan	....

5. What do you normally do...?

1. los sábados por la mañana?

 ....
 ....

2. los domingos a mediodía?

 ....
 ....

3. los viernes por la noche?

 ....
 ....

4. los lunes por la mañana?

 ....
 ....

5. los jueves por la noche?

 ....
 ....

6. los martes por la tarde?

 ....
 ....

7. todos los días?

 ....
 ....

8. los fines de semana?

 ....
 ....

6. A friend says these sentences below to you. How would you reply, using the expressions below? Add information about your habits and tastes too.

Yo también   Yo tampoco   A mí también   A mí no

Yo no   Yo sí   A mí sí   A mí tampoco

1. *Me gusta mucho dormir.*

A mí también. Normalmente, duermo 8 ó 9 horas.

2. *No voy nunca al teatro.*

....

....

3. *Me afeito/maquillo todos los días.*

....

....

4. *No me gusta el café.*

....

....

5. *Salgo de casa a las nueve de la mañana.*

....

....

6. *Normalmente vuelvo a casa a las siete de la tarde.*

....

....

7. *Me gusta estudiar por la noche.*

....

....

8. *Nunca veo la televisión.*

....

....

9. *Me ducho antes de acostarme.*

....

....

10. *Me acuesto a las 12.*

....

....

7. What do you think these women do at the weekend? Write it down.

1. Antonia

Es muy trabajadora.

....

....

....

....

....

2. María José

Es muy presumida.

....

....

....

....

3. Carmen

Es muy juerguista.

....

....

....

....

....

4. Montse

Lleva una vida muy sana.

....

....

....

....

8. Imagine that you'd like to share a flat with Isabel. She emails you. Can you reply to her?

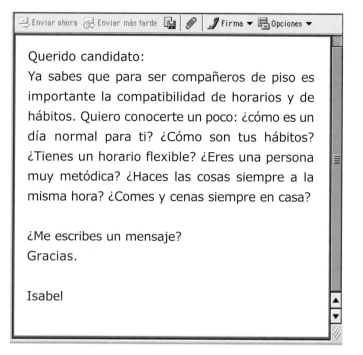

Querido candidato:

Ya sabes que para ser compañeros de piso es importante la compatibilidad de horarios y de hábitos. Quiero conocerte un poco: ¿cómo es un día normal para ti? ¿Cómo son tus hábitos? ¿Tienes un horario flexible? ¿Eres una persona muy metódica? ¿Haces las cosas siempre a la misma hora? ¿Comes y cenas siempre en casa?

¿Me escribes un mensaje?
Gracias.

Isabel

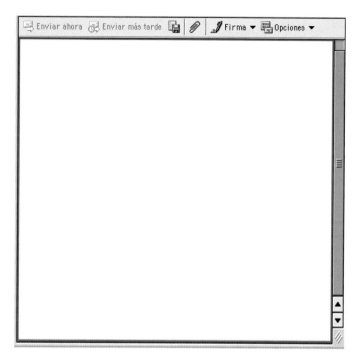

9. a. In a magazine they've mixed up the questions for two different questionnaires. Sort them into the correct columns below.

a. ¿Pagas a menudo con tarjeta de crédito cuando vas de compras?
b. ¿Estableces un tiempo máximo para localizar una información?
c. ¿Ordenas y archivas tus páginas favoritas?
d. ¿Con qué frecuencia vas al banco o controlas tu cuenta?
e. ¿Estableces un presupuesto para cada uno de tus gastos?
f. ¿Con qué frecuencia te conectas a Internet?
g. ¿Comparas y archivas las facturas de los gastos de la casa?
h. ¿Lees las páginas en la pantalla o las imprimes?

TEST 1: ¿Cuidas tu economía?	TEST 2: ¿Eres adicto a Internet?

b. Choose one of the tests and answer the questions. Say how often you do the things they're asking about.

....

....

10. Complete the grid with the missing forms.

REGULAR VERBS

-AR	-ER	-IR
desayunar	**comer**	**vivir**
desayun**o**	....	....
....	com**es**	viv**es**
....	....	....
....	....	....
....	com**éis**	....
....	....	....

IRREGULAR VERBS

O - UE	E - IE	E - I	1ª PERSONA
poder	**preferir**	**vestirse**	**poner**
p**ue**do	pref**ie**ro	me v**i**sto	....
....	....	....	pones
....	....	....	....
....	preferimos	....	....
....	....	os vestís	....
....	....	....	....

11. This is Santi's daily routine. Write down what he does and at what time.

1. ...... *Se levanta a las...* ....

2. ....

3. ....

4. ....

....

....

....

....

5. ....

6. ....

7. ....

8. ....

....

....

....

....

12. a. Two readers of the magazine *Vidal fácil* write in to the *Soluciones fáciles* section with a problem. What do you think of the advice given by the magazine?

1. Soy miope, ¡muy miope! y, lógicamente, uso gafas. Mi problema es que cuando nado en la piscina o me baño en el mar no veo nada; y cuando salgo del agua no encuentro mi toalla ni a mis amigos... ¿Qué puedo hacer? Muchas gracias. Ismael.

Querido Ismael:
¿Por qué no pruebas con lentes de contacto? Además, existen gafas de baño graduadas...

2. Comparto piso con mi mejor amiga, Rita. Nos llevamos muy bien y lo pasamos bien juntas. El problema es que Rita estudia música y toca la guitarra a todas horas, y yo no puedo estudiar. ¡Y lo peor es que ahora quiere aprender a tocar la batería! ¿Qué hago? Gracias. Eva.

Querida Eva:
¿Por qué no empiezas tú también a tocar un instrumento y así tocáis juntas?

b. Can you come up with other advice for Ismael and Eva?

....
....
....

13. Classify your habits as either **good** or **bad**.

BUENOS HÁBITOS:

MALOs hÁBITOs:

14. Compare the following customs in Guirilandia to those of your country.

LOS HABITANTES DE GUIRILANDIA...

1. Se levantan a las seis de la mañana.
2. Desayunan pescado.
3. No comen pan en las comidas.
4. Nunca toman té.
5. Los domingos no trabajan.
6. Empiezan la escuela a los cuatro años.
7. En casa hablan un dialecto y, fuera, la lengua oficial.
8. Duermen siete horas.

LOS HABITANTES DE MI PAÍS, EN GENERAL...

1. ....
2. ....
3. ....
4. ....
5. ....
6. ....
7. ....
8. ....

7. ¡A COMER!

1. Make a list of all the words you know in Spanish for these categories.

Verduras

Carnes

Pescados y marisco

Frutas

Bebidas

3. Combine these elements to create things you could eat or drink. Write them below.

zumo de • atún • manzana • ensalada de • bocadillo de • tarta de • limón • queso • patata • sopa de • filete de • tortilla de • lomo • pollo • tomate • helado de

zumo de tomate

2. Match the photos to the description.

Mayonesa
Es una salsa que se usa en muchos platos en todo el mundo. Lleva huevos, aceite, vinagre o limón, y sal.

Fabada
Es un plato típico de Asturias. Lleva unas judías blancas grandes, que en Asturias llaman "fabes", y embutidos.

Tortilla española
Es uno de los platos españoles más conocidos. Muchas veces se come como tapa. Lleva huevos, patatas y, a veces, cebolla.

Crema catalana
Es un postre típico de Cataluña. Lleva huevos, leche, azúcar y vainilla.

4. You know that to talk about what a dish has in it, we use the verb **llevar**. Think of four dishes that you know and describe them.

1. Nombre: ....

   Es ....

   y lleva ....

2. Nombre: ....

   Es ....

   y lleva ....

3. Nombre: ....

   Es ....

   y lleva ....

4. Nombre: ....

   Es ....

   y lleva ....

5. Look at this list of questions. Mark them as being either the **tú** or **usted** form.

Tú	Usted	
☐	☐	¿Tiene hora?
☐	☐	¿Trabajas aquí?
☐	☐	¿Cuántos años tiene?
☐	☐	Señora Jiménez, ¿habla inglés?
☐	☐	¿Qué desea?
☐	☐	¿Cómo tomas el té: con leche o con limón?
☐	☐	¿Qué desayunas normalmente?
☐	☐	¿Quiere cenar ahora?

6. Complete the dialogue with the following words and expressions.

otra agua   ¿Y de segundo?   La cuenta, por favor

de primero   con patatas   Una cerveza

lleva   macedonia   nos trae   para beber

un poco de   alguna cosa   sin gas

● Hola, buenos días.

○ Buenos días.

● ¿Ya lo saben?

○ Sí, mire, yo, ... quiero gazpacho.

■ ¿Qué .... la ensalada griega?

● Tomate, queso, aceitunas negras y .... orégano.

■ Pues, para mí, ensalada griega.

● Gazpacho y ensalada. Muy bien. ....

○ Para mí, bistec ....

■ Yo, merluza a la romana.

● Y, ¿qué les pongo ....?

○ .... para mí.

■ Yo quiero agua .... fría.

● Muy bien.

(...)

○ Perdone, ¿ .... un poco más de pan, por favor?

● Sí, ahora mismo.

■ Y ...., por favor.

(...)

● ¿Desean .... de postre?

○ ¿Qué hay?

● Hoy tenemos .... yogur y flan.

○ Yo quiero un yogur.

■ Yo, flan.

(...)

○ ....

● Ahora mismo.

7. Imagine that you've just bought these items at a supermarket. Where would you put them: in the cupboard, the fridge or the freezer?

azúcar helado arroz huevos queso

yogures patatas fritas congeladas pasta

salchichas sal cereales chocolate

lechuga guisantes congelados leche pescado

El azúcar lo pongo en el armario.

....

....

....

....

....

....

....

....

....

....

....

....

....

....

9. a. Write the first person singular present of these verbs.

tener	(yo) ....
venir	(yo) ....
traer	(yo) ....
poner	(yo) ....
salir	(yo) ....
hacer	(yo) ....

b. Now complete the following sentences with each of the forms above.

1. ● ¡Qué buen día! Si quieres, ... unos

   bocadillos y nos vamos a comer al parque.

2. ● Hola, oye... ¿Y Juan, no viene?

   ○ No, ... sola, Juan está de viaje.

3. ● ¿Salimos a desayunar, Mariano?

   ○ Yo hoy no ...., ¡no .... tiempo

   para desayunar ni para nada!

   ● Bueno, ¿te .... un café?

   ○ Sí, gracias. Con leche, por favor.

4. ● Ya son las dos, ¿................. el pescado en el horno?

   ○ Vale. ¡Tengo un hambre!

8. Complete the dialogues with the most appropriate adjective, in the feminine, masculine singular or plural forms, according to each context.

soso	dulce	ligero	picante

1. ● ¿Vamos al "Capricho de Bombay"? ¿Te gusta la comida india?

   ○ Bueno, no sé... ¿No es todo muy ....?

   ● No, también hay platos a base de coco y almendras, que son bastante suaves.

2. ● ¡Tres cucharadas de azúcar! ¡Qué exagerada!

   ○ Sí, es mucho, pero es que el café solo me gusta cuando está muy ....

3. ● ¿Qué quieres cenar?

   ○ Pues no tengo mucha hambre, así que algo ....: una ensalada o una sopa...

4. ● ¿Cómo están los macarrones? ¿No están un poco ....?

   ○ No, para mí están perfectos. Además, prefiero tomar poca sal, ya sabes, por la tensión...

8. EL BARRIO IDEAL

1. Choose the best option.

1. ● ¿Sabes si hay (1) .... supermercado por aquí cerca?

   ○ Sí, hay (2) .... en la esquina.

(1) a. Ø	(2) a. uno
b. uno	b. ninguna
c. un	c. algún

2. ● Perdona, ¿hay (3) .... farmacia por aquí?

   ○ Pues no, no hay (4) ....

(3) a. la	(4) a. una
b. alguno	b. ninguna
c. alguna	c. alguna

3. ● ¡No hay (5) .... cajero automático por aquí!

   ○ Claro que sí. Mira, en esa esquina hay (6) ....

(5) a. algún	(6) a. uno
b. ningún	b. un
c. uno	c. algún

4. ● Perdona, ¿sabes si hay (7) .... panadería por aquí cerca?

   ○ Uy, hay (8) ....

(7) a. la	(8) a. muchas
b. ninguna	b. ninguna
c. alguna	c. uno

5. ● ¿En este barrio no hay (9) .... droguería?

   ○ Sí, sí, hay (10) .... en la plaza, al lado del supermercado.

(9) a. alguna	(10) a. uno
b. ninguna	b. una
c. un	c. Ø

6. ● ¿Sabes si hay (11) .... quiosco por aquí cerca?

   ○ Pues me parece que no hay (12) ....

(11) a. Ø	(12) a. alguno
b. ninguno	b. ninguno
c. un	c. ningún

2. a. Look at the map and read the sentences. Are they true or false? If they're false, correct them.

	V	F
1. El cine está a la izquierda de la escuela.	❑	❑
2. El gimnasio está al lado del banco.	❑	❑
3. El museo está lejos del restaurante.	❑	❑
4. El cine está en la esquina.	❑	❑
5. El metro está a la derecha del banco.	❑	❑
6. El bar está a la derecha de la biblioteca.	❑	❑
7. El restaurante está al lado del bar.	❑	❑
8. El hospital está a la izquierda de la biblioteca.	❑	❑
9. El mercado está lejos del museo.	❑	❑

b. Now read the names of the streets and write down the correct abbreviation.

Calle: .... Avenida: ....

Paseo: .... Plaza: ....

3. Think of your neighbourhood and another that you know well, and complete the following ideas.

Mi barrio / El barrio de... es un barrio ideal...

... para ....

porque ....

....

... para ....

porque ....

....

... para gente ....

porque ....

....

... si te gusta/n / interesa/n ....

porque ....

....

... si te gusta/n / interesa/n ....

porque ....

....

4. Do you know a neighbourhood –in any town or city– like this? Write the names of the places.

a. Es moderno y antiguo a la vez.

....

b. Es muy caro.

....

c. Tiene mucha vida tanto de día como de noche.

....

d. Hay mercados populares de artesanía.

....

e. Viven muchos artistas y hay muchas galerías de arte.

....

f. Por la noche se llena de estudiantes.

....

5. Put the distances into the correct sequence.

| 1 | 2 | 3 | 4 | 5 | 6 | 7 |

(bastante) lejos ☐   muy lejos ☐

muy cerca ☐   un poco lejos ☐

aquí al lado ☐   (bastante) cerca ☐

aquí mismo ☐

6. Write a possible question for these answers.

1. ● ....
   ○ Cerca no. Hay uno, pero está un poco lejos.

2. ● ....
   ○ Sí, al final, en la esquina.

3. ● ....
   ○ No, no mucho. A unos diez minutos a pie.

4. ● ....
   ○ Sí. Sigue todo recto por esta calle. Está al final.

5. ● ....
   ○ Al lado del mercado.

6. ● ....
   ○ No, no hay ninguna.

7. ● ....
   ○ Un poco, a unos quince minutos en coche.

8. ● ....
   ○ Sí, hay una al final de esta calle.

7. What can you do in these places? Match the columns.

una oficina de Correos	comprar tabaco y sellos
un teléfono público	hacer la compra
un gimnasio	ir a misa
un supermercado	hacer ejercicio
un cajero	enviar un paquete
una biblioteca	sacar dinero
una iglesia	llamar a alguien
un párking	buscar una información
un estanco	aparcar

8. Write a short text describing your favourite town/city.

9. Complete the conversations with the correct preposition: **a**, **hasta**, **de**, **en** or **por**.

1. ● Perdone, ¿hay una gasolinera .... aquí cerca?
   ○ Sí, mire, hay una .... 200 metros.

2. ● Esta tarde voy a visitar a mis padres.
   ○ ¿No viven .... un pueblo?
   ● Sí, pero está solo .... 40 kilómetros.
     Se tarda treinta minutos .... coche.

3. ● ¿Un estanco, por favor?
   ○ Pues, creo que .... la próxima esquina hay uno.

4. ● Vamos .... taxi, ¿no?
   ○ No, vamos andando, está .... cinco minutos.

5. ● ¿Sabes si hay una oficina de correos cerca .... aquí?
   ○ Sí, hay una .... la Plaza del Rey; vas todo recto
     por esta calle, ... el final, y allí está la plaza.

10. Do you remember Icaria? Complete the paragraphs with the missing words.

a. Complete with **es**, **son**, **está**, **hay** or **tiene**.

Icaria ~~es~~ está una ciudad con mucha historia. Está situada en la costa y no *es* muy grande, pero *es* moderna y dinámica. En Icaria *hay* cuatro grandes barrios. (...) El Barrio Sur *es* el centro histórico. *Está* al lado del mar y *tiene* una playa preciosa. *Es* un barrio bohemio, antiguo y con pocas comodidades, pero con mucho encanto. Las calles *son* estrechas y *tiene* muchos bares y restaurantes.

b. Complete the next paragraph with nouns related to urban landscape.

El Barrio Norte es un barrio nuevo, elegante y bastante exclusivo. Está situado bastante lejos del centro y del mar. Hay muchos árboles y *zonas* verdes. Las *calles* son anchas, no hay *edificios* altos y casi todas las *casas* tienen jardín. En el barrio Norte hay pocas *tiendas* pero hay un *centro* comercial enorme, un polideportivo y un *club* de tenis.

c. Complete this part with the following modifiers: **mucho/a/os/as**, **bastante/s**, **poco/a/os/as** or **varios/as**.

El barrio Este es un barrio céntrico y *bastante* elegante. Las calles son anchas y hay *muchas* tiendas de todo tipo. También hay *muchos* cines, teatros, restaurantes y *varias* galerías de arte. Hay, sin embargo, muy *pocas* zonas verdes.

d. Complete this final paragraph with the correct conjunction: **y** or **pero**.

En el barrio Oeste no hay mucha oferta cultural *pero* hay tres mercados, varias escuelas *y* muchas tiendas... Está un poco lejos del centro, *pero* está muy bien comunicado. Tiene un gran parque *y* dos centros comerciales.

9. ¿SABES COCINAR?

1. Write the past participles of these verbs.

escribir ....   encontrar ....

gustar ....   ver ....

hablar ....   escuchar ....

tener ....   estar ....

ser ....   ir ....

comprar ....   conocer ....

poner ....   volver ....

hacer ....   decir ....

2. This study belongs to Carolina de la Fuente. What can you say about her past experiences?

Ha viajado por todo el mundo.

....

....

....

....

....

....

....

3. a. Complete the grid with the missing forms.

	Presente de **haber**	+ Participio
(yo)	**he**	
(tú)	……...	estado
(él/ella/usted)	**ha**	tenido
(nosotros/nosotras)	……...	vivido
(vosotros/vosotras)	……...	
(ellos/ellas/ustedes)	……...	

b. Make the most logical link between the sentences on the left with the explanations on the right.

1. Es un tenista muy bueno.
2. Conoce muchos países.
3. Tiene mucha experiencia como conductor.
4. Habla ruso perfectamente.
5. Es una escritora conocida.
6. Es un cocinero muy bueno.

a. Ha viajado mucho.
b. Ha trabajado en varios restaurantes importantes.
c. Ha escrito muchas novelas y obras de teatro.
d. Ha ganado muchos trofeos.
e. Ha sido taxista durante años.
f. Ha vivido en Moscú 10 años.

c. Continue these sentences, using the Pretérito Perfecto.

1. Conoce toda América Latina. ....

....

2. Es un profesor muy bueno. ....

....

3. Sabe muchas cosas sobre España. ....

....

4. Es un actor muy famoso. ....

....

5. Habla inglés muy bien. ....

....

6. Es muy buena persona. ....

....

4. Read these three job ads. Which occupation do you think could best be done by the following people?

SE BUSCA maître en un restaurante de lujo en París.

1.

SE BUSCA auxiliar de residencia de ancianos en Sevilla.

2.

SE BUSCA animador de hotel en las Islas Canarias.

3.

○ **Francisco Pérez**

- Ha estudiado Periodismo.
- Ha vivido en Estados Unidos.
- Ha dado clases de español.
- Es muy comunicativo.
- Sabe cocinar.

○ **Carolina Sánchez**

- Ha estudiado Enología.
- Ha vivido en Suiza.
- Sabe hablar francés e italiano.
- Es muy elegante.
- Es muy sociable.

○ **Arturo Ortega**

- Ha estudiado Farmacia.
- Ha trabajado en una ONG en Mozambique.
- Es una persona tranquila.
- Sabe dar masajes.
- Sabe hablar francés e inglés.

5. Listeners to a radio interview with a famous singer have sent in their own questions. Write each question in its corresponding place in the interview.

¿Has dicho muchas mentiras en tu vida?

¿Qué es lo más raro, lo más exótico, que has comido en tu vida?

De todos los lugares en los que has actuado, ¿dónde te has sentido más querido?

¿Has pensado alguna vez en cambiar de profesión?

¿Has sacrificado muchas cosas en tu vida para llegar a donde estás hoy?

1. ● Bien, ha llegado la hora de las preguntas de los oyentes. La primera: ....

....

○ Es verdad que he ido a un montón de países y muy distintos, pero me he sentido bien en todos... Pero, si tengo que elegir, debo decir que he actuado en Venezuela varias veces y siempre ha sido especial allí...

2. ● Esta es una pregunta bien directa: ....

....

○ ¡Qué curiosos son los oyentes! No, mentir no; alguna vez, muy rara vez, he dicho una "verdad a medias"... Pero eso no es malo, ¿no?

3. ● Otro oyente pregunta: ....

....

○ Sí, claro... He pasado poco tiempo con mi familia...

4. ● ....

....

○ Sí, lo he pensado... Pero, ¿cuál?

5. ● Bueno, la última pregunta: ....

....

○ No sé... ¡Ah, sí! Un helado de pescado que probé en Japón...

6. Which qualities do you consider the most important for these people?

1. Una madre tiene que ser...

....

....

....

2. Un compañero sentimental tiene que ser...

....

....

....

3. Un profesor tiene que ser...

....

....

....

4. Un compañero de viaje tiene que ser...

....

....

....

5. Un compañero de trabajo tiene que ser...

....

....

....

6. Un jefe tiene que ser...

....

....

....

7. What character do these animals have? Match each animal to the adjectives you associate with them.

simpático/a   divertido/a   paciente   raro/a   aburrido/a   inteligente   nervioso/a
tranquilo/a   organizado/a   despistado/a   trabajador/ora   cariñoso/a   antipático/a

1 **El zorro** es ....
....

2 **La hormiga** es ....
....

3 **El perro** es ....
....

4 **El delfín** es ....
....

5 **El gato** es ....
....

6 **La abeja** es ....
....

7 **El oso perezoso** es ....
....

8 **El chimpancé** es ....
....

9 **El loro** es ....
....

10 **El hámster** es ....
....

10. UNA VIDA DE PELÍCULA

1. Complete the grid with the missing verb forms.

	estudiar	comer
(yo)	estudié	....
(tú)	....	comiste
(él/ella/usted)	estudió	....
(nosotros/nosotras)	....	comimos
(vosotros/vosotras)	estudiasteis	....
(ellos/ellas/ustedes)	....	comieron

	vivir	tener
(yo)	....	....
(tú)	....	tuviste
(él/ella/usted)	vivió	....
(nosotros/nosotras)	....	tuvimos
(vosotros/vosotras)	vivisteis	....
(ellos/ellas/ustedes)	....	tuvieron

2. Put the following time expressions into chronological order.

☐	en 1975
☐	el año pasado
☐	hace una semana
☐	ayer
☐	a principios de los 80
☐	el verano pasado
☐	hace 4 años
☐	anteayer
☐	a mediados de los 50
☐	a finales del siglo pasado
☐	el fin de semana pasado

3. a. Who are they talking about in each case?

1. Llegó a la isla La Española (actual República Dominicana) en 1492.
2. Recibió el premio Nobel de Literatura en 1982.
3. Vendió el estado de Alaska a los Estados Unidos en 1867.
4. Compraron la isla de Manhattan a los indios iroqueses por 60 florines.
5. Escribieron muchos cuentos infantiles (*Hansel y Gretel*, *Blancanieves*, etc.).
6. Perdieron la batalla de Trafalgar.
7. Tuvo seis mujeres.
8. Compusieron muchas canciones famosas: "Yesterday", "Let it be", "All you need is love", etc.

☐ **Los españoles**	☐ **Los hermanos Grimm**
☐ **Enrique VIII**	☐ **Cristobal Colón**
☐ **El zar Alejandro II**	☐ **Gabriel García Márquez**
☐ **Los Beatles**	☐ **Unos colonos holandeses**

b. Now mark the Pretérito Perfecto forms in the preceding sentences and put them in the right place in the grid. Can you write in the other forms?

PRETÉRITO INDEFINIDO

REGULARES			IRREGULARES
llegar	**vender**	**recibir**	**tener**
llegué	vendí	recibí	tuve
....	....	....	....
....	....	....	....
llegamos	vendimos	recibimos	tuvimos
....	....	....	....
....	....	....	....

comprar	**perder**	**escribir**	**poner**
....	....	....	....
compraste	perdiste	escribiste	pusiste
....	....	....	....
....	....	....	....
comprasteis	perdisteis	escribisteis	pusisteis
....	....	....	....

4. a. Look at the Pretérito Perfecto of the verb **seguir**. What's unusual about it?

	seguir
(yo)	seguí
(tú)	seguiste
(él/ella/usted)	siguió
(nosotros/nosotras)	seguimos
(vosotros/vosotras)	seguisteis
(ellos/ellas/ustedes)	siguieron

b. The verbs **pedir**, **conseguir**, **preferir**, **despedir** and **sentirse** have the same kind of irregularity in the Pretérito Perfecto. Complete the following dialogue with the correct form of each of the verbs.

1. ● ¿Sabes? El otro día mi madre ....

   mal y la acompañé al hospital.

   ○ ¿Y ahora cómo está? ¿Mejor?

2. ● ¿Es verdad que Alfred Hitchcock nunca

   .... un Oscar al mejor director?

   ○ Pues no sé, no estoy seguro.

3. ● Hace dos semanas unas chicas me confundieron con

   Beckham y me .... un autógrafo.

   ○ ¿Y se lo firmaste?

4. ● Al final no fuimos al parque con los niños. Es que (ellos)

   .... quedarse a ver una película en casa.

5 ● La semana pasada .... a más de

   50 trabajadores en una empresa de mi pueblo.

   ○ ¿De verdad? ¡Qué fuerte!

5. Read the text on page 83 about Pedro Almodóvar and answer the questions.

1. ¿Cuántos años tiene Pedro Almodóvar?

   ....

2. ¿Qué hizo en 1959?

   ....

3. ¿Cuándo se fue a Madrid?

   ....

4. ¿Fue a la Universidad?

   ....

5. ¿Por qué dejó su trabajo en Telefónica?

   ....

6. Además de trabajar como administrativo, ¿qué otros trabajos hizo antes de ser director de cine?

   ....

7. ¿Con qué película se hizo famoso en Estados Unidos?

   ....

8. ¿Cuántas películas ha hecho Almodóvar hasta ahora?

   ....

6. Complete these sentences with personal information about your past.

1. Empecé a estudiar español ....

2. Hace un año ....

3. Viajé por primera vez a otro país ....

4. En 2002 ....

5. Nací en ....

6. Ayer ....

7. .... fue la última vez que fui a una fiesta.

8. La semana pasada ....

9. .... estuve enfermo/a.

10. El sábado pasado ....

7. a. Match the elements in the two columns to make logical connections.

hacerse	de casa
	suerte
	un premio
tener	un romance
	rico
ganar	éxito
	de trabajo
cambiar	famoso
	una medalla

b. Now, invent someone's biography. Amongst the events in his/her life, use at least five of the expressions from part **a.**

8. Continue the sentences with **hace**, **desde**, **hasta**, **de**, **a**, **después** and **durante**.

1. Viví en Milán .... 1997 .... 1999.

2. Estudio español .... septiembre.

3. Encontré trabajo .... dos meses.

4. Trabajé como recepcionista .... enero ....
   julio de 2001.

5. Estuve en Mallorca .... la semana pasada.

6. Terminé la carrera .... cuatro meses.

7. Te esperé en el bar .... las siete.

8. Salgo con Miriam .... enero.

9. En 2000 me fui a vivir a Italia, pero dos años ....
   volví a España.

10. La película gustó mucho. .... la proyección,
    no se escuchó ni un murmullo en la sala.

11. ¡Estoy cansado de hacer horas extra! Ayer me quedé
    en la oficina .... las diez de la noche.

a Vargas is a legend in Mexican music. Read her biography and fill in the gaps, conjugating the Pretérito Perfecto bs given in brackets.

CHAVELA VARGAS

(NACER) .... en Costa Rica en 1919, pero de muy niña (IRSE) .... a vivir a México con su familia. Desde muy pronto (SENTIRSE) .... atraída por la cultura indígena mexicana, (APRENDER) .... sus ritos y ceremonias, su lenguaje y (EMPEZAR) .... a vestirse como ellos. La primera vez que (ACTUAR) .... en público, lo (HACER) .... vestida con un poncho indígena. (EMPEZAR) .... a cantar en los años 50 de la mano de otro mito de la ranchera, José Alfredo Jiménez, y su popularidad (ALCANZAR) .... la cumbre en los años 60 y 70. En esos años, (MANTENER) .... una gran amistad con personajes como el escritor Juan Rulfo, el compositor Agustín Lara o los pintores Frida Kahlo y Diego Rivera, que la (CONSIDERAR) .... su musa. Era la época de las giras por el Teatro Olimpia de París, el Carnegie Hall de Nueva York y el Palacio de Bellas Artes de México, las fiestas y las grandes cantidades de tequila. A mediados de los 80, la cantante (CAER) .... en el alcoholismo y (PERMANECER) .... alejada de los escenarios durante 12 años. (REGRESAR) .... gracias al cine, de la mano del director español Pedro Almodóvar: (COLABORAR) .... en la bandas sonoras de las películas *Kika* y *Carne trémula*, e (HACER) .... una breve aparición en *La flor de mi secreto*. En 2002 (PUBLICARSE) .... su autobiografía, que se titula *Y si quieres saber de mi pasado*.

10. Are you looking for a job in the Spanish-speaking world? Write your CV in Spanish.

DATOS PERSONALES

- Nombre: .... ▪ Apellido(s): ....
- Pasaporte / D.N.I: .... ▪ Lugar y fecha de nacimiento: ....

FORMACIÓN ACADÉMICA

- .... - .... ▪ .... ▪ .... - .... ▪ ....
- .... - .... ▪ .... ▪ .... - .... ▪ ....
- .... - .... ▪ .... ▪ .... - .... ▪ ....

EXPERIENCIA LABORAL

- .... - .... ▪ .... ▪ .... - .... ▪ ....
- .... - .... ▪ .... ▪ .... - .... ▪ ....
- .... - .... ▪ .... ▪ .... - .... ▪ ....

IDIOMAS

- Inglés: .... ▪ Francés: .... ▪ Alemán: .... ▪ Otros: ....

OTROS DATOS DE INTERÉS

- ....

MÁS
CULTURA

- In this section you'll find a small anthology of different text-types: articles, news reports, interview, short stories, literary extracts (poetry and novels), biographies, etc. These will help to bring you closer to Hispanic culture and at the same time, learn more Spanish.

- If you want, you can read them on your own. Sometimes though, your teacher will use them in class as complementary material for a unit.

- As you'll see, these texts deal with cultural aspects like the values, customs and social norms of Spanish speakers, as well as cultural artefacts such as literature, music, cinema, etc and their leading figures.

- Bear in mind these recommendations:

- We've decided to include interesting, authentic texts, so it's normal that you'll find them a bit more challenging than other texts in the unit.

- Before reading a text, look at the graphic content and the illustrations: try to predict what it's about and what kind of text it is.

- Don't worry if you come across words that you don't know. Try to guess the meaning from the context. Make a prediction before consulting the dictionary.

- Don't try to understand absolutely everything. Look for the main ideas or the information that you need in on order to do the task that you've been set.

1. LOS NOMBRES EN ESPAÑOL

A. Read the text in the speech bubbles. What do you notice about the way the names and forms of address are used in Spanish?

LOS NOMBRES DE FRANCISCO.

B. Look at the following illustration and read the text to deepen your knowledge about names in Spanish.

HERMENEGILDO PEÑA RUIZ

MARÍA TERESA LÓPEZ CUESTA

RAÚL SANTOS HEREDIA

CONCEPCIÓN SOTO LINARES

RAÚL PEÑA LÓPEZ

EVA SANTOS SOTO

ÁLVARO PEÑA SANTOS

En la mayoría de países de habla española todo el mundo tiene dos apellidos, el primero del padre y el primero de la madre: García Márquez, López Garrido, Vargas Llosa… También es interesante saber que las mujeres casadas conservan su apellido, tanto en sus documentos (pasaporte, documento nacional de identidad, etc.) como en su vida profesional.

Otra cosa curiosa: normalmente, en la vida cotidiana, la gente usa solamente el primer apellido y en los documentos los dos. Pero la gente que tiene apellidos muy frecuentes (Pérez, López, Martínez…) en su vida profesional es conocida por los dos (López Vera, Pérez Reverte…) o incluso por el segundo (Lorca, por poner un ejemplo).

También son muy frecuentes los nombres de pila compuestos, como José Luis o Juan José. Pero, atención: José María es nombre de hombre y María José, de mujer.

C. What do you know about these people? Are they men or women? Which part of each name is their father's or their mother's surname?

> JUAN MARÍA ORDÓÑEZ VILA
> MARÍA VICTORIA RAMOS TORO
> ENCARNACIÓN RATO ÚBEDA

2. LOS NÚMEROS

A. Read the lyrics of this popular song. Is there a similar song for your language?

El uno es un soldado
haciendo la instrucción,
el dos es un patito
que está tomando el sol,
el tres una serpiente,
el cuatro una sillita,
el cinco es una oreja,
el seis una guindilla,
el siete es un bastón,
el ocho son las gafas
de mi tío Ramón.
El nueve es un globito
atado de un cordel,
el cero una pelota
para jugar con él.

B. Try memorizing the song. Can you think of other possible associations between numbers and objects?

1. EL ESPAÑOL EN EL MUNDO

A. Read the following text and notice the Spanish words used in different countries. Do you know what they mean?

EL ESPAÑOL ESTÁ DE MODA

Seguramente ya sabes que el español es la tercera lengua más hablada del mundo (después del chino mandarín y del inglés) y que es la lengua oficial de 21 países. También hay países en los que se habla pero no es la lengua oficial, como Estados Unidos (unos 40 millones de hispanohablantes) o Filipinas. Según datos del Instituto Cervantes, lo hablan 356 millones de personas en todo el mundo y la previsión es de 538 millones en 2050. Y mucha gente, como tú, estudia español: ¡más de 40 millones!

Pero quizá no sabes que es la segunda lengua más usada en Internet, o la cuarta lengua mundial por la extensión del territorio donde se habla, o que hay muchas variantes locales, aunque sus hablantes se entienden sin dificultad.

La cultura hispana y el español están de moda en el mundo. De hecho, algunas palabras de la lengua española ya forman parte del habla cotidiana de muchos países. Las palabras con más éxito son las que se refieren a la gastronomía (**tortilla**, **paella**, **jamón**...) y otras como **siesta**, **fiesta**, **macho** o **amigo**.

En Estados Unidos, la expresión **hasta la vista** es muy popular gracias a la película *Terminator 2* y es habitual oír **hola** y **adiós**. Y también se usa mucho la frase **mi casa es su casa**, como muestra de amistad. Muchos anglófonos usan también **aficionado** (en lugar del francés "amateur") y **gusto** para hablar del placer que algo nos produce.

El español está de moda en Grecia. Hay palabras incorporadas a la lengua, como **bravo**, pero también es frecuente escuchar **hola**, **adiós**, **nada**, **muchas gracias**, **saludos**, **fiesta**, **dónde estás**, **qué pasa**... ¡Y también **olé**!

Un caso curioso es el de Tel-Aviv, donde cada vez más jóvenes estudian y hablan español. ¡Y con acento argentino! ¿Cuál es la razón? En Israel las telenovelas argentinas, sobre todo las dirigidas a los adolescentes, son muy populares y se emiten en versión original con subtítulos.

B. Are there any Spanish loan-words in your language? What are they? How are they used?

2. CULTURA EN ESPAÑOL

A. Here are some of the best-known Hispanic figures in the world of culture. Match them to their fields.

Buñuel, Almodóvar, Fernando Trueba, Luis Puenzo, Alejandro Amenábar
Pau Casals, Daniel Barenboim, Jordi Savall
José Carreras, Montserrat Caballé, Plácido Domingo, José Cura, Mariola Cantarero
Julio Bocca, Alicia Alonso, Antonio Gades, Joaquín Cortés
Tàpies, Fernando Botero, Antonio Seguí, Frida Kahlo, Dalí, Miró, Picasso
Gaudí, Óscar Tusquets, Calatrava, Ricardo Bofill
María Félix, Javier Bardem, Cecilia Roth, Victoria Abril, Héctor Alterio, Penélope Cruz
Mariscal, Quino, Ibáñez, Horacio Altuna, Maitena, Guillermo Mordillo
García Márquez, Borges, Isabel Allende, Neruda, Javier Marías, Octavio Paz
Alejandro Sanz, Paulina Rubio, Manu Chao, Shakira, Ricky Martin, David Bisbal

Directores de cine • Escritores

Arquitectos • Cantantes de pop

Bailarines • Pintores

Músicos clásicos • Actores

Dibujantes • Cantantes de ópera

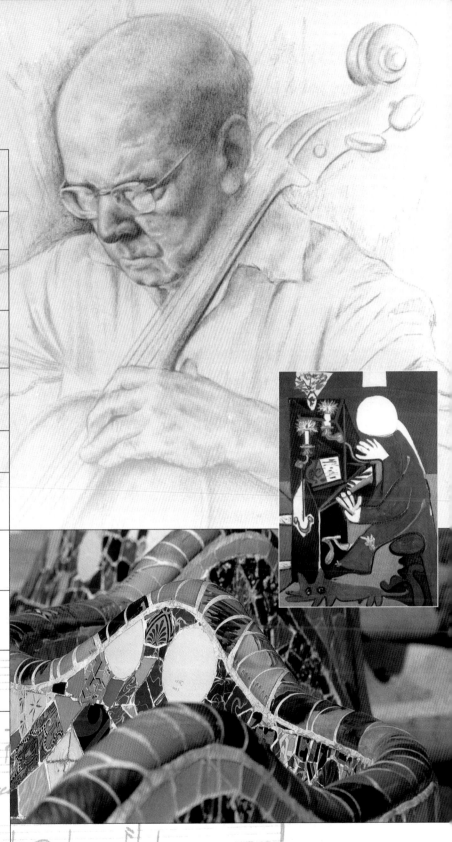

B. Many of those names are only surnames. Do you know their first names too? You'll find lots of information about them on the Internet.

1. BOLIVIA

A. What do you know about Bolivia? Do this test.

1. Bolivia es un país...

- ☐ cálido
- ☐ frío
- ☐ con muchos climas diferentes

2. La base de la economía boliviana es...

- ☐ la pesca
- ☐ la minería
- ☐ la industria mecánica

3. La mayoría de los bolivianos habla...

- ☐ castellano
- ☐ inglés
- ☐ lenguas indígenas

4. El ekeko es...

- ☐ un hombre rico
- ☐ el dios de los aymaras
- ☐ un muñeco

5. ¿Cuál de las siguientes civilizaciones no se desarrolla en territorio boliviano?

- ☐ tiahuanacota
- ☐ aymara
- ☐ azteca

6. Una bebida típica de Bolivia es...

- ☐ el tequila
- ☐ la chicha
- ☐ el ron

7. El charango es...

- ☐ un instrumento musical
- ☐ un baile típico
- ☐ un menú típico boliviano

B. Now read the information about Bolivia and check your answers.

Bolivia es conocido como "el país del altiplano". Su sede de gobierno, La Paz, es la más alta del mundo, a 3600 metros de altitud. El lago Titicaca, considerado la cuna de la civilización inca, también está en Bolivia, a 3856 metros sobre el nivel del mar. Pero la mayor parte del país se encuentra en llanuras tropicales de escasa altitud. Es un país con grandes contrastes climáticos y con una gran riqueza natural.

Historia

Las primeras civilizaciones del Altiplano boliviano se desarrollan hacia el año 2000 a. C. Las culturas más importantes son la tiahua-nacota y, más tarde, la aymara y la quechua, pertenecientes al Imperio Inca. En 1535 llegan los españoles, que mantienen su dominio durante tres siglos. En 1824 Antonio José de Sucre, lugar-teniente de Simón Bolívar, logra la independencia en la batalla de Ayacucho. En agosto de 1825 el Alto Perú se convierte en la República Bolívar, que en octubre de ese mismo año pasa a llamar-se República de Bolivia.

Economía

La economía boliviana se basa en la explotación de su riqueza mine-ral, agrícola y en la industria alimentaria. Es un país con ricas reser-vas de petróleo y gas natural. El turismo es también una de las prin-cipales fuentes de ingresos.

Música

El charango es un instrumento típico del altiplano. Tiene forma de pequeña guitarra y está hecho con el caparazón de una mulita.

Gastronomía

Son típicos los platos de carne acompañados de arroz, patatas y lechuga cocida. A veces se usa la llajhua (salsa caliente hecha con tomates y chiles) para condimentar los platos. Las bebidas más carac-terísticas son el vino, la cerveza y la chicha (aguardiente de maíz).

Lengua

La lengua oficial es el castellano, pero en realidad solo lo habla aproximadamente el 70% de la población, y muchas veces como segunda lengua. El resto de la población habla quechua, aymara u otras lenguas indígenas.

BOLIVIA
Sucre

MÁS INFORMACIÓN
www.bolivianet.com/turismo
www.bolivia.com
www.boliviaweb.com
www.redboliviana.com

el ekeko

Es un muñequito bien vestido, cargado de objetos de lujo y billetes. Está siempre presente en un lugar destacado de las casas bolivianas y su función es atraer la riqueza, la abun-dancia, el amor, la virilidad y la fertilidad.

C. If you're interested in finding out more about another Latin-American country, why not do an Internet search and create your own information sheet?

1. PRENDAS TRADICIONALES

Every country has its own traditional clothing that is still worn today. Here are some examples of traditional clothing from different Spanish-speaking countries. Match each description to the corresponding photo.

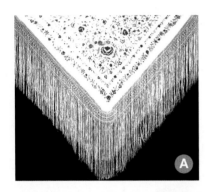

☐ **GUAYABERA:** es una camisa larga, de algodón o lino, con grandes bolsillos y generalmente de manga corta. Se lleva por fuera de los pantalones. Originalmente blanca y de hombre, hoy se fabrica en todos los colores y las mujeres también la usan. **[Cuba]**

☐ **CHULLO/LLUCHO:** es un gorro de lana de alpaca (un mamífero de los Andes) tejido a mano. Puede ser de diferentes colores y generalmente cubre las orejas. Lo llevan sobre todo en el Altiplano, pero hoy se puede ver en ciudades de todo el mundo. **[Bolivia/Perú]**

☐ **BOTAS DE CARPINCHO:** son unas botas altas sin cremallera y con tacón de madera. Están hechas con piel de carpincho. Este animal vive en los ríos y lagos de Sudamérica y es el mayor roedor del mundo (puede pesar hasta 80 kilos). **[Argentina]**

☐ **MANTÓN DE MANILA:** es una prenda de seda con flores bordadas. Usado originalmente como prenda de abrigo, hoy en día se lleva sobre todo en las fiestas. También se usa para decorar los balcones en las fiestas. Aunque llega de las Filipinas en el siglo XVI, esta prenda femenina se asocia con la artesanía andaluza. **[España]**

☐ **ÑANDUTÍ:** es un encaje que puede ser blanco o de colores. Se utiliza para hacer ropa (se lleva mucho en la playa, colocado sobre el bañador) y como objeto decorativo para la casa. En guaraní, la palabra ñandutí significa "telaraña". **[Paraguay]**

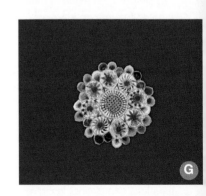

☐ **SOMBRERO JIPIJAPA:** es un sombrero de paja tejida, blanco y muy ligero. Protege muy bien del sol y lleva una cinta negra alrededor. Conocido como "panamá", en realidad no es originario de ese país. **[Ecuador]**

☐ **REBOZO:** es un pañuelo muy fino, de seda o rayón, tejido a mano. Puede ser de muchos diseños y colores diferentes, y se lleva de muchas maneras: sobre los hombros, en el cuello, como turbante, como top o como pareo. Los hombres también suelen llevarlo como pañuelo al cuello o como faja. **[México]**

☐ **PONCHO:** es una prenda hecha con un tejido muy apretado que protege del frío, del viento y de la lluvia. Puede ser de un solo color o tener algún dibujo geométrico. Algunos llevan flecos de lana. **[Chile]**

2. POESÍA DE COLORES

A. For you, what colour are these things?

el amor	
una niña	
el cielo	
las estrellas	
la luna	
el viento	

B. Now read the fragments from Federico García Lorca songs on this page. For him, what colour are the things you've just considered?

C. Which fragment do you like the most?

D. Why not write your own short poem based on colours? Try using simple constructions, like direct associations between words and colours.

FEDERICO GARCÍA LORCA nace el 5 de junio de 1898 en Fuentevaqueros, provincia de Granada. En 1908 se traslada con su familia a Granada. En esa ciudad, Lorca empieza la carrera de Filosofía y Letras. En 1919 se traslada a la Residencia de Estudiantes de Madrid, donde coincide con Luis Buñuel y con Salvador Dalí. En Madrid empieza a escribir. Sus primeras obras literarias son el *Libro de poemas* y la obra de teatro *Mariana Pineda*. Cuando termina sus estudios en España, en 1929, Lorca viaja por Estados Unidos, donde estudia y da conferencias. Su producción de este periodo está recogida en el libro de poemas *Poeta en Nueva York*. Lorca también viaja a Cuba, donde termina la obra teatral *El público*. Cuando vuelve a España, pone en marcha el grupo de teatro ambulante "La Barraca", con el que consigue un gran éxito dentro y fuera de España. Reconocido en vida como uno de los mejores escritores jóvenes españoles, Lorca muere fusilado el 19 de agosto de 1936 por su vinculación con la República.

(...)

Sábado.
(Arcos azules. Brisa.)

Domingo.
(Mar con orillas. Metas.)

Sábado.
(Semilla estremecida.)

Domingo.
(Nuestro amor se pone amarillo)

La canción del colegial

(...)

Las torres fundidas
con la niebla fría,
¿cómo han de mirarnos
con tus ventanitas?

Cien luceros verdes
sobre el cielo verde,
no ven a cien torres
blancas, en la nieve.

(...)

Preludio

(...)

Ayer.
(Estrellas de fuego.)

Mañana.
(Estrellas moradas.)

Hoy
(Este corazón, ¡Dios mío!
¡Este corazón que salta!)

(...)

Canción con movimiento

En la luna negra
de los bandoleros,
cantan las espuelas.

Caballito negro.
¿Dónde llevas
tu jinete muerto?

(...)

Canción de jinete (1860)

(...)

Naranja y limón
(¡Ay, la niña del mal amor!)

Limón y naranja.
(¡Ay de la niña, de la niña blanca!)

Limón
(¡Cómo brillaba el sol!)

Naranja.
(¡En las chinas del agua!)

Árbol de la canción

Verde que te quiero verde.
Verde viento. Verdes ramas.
El barco sobre la mar
y el caballo en la montaña.

Romance sonámbulo

1. JAVIER BARDEM

A. Do you know who Javier Bardem is? Read the following text to find out more about one of the leading figures in Spanish cinema today.

DATOS PERSONALES

Nombre real:
Javier Ángel Encinas Bardem
Profesión: actor
Fecha de nacimiento: 1/5/1969
Lugar de nacimiento: Las Palmas de Gran Canaria, España

CÓMO ES

• Es un actor inconformista, muy autocrítico y exigente. Prepara sus papeles de forma meticulosa y es capaz de interpretar a personajes muy diferentes.
• Intenta mantener los pies en la tierra. Piensa que un actor tiene que poder observar y participar de la realidad y que la popularidad puede aislarlo.
• Le molesta aparecer demasiado en los medios de comunicación. Solo lo hace cuando tiene que promocionar alguna de sus películas.
• Un aspecto de su trabajo que le gusta especialmente es que le permite leer mucho y estar en contacto con culturas diferentes.
• No le gusta hablar de cine todo el día.

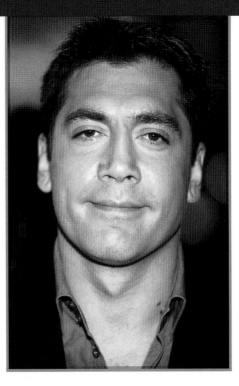

FILMOGRAFÍA

De entre sus más de veinte películas, destacamos los siguientes títulos: *Jamón Jamón* (Bigas Luna), 1992; *Huevos de oro* (Bigas Luna), 1993; *Días contados* (Imanol Uribe), 1994; *Boca a boca* (Manuel Gómez Pereira), 1995; *Carne trémula* (Pedro Almodóvar), 1997; *Perdita Durango* (Álex de la Iglesia), 1997; *Entre las piernas* (M. G. Pereira), 1999; *Antes que anochezca* (Julián Schnabel), 2001; *Pasos de baile* (John Malkovich), 2002; *Los lunes al sol* (Fernando León de Aranoa), 2002; *Mar adentro* (Alejandro Amenábar), 2004.

UNA CURIOSIDAD

Pertenece a una familia de actores y directores, y debuta en televisión a los cuatro años. Sin embargo, no hace cine hasta 1990. Hasta entonces, estudia pintura y se dedica a otras actividades, como el rugby o el dibujo publicitario.

SUS DIRECTORES DICEN DE ÉL

ALEJANDRO AMENÁBAR: "Es un actor con mayúsculas. [...] En un minuto te puede hacer de cinco personajes distintos. Creo firmemente que es uno de los grandes actores no solo de España, sino del mundo entero. Independientemente de su talento [...], lo que me ha sorprendido gratamente es su humanidad. Un tío con los pies en la tierra y con muchísimo sentido del humor. Es una persona que trae luz."

GERARDO VERA: "De Javier Bardem destaco el rigor y la capacidad de meterse en lo más profundo del personaje que interpreta. Es un actor [...] que va a lo esencial."

BIGAS LUNA: "Lo mejor es su fuerza física y la capacidad mimética que tiene con los personajes que hace. Es un actor capaz de interpretar con todo su cuerpo, y no solo con el rostro."

FERNANDO LEÓN: "Es una de las mejores personas que conozco. Es un tipo excelente, un buen amigo y una persona muy, muy noble. [...] Es un actorazo, una barbaridad, es un trabajador incansable. [...] Es un lujo."

ÁLEX DE LA IGLESIA: "Para mí es más importante mi amigo Javier Bardem que el actor. Lo que hay que reconocer es que, sin duda, es el mejor actor de este país."

B. Mark words or expressions in the text that describe what this Spanish actor is like. Do you have anything in common with him?

2. LA MÚSICA DE FUSIÓN

Read the following text. Is anything similar happening on the music scene in your country?

> La *FUSIÓN* entre los ritmos locales y otros estilos musicales está presente en todos los países de habla hispana. El flamenco, el candombe o la milonga se fusionan con el pop, el rock, el jazz, el blues o incluso la música raï. Todo vale.

En España, en los años 70, el grupo **Triana** abre las puertas del flamenco a las sonoridades del rock y, en la década siguiente, **Pata Negra** hace lo mismo, pero esta vez con el blues. En los 90, grupos y artistas como **Ketama**, **Navajita Plateá** o **Kiko Veneno**, entre otros, siguen el mismo camino y consiguen acercar al flamenco a nuevos horizontes: jazz, bossa nova, música árabe, pop... Un poco más lejos de las raíces flamencas, encontramos actualmente a grupos como **Chambao**, que han conseguido triunfar con su fórmula particular que combina la tradición flamenca con música electrónica.

Las ganas de fusionar han dado lugar a un movimiento conocido actualmente como "mestizaje". Dentro de esta corriente se encuentran grupos que lo mezclan todo para encontrar su propia manera de expresarse. Entre los más famosos están **Ojos de brujo**, con su fusión de flamenco y hip-hop, y **Macaco**, que fusionan hip-hop, pop, rock, bossa nova, ritmos africanos, jazz, etc.

En Latinoamérica, merecen especial atención el uruguayo **Jaime Roos**, que mezcla los ritmos propios de la murga, el candombe y la milonga con jazz, blues, rock y bossa nova, y el argentino **León Gieco**, que reinterpreta en clave de rock los ritmos folclóricos de Argentina. Una de las nuevas figuras es el colombiano **Carlos Vives**, que mezcla rock, vallenato, cumbia, son, baladas, ska... Por su parte, los cubanos **Orishas** se encargan de unir los ritmos de la isla con el hip-hop.

Ojos de brujo

Macaco

Orishas

1. ALGÚN AMOR

A. Read the following extracts from a novel by the Spanish author Dulce Chacón. Look at the book cover too. What do you think the book is about?

Prudencia se levanta todos los días antes que su marido. Le prepara el desayuno y la ropa que va a ponerse, y luego enciende la radio... (...)

Los maridos se quejan si sus mujeres engordan, si no se cuidan, y si les reciben en bata cuando llegan a casa. Hay que ver qué pintas tienes, hija, le dice su marido a Prudencia cuando la encuentra sin arreglar. Y es que es verdad, a veces está hecha una facha. (...)

Prudencia se queja muchas veces de que su marido es de los que piensan que la mujer tiene que estar en casa, como una santa, haciéndoles la comida, eso sí, arregladitas. Ellos engordan y ellas tienen que mantener la línea. (...)

Cuando hay que pedir amor todo está perdido. El amor no se pide, el amor se da.

B. This is the plot. Does it fit your prediction?

Prudencia es una mujer maltratada por su marido. Se encuentra perdida entre sus sentimientos, la soledad y la progresiva anulación de su propia identidad. Pero, un día, Prudencia decide huir...

C. How is the subject of this novel dealt with in your country?

D. Do you want to know something about the author? Here's a brief biography.

DULCE CHACÓN nace en Zafra, provincia de Badajoz, en 1954, aunque a los doce años se traslada con su familia a Madrid. Escribe poesía (destacamos *Querrán ponerle nombre* y *Contra el desprestigio de la altura*) y novela: *Algún amor que no mate*, *Blanca vuela mañana*, *Háblame, musa, de aquel varón*, *Cielos de barro* y *La voz dormida*. También es autora de una obra teatral titulada *Segunda mano*. Dulce Chacón muere en diciembre de 2003, a los 39 años de edad, justo cuando su obra goza de un mayor reconocimiento.

2. RITMOS DE VIDA

A. Soledad (51) and Ezequiel (24) are mother and son. They belong to a middle class family in Buenos Aires. Read what they say about their daily lives. Would anything here be surprising for someone in your country?

EZEQUIEL

A mí no me gusta eso de vivir con papá y mamá, yo soy independiente. Trabajo en un banco, como cadete, o sea, hago todos los pequeños trabajos que nadie quiere hacer: hago fotocopias, llevo y traigo cosas, voy a la compra y a hacer trámites fuera, ¡hasta sirvo café! Trabajo de 8.30 a 5h de la tarde, de lunes a viernes. No paramos para comer: picamos algo en el trabajo (algunos se escapan a comer algo rápido, de pie, y regresan enseguida). Después del trabajo, muchos de mis compañeros van a un bar a tomar un café y un tostado, pero yo no puedo, tengo que ir a la facultad: estudio Antropología Social. Tengo clases de 8 a 10 y a veces también de 6 a 8h, y, además, tengo una asignatura los sábados por la mañana. A las 10h, después de clase, me reúno con mis compañeros en el café frente a la facultad: estudiamos (siempre estudiamos en los cafés), criticamos a los profesores y "arreglamos" el mundo entre tazas de café hasta pasada la medianoche. Cuando vuelvo a casa, como lo que encuentro (mi madre me deja comida aunque yo le digo que no) y estudio un par de horas. Los sábados, después de clase, hago la compra, voy al club a nadar un rato y por la noche me encuentro con mis amigos. Muchos jóvenes van a discotecas o a bares de copas, pero nosotros preferimos ir a una cinemateca o quedar en una casa para cocinar algo entre todos, conversar, tocar la guitarra o jugar juegos de mesa hasta el amanecer. Cuando tenemos dinero (muy raramente) vamos a algún recital o al cine y después a comer una pizza o "nos instalamos" en un café durante horas. ¿Cuándo duermo? Los domingos, claro, hasta las 5h de la tarde por lo menos. Luego, limpio un poco la casa. En época de éxamenes, mis amigos vienen a estudiar aquí conmigo.

SOLEDAD

Mi rutina diaria... ¡Ufff! Me levanto a las seis, con mis hijas, Yamila y Andrea, que entran al cole a las siete... Andrea tiene trece años, así que todavía nos quedan cuatro años de madrugar. Cuando se van, preparo la ropa y el desayuno de Osvaldo, mi marido, y recojo un poco la casa. A las 8h me quedo sola, hago la compra, preparo la comida para el mediodía y, dos veces por semana, voy al gimnasio. A veces paso por la casa de mi hijo, que vive solo, y le dejo un táper con comida y limpio un poco su casa. ¡Es un desastre! No entiendo por qué no se queda en casa con nosotros... A las dos llegan las niñas y mi padre. Almorzamos juntos los cuatro, lavo los platos, me arreglo y luego me voy a trabajar: soy profesora de inglés en una academia y trabajo de 5 a 9. Papá se queda con Andrea y la ayuda con los deberes hasta que mi marido vuelve del trabajo. Vuelvo a casa a las 10h y comemos los cuatro juntos (Osvaldo y Yamila preparan la cena). Normalmente vemos la tele cuando comemos. Después, corrijo las tareas de mis alumnos y preparo las clases del día siguiente. Duermo muy poco, unas cinco horas diarias. Pero no puedo hacer otra cosa: la vida está dura, y con dos hijas adolescentes... Por suerte Osvaldo y papá me ayudan. Los sábados por la mañana tengo algunas clases privadas. Luego juego al tenis con Osvaldo y otra pareja. Por la tarde vamos al súper y por la noche solemos quedar con amigos. Los domingos son para limpiar la casa y reponer fuerzas, aunque si el día está muy bueno a veces vamos los tres a almorzar en un restaurante de la costanera o a casa de mi hermano Daniel, que vive en las afueras y hace unos asados buenísimos. Yamila ya tiene 17 años y no quiere venir con nosotros. Dice que somos "un plomo"...

 CD 55 **B.** Now listen to Caro, a young Cuban woman who lives in La Havana. She's a philologist and is 24 years old. Has she got much in common with Ezequiel?

MÁS CULTURA

1. SABORES HISPANOS

Read the description of these Hispanic dishes. Which ones would you like, or not like, to try? Why/Why not?

IGUANA • HONDURAS
Carne de iguana guisada con chiles, ajos, tomate, cebollas, comino, coco rallado y zumo de naranja.

AJIACO A LA CRIOLLA • CUBA
Tocino y carne de cerdo guisados con plátano, batata, maíz y calabaza.

PERREREQUE • NICARAGUA
Pastel de maíz, queso, azúcar, canela y crema de leche dulce.

CEVICHE • PERÚ
Pescado crudo encurtido en limón con cebolla y ají. Se sirve con lechuga, maíz y patatas.

CAZUELA DE AVE • CHILE
Pollo guisado con patatas, cebollas, cilantro y judías verdes.

CHIVITOS • URUGUAY
Carne de ternera en pan con lechuga, tomate, mayonesa y huevo duro.

MOLE POBLANO • MÉXICO
Pavo frito y cocido luego en una salsa de chiles, ajonjolí, cebolla, ajo, pan, azúcar, pimienta, canela, chocolate y clavo. Se sirve con ajonjolí tostado, uvas pasas y almendras.

PISTO • ESPAÑA
Guisado de tomates, cebollas, pimientos y calabacines.

PASTELÓN DE PLATANOS AMARILLOS • REPÚBLICA DOMINICANA
Pastel hecho con puré de plátanos y relleno con un queso parecido a la mozzarella y una mezcla de carne picada saltada con cebolla, ají, orégano, pimienta y salsa de tomate.

SOBREBARRIGA • COLOMBIA
Carne asada con cerveza. Se sirve con patatas y arroz seco.

CHIPÁ A LA GUAZÚ • PARAGUAY
Pastel al horno de maíz, cebollas, leche, huevos y queso.

CARBONADA EN ZAPALLO • ARGENTINA
Guiso de carne de ternera, calabaza, arroz, maíz y pimientos, servido en una calabaza.

2. NUEVOS ALIMENTOS

A. Mark the statements true or false.

	V	F
1. La primera receta de la tortilla de patatas que se conserva data del siglo XIV.	☐	☐
2. El cacao se utiliza como moneda en algunas culturas precolombinas.	☐	☐
3. El tomate es considerado venenoso cuando llega a Europa.	☐	☐
4. Los colonizadores europeos aprenden de los indígenas americanos avanzadas técnicas para la cría de cerdos y vacas.	☐	☐
5. El trigo y el maíz son dos de las mayores aportaciones del continente americano a la alimentación mundial.	☐	☐

B. Now read the following text to check your answers.

El descubrimiento de la patata

Las diferentes dietas de los países europeos tienen como base productos originarios de América. Productos tan presentes en nuestra vida cotidiana como la patata, el tomate, el maíz, el calabacín, el pimiento, el aguacate, los cacahuetes o el cacao, entre otros, son traídos a Europa después de la llegada de Colón al "nuevo mundo" a finales del siglo XV.

¿Pueden un alemán o un irlandés imaginar sus vidas sin patatas? ¿Y un español sin tortilla española? ¿Puede vivir un italiano sin espaguetti a la boloñesa o con pizza sin tomate? ¿Y un suizo sin chocolate? ¿Y la comida rápida de todo el planeta sin "ketchup" y patatas fritas?

Desgraciadamente, con el contacto con el continente americano, también llegan a Europa productos menos beneficiosos para el ser humano como, por ejemplo, el tabaco.

Cuando las culturas entran en contacto se "prestan" costumbres, se influencian unas a otras. Esto también sucede en la alimentación: aquí tienes algunas informaciones curiosas sobre los alimentos de origen americano:

• Dice la leyenda azteca que el cacao es un regalo de los dioses para dar fuerza al hombre. Cuando llega a Europa, se convierte en bebida de las clases altas y su consumo no se generaliza hasta el siglo XIX.

• En tiempo de los mayas se utilizan semillas de cacao como moneda.

• La cultura azteca desarrolla un avanzado sistema de producción agrícola que les permite obtener hasta tres cosechas al año.

• Cuando el tomate llega a Europa es considerado venenoso y los pocos que lo cultivan lo utilizan exclusivamente como decoración.

• Los colonizadores llevan a América cerdos, vacas y otros animales domésticos, que no sufren problemas de adaptación en el nuevo entorno.

• Al principio, el cultivo en América de plantas típicamente mediterráneas (como la vid, el olivo y los cereales) resulta difícil.

• El trigo y el arroz, ya presentes en las culturas europea y asiática, se encuentran en América con el maíz. De esta manera, se sientan las bases de la alimentación moderna.

1. MADRID, BARCELONA, SEVILLA

A. Do you know these cities? An ad agency has launched a campaign to promote some of the most characteristic aspects of the three cities. Which city seems the most attractive?

MADRID SUS MUSEOS

El Museo del Prado
La mayor colección de pintura española de los siglos XII al XIX: Velázquez, El Greco, Goya…

El Centro de Arte Reina Sofía
La mejor colección española de arte del siglo XX. Entre su fondo, destaca el *Guernica*, el famoso cuadro de Picasso sobre la Guerra Civil española.

El Museo Thyssen-Bornemisza
Una de las colecciones privadas más importantes del mundo. El antiguo palacio de Villahermosa, convertido hoy en museo, alberga obras maestras de todos los movimientos de la historia del arte: Gótico, Renacimiento, Barroco, Impresionismo, Expresionismo, Surrealismo, Cubismo, *Pop Art*…

Barcelona: la ciudad de la... arquitectura

el barrio gótico
Una de las joyas góticas mejor conservadas de Europa. Un paseo por sus calles y una visita a la Catedral y a la iglesia Santa María del Mar transportan al viajero a un mundo que pertenece a la Edad Media.

gaudí
Sus obras modernistas como La Pedrera, La Casa Batlló, el Parque Güell o la Sagrada Familia son verdaderos símbolos de la ciudad.

el ensanche
La ampliación urbanística de Ildefons Cerdá ha hecho famosa a la ciudad por sus manzanas y sus calles cuadriculadas.

la barcelona olímpica
La transformación de un antiguo barrio industrial en la Vila Olímpica y la remodelación de las instalaciones deportivas en la montaña de Montjuic muestran una ciudad en constante evolución.

SEVILLA Fiesta y tradición

La Semana Santa
Calles inundadas de gente: miles de sevillanos y visitantes acompañan las procesiones al ritmo de una música solemne. Aplausos y cantes dedicados a las imágenes religiosas que llevan los miembros de las cofradías.

La Feria de Abril
Un recinto adornado con flores, luces y centenares de casetas para cantar y bailar al ritmo de las sevillanas, comer los exquisitos plato del sur y beber los mejores vinos de Andalucía. La mejor forma d dar la bienvenida a la primavera.

B. What else do you know about Madrid, Barcelona and Seville?

C. These people are going to tell you other interesting things about the three cities. Which of them would you like to visit?

CD 56-58

Alicia (Madrid)

Marta (Barcelona)

Alfredo (Sevilla)

1. EL HORÓSCOPO MAYA

A. The Mayas, one of the most advanced, important civilisations in Pre-Columbian America, created a 13-sign zodiac based on the lunar calendar. Find your sign and read the description. Does it fit?

MURCIÉLAGO (Tzootz)
26 de julio / 22 de agosto

Color: negro **Verbo:** "descubrir" **Estación del año:** el invierno **Número:** el 1

Son luchadores, fuertes y decididos. Les gusta dar órdenes y tomar decisiones. Están muy seguros de sí mismos y, a veces, son autoritarios. Primero actúan y luego piensan. Les gusta trabajar solos. Son excelentes políticos, empresarios, escritores y humoristas.

ALACRÁN (Dzec)
23 de agosto / 19 de septiembre

Color: dorado **Verbo:** "observar" **Estación del año:** el otoño **Número:** el 2

A primera vista, inspiran respeto. Son muy reservados y no manifiestan sus sentimientos. Prefieren pasar inadvertidos. Cuando conocen a alguien, lo analizan con detenimiento. Tienen una memoria de elefante. Son agradecidos y justos, pero también vengativos. Trabajan bien en cualquier oficio. Como son organizados y metódicos, son excelentes en tareas administrativas.

VENADO (Keh)
20 de septiembre / 17 de octubre

Color: naranja y amarillo **Verbo:** "seducir" **Estación del año:** el principio de la primavera **Número:** el 3

Son los más sensibles del zodíaco. Son frágiles y se asustan con facilidad. Cuidan mucho su imagen. Tienen talento para el arte y detestan la rutina. Necesitan cambiar y crear.

LECHUZA (Mona)
18 de octubre / 14 de noviembre

Color: azul intenso **Verbo:** "intuir" **Estación del año:** el otoño **Número:** el 4

Son los brujos del zodíaco maya: pueden leer el pensamiento, anticiparse al futuro y curar dolores del cuerpo y del alma con una caricia o una infusión de hierbas. Al principio son tímidos, pero cuando toman confianza son bastante parlanchines. Les gusta la noche. Destacan en medicina, psicología y, en general, en las ciencias naturales.

PAVO REAL (Kutz)
15 de noviembre / 12 de diciembre

Color: irisado **Verbo:** "yo soy" **Estación del año:** la primavera **Número:** el 5

Tienen alma de estrella de cine. Son extrovertidos, sociables, carismáticos y seductores. Les gusta ser el centro de atención en todo momento. Una de sus armas es el humor. En el trabajo, prefieren puestos de liderazgo: les encanta dar órdenes y tener gente a su cargo. Necesitan destacar. Son excelentes comunicadores.

LAGARTO (Kibray)
13 de diciembre / 9 de enero

Color: el verde **Verbo:** "cambiar" **Estación del año:** el verano **Número:** el 6

Su gran pregunta es "¿Quién soy?". Están en constante cambio, su personalidad es multifacética. Son generosos, sencillos, metódicos y ordenados, pero necesitan mucho tiempo para tomar decisiones. Son personas inteligentes, analíticas, de buena memoria y con capacidad para el estudio. Pueden llegar a ser grandes científicos.

MONO (Batz Kimil)
10 de enero / 6 de febrero

Color: el lila **Verbo:** "divertir" **Estación del año:** el comienzo del verano **Número:** el 7

Son felices si tienen algo que descubrir, si viven nuevas aventuras o sienten nuevas emociones. Su mente es tan inquieta como su cuerpo: no paran de pensar. Hacer reír es su especialidad y siempre encuentran el lado gracioso de las cosas. Tienen fama de inconstantes: en el amor son inestables y cambian muchas veces de trabajo. Odian sentirse esclavos de la rutina.

HALCÓN (Coz)
7 de febrero / 6 de marzo

Color: el violeta **Verbo:** "poder" **Estación del año:** el verano **Número:** el 8

Desde niños, tienen una personalidad definida y un carácter fuerte. De jóvenes, son ambiciosos: buscan su triunfo profesional y no descansan hasta conseguirlo. Tienen una mente despierta y un gran sentido del deber y de la responsabilidad. A partir de los 50 años, su vida cambia: ya no les interesan las cosas mundanas y comienzan su búsqueda espiritual. Son buenos políticos y diplomáticos.

JAGUAR (Balam)
7 de marzo / 3 de abril

Color: el rojo **Verbo:** "desafiar" **Estación del año:** el final del verano **Número:** el 9

Son personas apasionadas y directas. Saben lo que quieren y siempre lo consiguen. Son valientes y altruistas. Son seductores y, de jóvenes, cambian mucho de pareja. No se casan fácilmente. Tienen un espíritu nómada. Necesitan sentir pasión en su vida profesional y, si se aburren, cambian de trabajo.

ZORRO (Fex)
4 de abril / 1 de mayo

Color: el marrón oscuro **Verbo:** "proteger" **Estación del año:** el comienzo del otoño **Número:** el 10

Han nacido para amar. Muchas veces se olvidan de sus propias necesidades y deseos para ayudar a los demás. Sienten el dolor de los demás como propio. Su modo de vida es sencillo, sin grandes ambiciones. Son muy buenos para trabajar en equipo. Tienen muchas cualidades para ser abogados, jardineros o médicos.

SERPIENTE (Kan)
2 de mayo / 29 de mayo

Color: el azul verdoso **Verbo:** "poseer" **Estación del año:** el invierno **Número:** el 11

Aman el lujo, el confort y el refinamiento. Son elegantes por naturaleza y suelen tener un buen nivel económico. Tienen fama de ambiciosos. Aunque son competidores leales, es mejor no interponerse en su camino. Para ellos, lo importante no es la profesión, sino destacar en ella. Por su capacidad de observación tienen talento para las letras.

ARDILLA (Tzub)
30 de mayo / 26 de junio

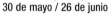

Color: el verde limón. **Verbo:** "comunicar". **Estación del año:** el final del otoño **Número:** el 12

Son los más parlanchines del zodíaco. No saben guardar un secreto. Son sociables y excelentes para las relaciones públicas. Son personas activas y pueden hacer varias cosas al mismo tiempo. Cambian muy rápido de opinión. Son excelentes vendedores y triunfan en el mundo del espectáculo.

TORTUGA (Aak)
27 de junio / 25 de julio

Color: el verde esmeralda **Verbo:** "amar" **Estación del año:** el verano **Número:** 13

Son hogareños y pacíficos. Evitan los riesgos y no confían en los resultados fáciles. Disfrutan más las cosas cuando han luchado para conseguirlas. Son conservadores, creen en la buena educación y en la ética, y son nobles por naturaleza. Destacan en las carreras humanísticas y en las que les permiten ayudar a los demás (médicos, enfermeros, profesores, etc.). Su paciencia y perseverancia les asegura el éxito en cualquier profesión.

B. What about your classmates? Ask some of them what their sign is and see if the Maya horoscope description is right.

C. If you have to choose a partner, a friend, a workmate, a boss or a flatmate, which Maya zodiac sign would you go for?

2. VIVIR SOLO

A. Read this comic and use a dictionary to look up adjectives that describe the character.

B. Imagine that the main character asks for your advice about living alone again. Can you organise his weekly routine? Write it down.

1. MUJERES

Here are the biographies of three great figures in Hispanic culture. Read them and decide which of the following titles you'd give to each of them.

1. Vanguardia feminista   **2. Rescatar la tradición**   **3. Pintar el propio dolor**

Alicia Moreau de Justo

De padres franceses, nació en Londres en 1885, pero se crió en Buenos Aires, donde terminó la carrera de Medicina en 1914 con diploma de honor. Comenzó su actividad intelectual en 1906, en el Foro de Libre Pensamiento, con un trabajo sobre educación y, ese mismo año, fundó el Centro Feminista. Fundó la Confederación Socialista de su país y luchó toda su vida por los derechos de la mujer. Ejerció el periodismo (dirigió la revista *Vida femenina*), escribió libros, fue una activa pacifista y, con 90 años, fundó la Asamblea Permanente por los Derechos Humanos. Falleció en 1986.

Violeta Parra

Nació en 1917 en el sur de Chile, de madre campesina y "cantora" y padre profesor de música. Empezó a componer y a cantar en público a los 12 años. A los 15 años, se traslada a Santiago y forma un dúo con una de sus hermanas. A partir de 1952 empezó a recorrer zonas rurales grabando y recopilando música folclórica de los más variados rincones del país, lo que le permitió llevar a cabo una síntesis cultural y rescatar una tradición de inmensa riqueza. Así comenzó su lucha contra las visiones estereotipadas de América Latina, difundiendo en Europa la tradición folclórica de su país. Los temas populares y los problemas sociales fueron una constante en sus composiciones. Compuso canciones, décimas, música instrumental... Aunque no militó en política, ha sido caracterizada como "la voz de los marginados", razón por la cual sus canciones fueron prohibidas en muchos países. Fue también ceramista, pintora, escultora, bordadora... Se suicidó en 1967.

Frida Kahlo

Nació en Coyoacán (México) en 1907. Aunque compartió los ideales de los muralistas mexicanos (estuvo casada con el gran muralista Diego Rivera y se relacionó con los representantes de este movimiento), Frida Kahlo creó una pintura personal, ingenua y profundamente metafórica al mismo tiempo, derivada de su exaltada sensibilidad y de varios acontecimientos que marcaron su vida. A los dieciocho años sufrió un gravísimo accidente que la obligó a una larga convalecencia, durante la cual aprendió a pintar, y que influyó con toda probabilidad en la formación del complejo mundo psicológico que se refleja en sus obras. En su búsqueda de las raíces estéticas de México, Frida Kahlo realizó espléndidos retratos de niños y obras inspiradas en la iconografía mexicana anterior a la conquista. Sin embargo, son las telas que exponen fundamentalmente los aspectos dolorosos de su vida, en gran parte postrada en una cama, las que la han convertido en una figura destacada de la pintura mexicana del siglo XX. Murió en 1954.

MÁS

INFORMACIÓN

• Learning a language also involves coming to understand something about the countries that speak the language. Here is a series of maps and basic information about the countries of Latin America and Spain.

• Look up the Internet links included so that you can widen your knowledge.

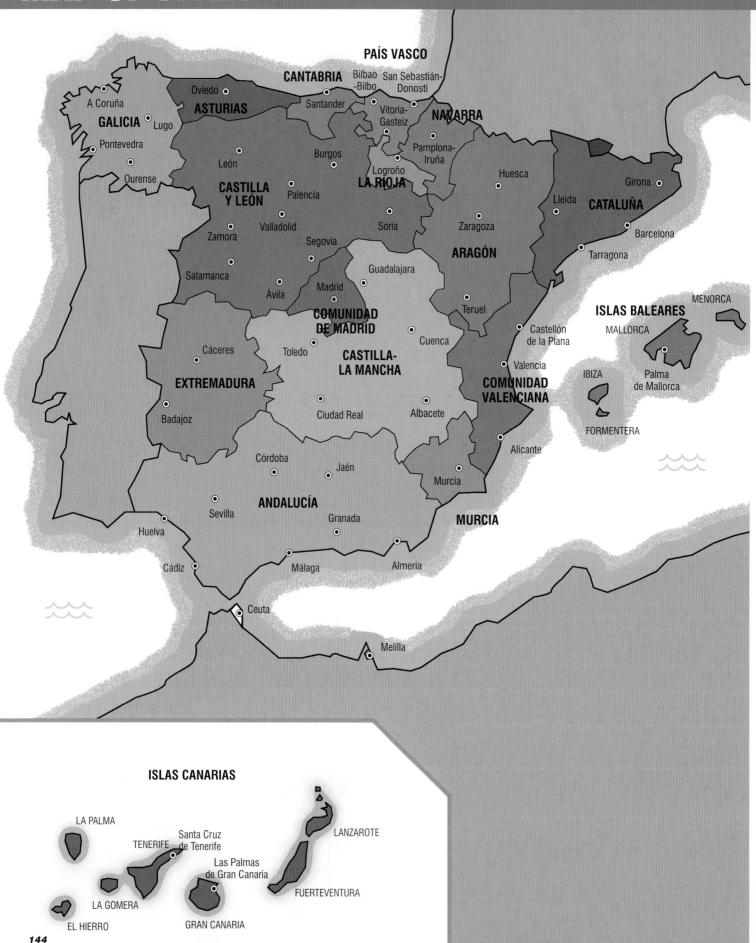

GALICIA
A Coruña
Lugo
Pontevedra
Ourense

ASTURIAS
Oviedo

CANTABRIA
Santander

PAÍS VASCO
Bilbao-Bilbo
San Sebastián-Donosti
Vitoria-Gasteiz

NAVARRA
Pamplona-Iruña

LA RIOJA
Logroño

CASTILLA Y LEÓN
León
Burgos
Palencia
Valladolid
Soria
Zamora
Segovia
Salamanca
Ávila

ARAGÓN
Huesca
Zaragoza
Teruel

CATALUÑA
Girona
Lleida
Barcelona
Tarragona

COMUNIDAD DE MADRID
Madrid
Guadalajara

CASTILLA-LA MANCHA
Toledo
Cuenca
Ciudad Real
Albacete

EXTREMADURA
Cáceres
Badajoz

COMUNIDAD VALENCIANA
Castellón de la Plana
Valencia
Alicante

ISLAS BALEARES
MENORCA
MALLORCA
IBIZA
Palma de Mallorca
FORMENTERA

ANDALUCÍA
Córdoba
Jaén
Sevilla
Granada
Huelva
Cádiz
Málaga
Almería

MURCIA
Murcia

Ceuta
Melilla

ISLAS CANARIAS
LA PALMA
TENERIFE
Santa Cruz de Tenerife
LANZAROTE
Las Palmas de Gran Canaria
LA GOMERA
FUERTEVENTURA
EL HIERRO
GRAN CANARIA

MAP OF SPANISH-SPEAKING LATIN AMERICA

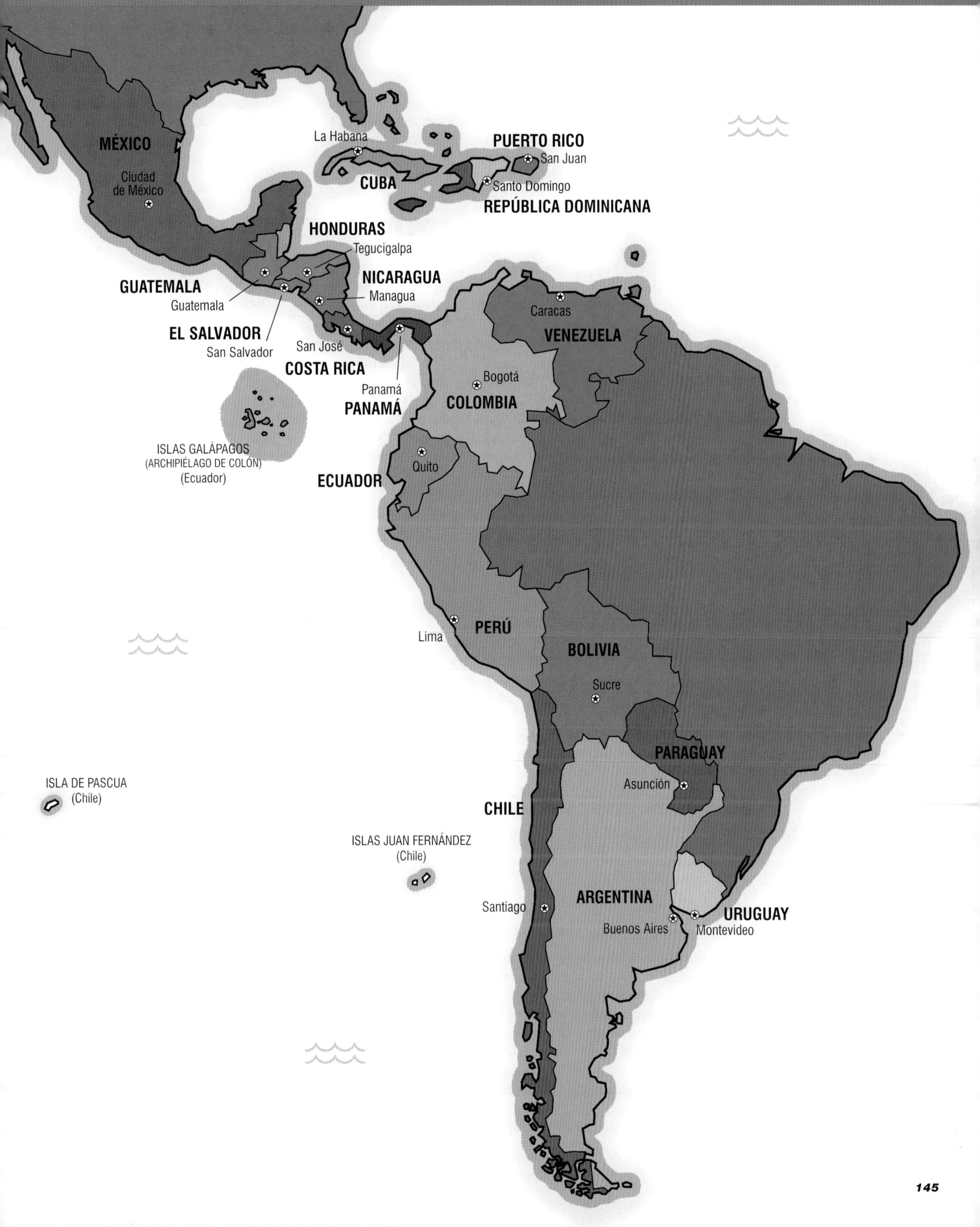

MÉXICO
Ciudad de México
La Habana
CUBA
PUERTO RICO
San Juan
Santo Domingo
REPÚBLICA DOMINICANA
HONDURAS
Tegucigalpa
NICARAGUA
Managua
GUATEMALA
Guatemala
EL SALVADOR
San Salvador
San José
COSTA RICA
Panamá
PANAMÁ
Caracas
VENEZUELA
Bogotá
COLOMBIA
ISLAS GALÁPAGOS
(ARCHIPIÉLAGO DE COLÓN)
(Ecuador)
Quito
ECUADOR
Lima
PERÚ
BOLIVIA
Sucre
PARAGUAY
Asunción
ISLA DE PASCUA
(Chile)
CHILE
ISLAS JUAN FERNÁNDEZ
(Chile)
Santiago
ARGENTINA
Buenos Aires
Montevideo
URUGUAY

Argentina

Población: 36 223 947 habitantes **Superficie:** 3 761 274 km² (incluida la Antártida y las islas del Atlántico Sur) **Moneda:** peso **Capital:** Buenos Aires **Principales ciudades:** Córdoba, Rosario, Mendoza, La Plata, San Miguel de Tucumán, Mar del Plata **Clima:** domina el clima templado, pero debido a las marcadas diferencias de latitud y altitud nos encontramos con clima tropical en el norte, templado en la Pampa, árido en los Andes y frío en la Patagonia y Tierra del Fuego **Principales productos:** cítricos, cereales, vid, olivo, caña de azúcar, algodón, plátanos, ganado bovino, maderas nobles **Lenguas:** el español es la lengua oficial, aunque en diversas regiones perviven las lenguas de los nativos: en la región del Noreste se habla el guaraní; en el Chaco se habla el mataco; en las provincias de Salta, Jujuy y Santiago del Estero, el quechua; y en la Patagonia el mapudungun o lengua mapuche. **Cultura:** en literatura destacan Jorge Luis Borges, Julio Cortázar y Ernesto Sábato. La arquitectura tuvo su mayor importancia durante la época colonial con el barroco iberoamericano. La manifestación cultural más conocida es, sin duda, el tango (la música y el baile) y las figuras con él relacionadas, como Carlos Gardel, Julio Sosa o Astor Piazzola. **Más información:** www.indec.mecon.ar/

Bolivia

Población: 8 586 443 habitantes **Superficie:** 1 098 581 km² **Moneda:** boliviano **Capital:** La Paz (capital administrativa), Sucre (capital histórica y jurídica) **Principales ciudades:** Santa Cruz, Cochabamba, El Alto, Oruro **Clima:** varía con la altitud, húmedo y tropical o frío y semiárido **Principales productos:** petróleo, gas, minerales, soja y algodón **Lenguas:** español, quechua y aimara (oficiales) **Cultura:** en literatura destacan J. Bustamante y N. Aguirre en el siglo XIX. Figuras destacadas más recientes son los novelistas A. Chirveches y J. Mendoza. En arquitectura es característico el estilo mestizo, síntesis de elementos arquitectónicos hispanos y decorativos indígenas. **Más información:** www.ine.gov.bo/

Chile

Población: 15 665 216 habitantes **Superficie:** 2 006 625 km² (incluido el territorio chileno antártico) **Moneda:** peso **Capital:** Santiago **Principales ciudades:** Viña del Mar, Valparaíso, Talcahuano, Temuco, Concepción **Clima:** templado en general pero más húmedo y frío en el sur **Principales productos:** minerales, cereales, vino, pesca **Lenguas:** español (oficial), aimara, quechua, mapuche, kaweshar (alacalufe), pascuense (o rapa nui) **Cultura:** destacan cuatro escritores de renombre mundial: Gabriela Mistral (premio Nobel en 1945), Vicente Huidobro, Pablo Neruda (premio Nobel en 1971) y José Donoso. En pintura destaca Roberto Matta. En cuanto a vestigios arqueoló-

gicos, cabe mencionar las construcciones megalíticas de Calar y Socaire, pertenecientes a la cultura atacameña. Son muy conocidas también las estatuas gigantes (moais) de piedra volcánica de la isla de Pascua. **Más información:** www.ine.cl/

Colombia

Población: 33 109 840 habitantes **Superficie:** 1 141 748 km² **Moneda:** peso **Capital:** Santa Fe de Bogotá **Principales ciudades:** Cali, Medellín, Cartagena, Barranquilla **Clima:** tropical en la costa y en las llanuras del este, frío en las tierras altas **Principales productos:** café, banano, ganadería, petróleo, gas, carbón, esmeraldas, flores **Lenguas:** junto con el español conviven 13 familias lingüísticas amerindias con más de 80 lenguas. En la isla de San Andrés se habla el bende o creole y en San Basilio, el palenque. **Cultura:** las ciudades de Santa Fe de Bogotá, Tunja, Cartagena de Indias y Popayán fueron los centros culturales más importantes de la época colonial y conservan los más notables edificios de esa etapa. En literatura destaca Gabriel García Márquez (premio Nobel en 1982), autor de *Cien años de Soledad,* la obra más representativa del realismo mágico. Fernando Botero es el máximo representante tanto de la pintura como de la escultura colombiana de las últimas décadas. En la música actual sobresalen artistas como Shakira o Juanes. **Más información:** www.presidencia.gov.co

Costa Rica

Población: 3 925 000 habitantes **Superficie:** 51 100 km² **Moneda:** colón **Capital:** San José **Principales ciudades:** Limón, Puntarenas **Clima:** tropical, pero varía según la altura **Principales productos:** café, plátano, piña, cacao, caña de azúcar, industria informática **Lenguas:** español (oficial), inglés, criollo **Cultura:** hay una fuerte influencia de las tradiciones españolas, aunque las nativas americanas y la afroamericana han tenido también cierto impacto. La guitarra, el acordeón y la mandolina son los instrumentos musicales tradicionales. **Más información:** www.casapres.go.cr/

Cuba

Población: 11 093 152 habitantes **Superficie:** 110 922 km² **Moneda:** peso **Capital:** La Habana **Principales ciudades:** Santiago de Cuba, Camagüey, Holguín, Guantánamo, Santa Clara **Clima:** tropical **Principales productos:** azúcar, café y tabaco **Lenguas:** español **Cultura:** en literatura destacan Alejo Carpentier, Nicolás Guillén, Cabrera Infante y Zoé Valdés. En la música, elemento clave de la cultura cubana, se pueden encontrar estilos propios como la guajira, el guaguancó o el son.

Figuras destacadas: Compay Segundo, Silvio Rodríguez, Pablo Milanés y Celia Cruz. **Más información: www.cubagob.cu/**

Ecuador

Población: 11 781 613 habitantes **Superficie:** 270 667 km² **Moneda:** dólar **Capital:** Quito **Principales ciudades:** Guayaquil, Cuenca **Clima:** tropical en la costa, frío en el interior **Principales productos:** petróleo, hidrocarburos, plátanos, café, cacao, aceite de palma, caña de azúcar **Lenguas:** español (oficial), quechua **Cultura:** el arte precolombino tuvo un desarrollo enorme del cual se conservan numerosos restos. **Más información: www.inec.gov.ec/**

España

Población: 42 717 064 habitantes **Superficie:** 504 750 km² **Moneda:** euro **Capital:** Madrid **Principales ciudades:** Barcelona, Bilbao, Sevilla **Clima:** mediterráneo en el litoral y en el sur, húmedo en el norte y ligeramente continental en el centro **Principales productos:** aceite, vino, frutas **Lenguas:** español, catalán, vasco, gallego **Cultura:** en poesía destacan, entre otros, Federico García Lorca y Antonio Machado. En novela, el autor clásico por excelencia es Miguel de Cervantes, autor de *Don Quijote de la Mancha*. En pintura, los artistas más célebres son Goya, Velázquez, Pablo Picasso, Salvador Dalí y Joan Miró. **Más información: www.la-moncloa.es**

El Salvador

Población: 5 828 987 habitantes **Superficie:** 21 041 km² **Moneda:** colón, dólar **Capital:** San Salvador **Principales ciudades:** Santa Ana, San Miguel **Clima:** templado, pero varía según la altitud **Principales productos:** maíz, arroz, frijoles, café, tabaco, algodón, caña de azúcar, frutas tropicales **Lenguas:** español (oficial), inglés, pipil, lenca **Cultura:** se conservan importantes restos de arte precolombino. De la civilización maya destacan las ruinas de San Andrés, Cihuatán, Quelepa y Joya de Cerén. **Más información: www.casapres.gob.sv/**

Guatemala

Población: 11 237 196 habitantes **Superficie:** 108 890 km² **Moneda:** quetzal **Capital:** Guatemala **Principales ciudades:** Quetzaltenango, Escuintla, Puerto Barrios, Mazatenango **Clima:** tropical, aunque variable según la altitud **Principales productos:** maíz, café, caña, plátano, petróleo, minerales **Lenguas:** español (oficial), lenguas indígenas **Cultura:** se conservan numerosas ruinas de la civilización maya. En literatura, la figura más importante es la del novelista y poeta Miguel Ángel Asturias (premio Nobel en 1967). **Más información: www.guatemala.gob.gt/**

Honduras

Población: 6 669 789 habitantes **Superficie:** 112 190 km² **Moneda:** lempira **Capital:** Tegucigalpa **Principales ciudades:** La Ceiba, Progreso, Roatan Island, San Pedro Sula, Tegucigalpa, Trujillo **Clima:** tropical, con temperaturas más templadas en las montañas **Principales productos:** plátano, café, frijoles, algodón, maíz, arroz, sorgo y azúcar **Lenguas:** español (oficial), lenguas indígenas **Cultura:** posee una gran riqueza arqueológica. Destacan los restos de la cultura maya, que se desarrolló sobre todo en Copán. En pintura sobresale el muralista A. López Redezno. **Más información: http://www.gob.hn/**

México

Población: 105 790 700 habitantes **Superficie:** 1 972 550 km² **Moneda:** peso **Capital:** México D. F. **Principales ciudades:** Guadalajara, Puebla, Monterrey, Acapulco, León **Clima:** de tropical a desértico **Principales productos:** tabaco, industria química, textil, automovilística y alimentaria, hierro, acero, petróleo, minería **Lenguas:** español (oficial), más de cincuenta lenguas indígenas: con mayor número de hablantes se encuentra el náhuatl, hablado por más de un millón de personas, el maya, el zapoteco y el mixteco. **Cultura:** la cultura mexicana presenta una mezcla de tradiciones indígenas, españolas y norteamericanas. Mayas, aztecas y toltecas fueron los pueblos precolombinos de mayor importancia y de los cuales quedan numerosos vestigios. El arte fue considerado parte importante del Renacimiento nacional; los principales pintores mexicanos son Diego Rivera, David Alfaro Siqueiros, José Clemente Orozco y Frida Kahlo. En literatura destacan Octavio Paz (premio Nobel en 1990) y Juan Rulfo, autor de *Pedro Páramo*. Es importante también la producción teatral y la cinematográfica; en este último apartado es digna de mención la etapa mexicana del director español Luis Buñuel. **Más información: http://www.mexicoweb.com.mx/**

Nicaragua

Población: 5 128 517 habitantes **Superficie:** 139 000 km² **Moneda:** córdoba **Capital:** Managua **Principales ciudades:** Masaya, Granada, Jinotega, Matagalpa, Juigalpa, Boaco, Somoto, Ocotal **Clima:** tropical. Hay dos estaciones, la lluviosa de mayo a octubre y la seca, de noviembre a abril. **Principales productos:** minerales, café, plátanos, caña de azúcar, algodón, arroz, maíz, tapioca **Lenguas:** español (oficial), lenguas indígenas, inglés **Cultura:** los vestigios arqueológicos son de gran interés. Descatan las urnas de la isla Zapatera. En literatura, sobresale Rubén Darío. **Más información:** http://www.intur.gob.ni/

 **Panamá**

Población: 2 960 784 habitantes **Superficie:** 78 200 km² **Moneda:** balboa, dólar americano **Capital:** Panamá **Principales ciudades:** David, Colón, Penonomé **Clima:** tropical. Hay dos estaciones, la lluviosa de mayo a enero y la seca, de enero a mayo. **Principales productos:** cobre, madera de caoba, gambas, plátanos, maíz, café, caña de azúcar **Lenguas:** español (oficial), inglés, lenguas indias, garifuna **Cultura:** se conservan numerosos restos de culturas precolombinas. De la arquitectura colonial destacan, en la capital, las ruinas de la ciudad vieja y la catedral. **Más información:** http://www.pa/

 **Paraguay**

Población: 5 504 146 habitantes **Superficie:** 406 752 Km² **Moneda:** guaraní **Capital:** Asunción **Principales ciudades:** Ciudad del Este, San Lorenzo **Clima:** subtropical, con muchas lluvias en la parte oriental y semiárido en la parte más occidental **Principales productos:** estaño, manganeso, caliza, algodón, caña de azúcar, maíz, trigo, tapioca **Lenguas:** español y guaraní (oficiales) **Cultura:** en literatura destaca la figura universal de Augusto Roa Bastos (premio Cervantes en 1989). **Más información:** http://www.presidencia.gov.py/

 **Perú**

Población: 24 523 408 habitantes **Superficie:** 1 285 216 km² **Moneda:** nuevo sol **Capital:** Lima **Principales ciudades:** Arequipa, Trujillo, Chiclayo **Clima:** tropical en el este, seco y desértico en el oeste **Principales productos:** cobre, plata, oro, petróleo, estaño, carbón, fosfatos, café, algodón, caña de azúcar, arroz, maíz, patatas **Lenguas:** español (oficial en todo el territorio); el quechua, el aimara y otras lenguas tienen carácter oficial en algunas zonas **Cultura:** hay que destacar las monumentales construcciones incas (Cusco y Machu Picchu). En literatura, sobresalen Mario Vargas Llosa y Alfredo Bryce Echenique. **Más información:** http://www.peru.org.pe

 **Puerto Rico**

Población: 3 522 037 habitantes **Superficie:** 8959 km² **Moneda:** dólar americano **Capital:** San Juan **Principales**

ciudades: Caguas, Mayagüez, Carolina, Bayamon, Ponce **Clima:** tropical **Principales productos:** caña de azúcar, productos lácteos, farmacéuticos, electrónicos **Lenguas:** español, inglés (oficiales) **Cultura:** cabe destacar el casco antiguo de San Juan, los castillos de San Cristóbal y de San Felipe del Morro como muestras de la arquitectura colonial. **Más información:** www.gobierno.pr/

República Dominicana

Población: 8 088 881 habitantes **Superficie:** 48 442 km² **Moneda:** peso **Capital:** Santo Domingo **Principales ciudades:** Santiago de los Caballeros, La Romana, Puerto Plata **Clima:** tropical con lluvias abundantes; en la costa es cálido y en la montaña más fresco **Principales productos:** níquel, bauxita, oro, plata, caña de azúcar, café, algodón, cacao, tabaco, arroz, judías, patatas, maíz, plátanos, ganado, cerdos **Lenguas:** español (oficial), inglés **Cultura:** la música y el baile son el núcleo de la cultura dominicana. Los ritmos más populares son el merengue, la bachata y la salsa. **Más información:** www.presidencia.gov.do/

Uruguay

Población: 3 238 952 habitantes **Superficie:** 175 013 km² **Moneda:** peso **Capital:** Montevideo **Principales ciudades:** Salto, Paysandú, Las Piedras, Rivera, Colonia, Punta del Este **Clima:** entre templado y tropical, con escasas oscilaciones térmicas debido a la influencia oceánica **Principales productos:** carne, lana, cuero, azúcar, algodón **Lenguas:** español (oficial) **Cultura:** en literatura hay que destacar cinco figuras clave de la narrativa latinoamericana actual: Mario Benedetti, Eduardo Galeano, Juan Carlos Onetti, Cristina Peri Rossi y Antonio Larreta. En pintura, cabe señalar a J. M. Blanes, R. Barradas y P. Figari. **Más información:** www.turismo.gub.uy/

Venezuela

Población: 21 983 188 habitantes **Superficie:** 916 445 km² **Moneda:** bolívar **Capital:** Caracas **Principales ciudades:** Valencia, Barquisimeto, Maracaibo **Clima:** tropical, moderado en las tierras altas **Principales productos:** petróleo, gas natural, minerales, maíz, sorgo, caña de azúcar, arroz, plátanos, hortalizas **Lenguas:** español (oficial), lenguas indígenas **Cultura:** las artes visuales y la artesanía están muy presentes en Venezuela, pero la disciplina cultural más destacada es la música, una mezcla de ritmos europeos, africanos y aborígenes. En literatura, destacan Rómulo Gallegos, autor de *Doña Bárbara*, y Arturo Uslar Pietri, escritor y político, ganador del premio Príncipe de Asturias, uno de los más importantes de las letras españolas. **Más información:** www.venezuela.gov.ve/

MÁS
GRAMÁTICA

INDEX

• If, while doing an activity, you are uncertain about a point of grammar, or want to understand the rule better, you can consult this grammar summary.

• As you can see, this section is not organised by unit, but according to grammatical categories.

• As well as reading the explanations carefully, you should pay close attention to the examples: they will help you understand how the grammatical forms and rules are used in real communication.

THE ALPHABET

A	a	H	hache	Ñ	eñe	U	u
B	be	I	i	O	o	V	uve
C	ce	J	jota	P	pe	W	uve
D	de	K	ca	Q	cu		doble
E	e	L	ele	R	erre	X	equis
F	efe	M	eme	S	ese	Y	i griega
G	ge	N	ene	T	te	Z	ceta/zeta

➡ Remember

- Letters have feminine gender: **la a, la be...**

- Unlike many other languages, Spanish has very few double consonants. With regard to pronunciation, there are two cases:

ll and **rr** each make one sound;
cc and **nn** each make two sounds.

- In some Latin American countries, the letters **be** and **uve** are called **be larga** and **ve corta**.

LETTERS AND SOUNDS

► In general, each letter corresponds to a sound and each sound corresponds to a letter, but there are some special cases.

C is pronounced two ways:

[k], before **a, o, u** and at the end of a syllable: **casa, copa, cuento, acto.**

[θ] (as in English **th** in *nothing*), before **e** and **i**: **cero, cien.**

Throughout Latin America, in the south of Spain and the Canary Islands **c** is pronounced [s] in these cases.

CH is pronounced [tʃ], like *chat* in English.

G corresponds to two sounds:

[x], before **e** and **i**: **genio, ginebra.**

[g], before **a, o** and **u**: **gato, gorro, gustar.** Before **e** and **i**, this sound is transcribed by putting a silent **u** after the **g**: **guerra, guitarra.** To make the **u** vocalized, an umlaut / dieresis is used: **vergüenza, lingüística.**

H is always silent.

J always corresponds to the sound [x]. This sound is usually followed by an **a, o** or **u: jamón, joven, juego,** but can also be followed by **e** and **i: jefe, jinete.**

K corresponds to the sound [k]. It is very seldom used; generally in loan words from other languages: **kilo, Irak.**

LL has different pronunciations in different countries and regions but most Spanish speakers pronounce it like the **y** in English *you*.

QU corresponds to the sound [k]. It is only used when the sound is followed by an **e** or **i: queso, química.**

R/RR corresponds to a hard trilled sound at the beginning of a word (**rueda**), when it's doubled (**arroz**), at the end of a syllable (**corto**) or after **l** or **n** (**alrededor**).

V is pronounced the same as **b**.

W is used only in loan words from other languages. It's pronounced **gu** or **u** (**web**) or occasionally like **b: wáter.**

Z corresponds to the sound [θ]. It is only used when the sound is followed by an **a, o, u**, or at the end of a syllable (**zapato, zona, zurdo, paz**) and only in these cases.

Throughout Latin-America, in the south of Spain and the Canary Islands **z** is always pronounced [s].

ACCENTS

► In Spanish, all words have a stressed / tonic syllable.

When the stressed syllable is the last one, these words are called *agudas* (acute): **canción, vivir, mamá.**

When the stressed syllable is the last but one / penultimate, these words are called *graves* (grave) or *llanas* (flat): Most words fall into this category: **casa, árbol, lunes.**

When the stressed syllable is the third from last, these words are called *esdrújulas* (dactylic): **matemáticas.**

When the stressed syllable is the fourth from last, counting from the back, these words are called *sobreesdrújulas*: **diciéndomelo**.

► Not all words have an accent sign. The rules for accentuation are as follows:

Words that are *agudas* have an accent when they finish in **-n**, **-s** or a vowel: **canción**, **jamás**, **papá**.

Words that are *llanas* have an accent unless they finish in **-n**, **-s** or a vowel: **trébol**, **mártir**, **álbum**.

Words that are *esdrújulas* or *sobreesdrújulas* always have an accent: **sólido**, **matemáticas**, **contándoselo**.

 Remember

In Spanish, exclamation and question marks come at the beginning and end of the sentence.

NUMERALS

0 **cero**	16 **dieciséis**	32 **treinta y dos**
1 **un(o/a)**	17 **diecisiete**	33 **treinta y tres**
2 **dos**	18 **dieciocho**	34 **treinta y cuatro**
3 **tres**	19 **diecinueve**	35 **treinta y cinco**
4 **cuatro**	20 **veinte**	36 **treinta y seis**
5 **cinco**	21 **veintiún(o/a)**	37 **treinta y siete**
6 **seis**	22 **veintidós**	38 **treinta y ocho**
7 **siete**	23 **veintitrés**	39 **treinta y nueve**
8 **ocho**	24 **veinticuatro**	40 **cuarenta**
9 **nueve**	25 **veinticinco**	50 **cincuenta**
10 **diez**	26 **veintiséis**	60 **sesenta**
11 **once**	27 **veintisiete**	70 **setenta**
12 **doce**	28 **veintiocho**	80 **ochenta**
13 **trece**	29 **veintinueve**	90 **noventa**
14 **catorce**	30 **treinta**	99 **noventa y nueve**
15 **quince**	31 **treinta y un(o/a)**	100 **cien**

► Number 1 has three forms: **un/una** when it comes before a masculine or feminine noun (**Tiene un hermano / Tengo una hermana**) and **uno** when it's alone or refers back to a masculine noun (**No te puedo prestar mi lápiz, solo tengo uno**).

► Up to 30, numbers are written as just one word: **dieciséis**, **veintidós**, **treinta y uno**...

► The particle **y** is used only between full tens and units: **noventa y ocho** (98), **trescientos cuatro** (304), **trescientos cuarenta y seis mil** (346 000).

101	**ciento** un(o/a)	1000		mil
102	**ciento** dos	2000		dos mil
...		...		
200	**doscientos/as**	10 000		diez mil
300	**trescientos/as**	...		
400	**cuatrocientos/as**	100 000		cien mil
500	**quinientos/as**	200 000		doscientos/as mil
600	**seiscientos/as**	...		
700	**sete**cientos/as	1 000 000		un millón
800	**ochocientos/as**	2 000 000		dos millones
900	**nove**cientos/as	1 000 000 000		mil millones

► Hundreds agree with the gender of the noun they refer to: **Cuesta doscientos euros / Cuesta doscientas libras.**

► **Cien** is used only for a complete hundred (100). If it is followed by tens or units, it becomes **ciento**: **ciento** cinco (105), **ciento** ochenta (180), but **cien mil** (100 000).

► 1000 is pronounced **mil** (but **dos mil**, **tres mil**).

► With millions **de** is used: **cuarenta millones de habitantes** (40 000 000), but the preposition isn't used if there is a number after the million: **cuarenta millones diez habitantes** (40 000 010).

 Attention

In Spanish, **un billón** is a million millions: 1 000 000 000 000.

NOUN PHRASE

► The noun phrase is made up of the noun or name and its determiners and quantifiers: articles, adjectives, subordinate adjectival phrases and prepositional complements. The parts of the noun group agree in gender and number with the noun.

GENDER AND NUMBER

GENDER

► In Spanish there are two genders: masculine and feminine. In general, nouns ending in **-o**, **-aje**, **-ón** and **-r** , are masculine, and those ending in **-a**, **-ción**, **-sión**, **-dad**, **-tad** and **-ez** are feminine. However, there are many exceptions: **el mapa**, **la mano**... Nouns ending in **-e** or in other consonants could be masculine or feminine: **la nube, el hombre, el** or **la cantante, el árbol, la miel,** etc.

► Nouns whose origin is Greek and which end in **-ema** and **-oma** are masculine: **el problema**, **el cromo-soma**. Feminine Greek-origin nouns that start with stressed **a** or **ha** have the **el** article in the singular, but the adjective is feminine: **el agua clara**, **el hada buena**. In plural they function normally: **las aguas claras, las hadas buenas.**

► The feminine of adjectives is generally formed by changing the **-o** ending to an **-a** or adding an **-a** to the consonant **r**: **bueno, buena; trabajador, trabajadora**, etc. Adjectives ending in **-e**, **-ista** or a consonant have the same form for both masculine and feminine: **inteligente, egoísta, capaz, principal**.

NUMBER

► The plural of nouns and adjectives is formed by adding **-s** to words ending in a vowel (**perro** ➡ **perros**) and **-es** to those ending in a consonant (**camión** ➡ **camiones**). If the word ends in **-z**, the plural is written with **c**: **pez** ➡ **peces**.

► Nouns and adjectives that have a singular **-s** ending form their plural depending on the word stress. If the stress is on the final syllable, add **-es**: **el autobús** ➡ **los autobuses**. If the final syllable does not carry the main stress, the plural form is the same as the singular: **la crisis** ➡ **las crisis**.

► Nouns and adjectives ending in stressed **-í** o **-ú** form their plural with **-s** or **-es**: **israelí** ➡ **israelís/israelíes, hindú** ➡ **hindús/hindúes**.

ARTICLES

► There are two types of articles in Spanish: *los determinados* (the definite) and *los indeterminados* (the indefinite).

INDEFINITE ARTICLES

► Indefinite articles (**un, una, unos, unas**) are used to mention something for the first time, when we don't know if it exists, or to refer to an example of a category.

- *Luis es **un** amigo de mi hermano.*
- *¿Tienes **una** goma?*
- *Trabajan en **una** fábrica de zapatos.*

► Indefinite articles are not used to name someone's profession.

- *¿A qué te dedicas?*
- *Soy estudiante / (I am a student).*

► But we do use them to identify someone by their profession or when we evaluate them.

- *¿Quién es Carlos Fuentes?*
- *Es **un** escritor mexicano.*

- *Mi hermano es **un** médico muy bueno.*

► Indefinite articles cannot combine with **otro, otra, otros, otras, medio, cien(to)** o **mil**.

- *Quiero otra taza de café. /* (another cup of coffee)
- *Quiero medio kilo de tomates. /* (half a kilo)
- *Pagué cien euros por la blusa pero vale mil. /* (a hundred)

DEFINITE ARTICLES

► Definite articles (**el, la, los, las**) are used when we know something exists, is unique or has already been mentioned.

- ***Los** empleados de esta oficina trabajan muy poco.*
- ***El** padre de Miguel es juez.*
- *Trabajan en **la** fábrica de conservas del pueblo.*

► In general, they are not used with people's names, continents, countries, cities, except when the article is part of the name: **La Habana,**(Havana), **El Cairo,** (Cairo), **La Haya,** (The Hague), **El Salvador**. With some countries, its use is optional: **(La) India, (El) Brasil, (El) Perú**, etc.

► We also use definite articles to refer to an aspect or part of a country or a region: **la España verde**, **la Inglaterra victoriana**, **la Barcelona de Gaudí**.

► With forms of address and titles, we use articles in all cases except when we're addressing that person directly.

- *La señora González vive cerca de aquí, ¿no?*
- *Señora González, ¿dónde vive?*

→ Remember

When we talk about a category or an uncountable noun, we don't use the article.

- *¿Tienes ordenador?*
- *Necesito leche para el postre.*

Like in English, the presence of the definite article indicates that the thing has already been mentioned.

- *He comprado leche y huevos.*
  (= I'm informing you that I bought them)
- *He comprado la leche y los huevos.*
  (= we've already spoken about the need to buy these things)

DEMONSTRATIVES

► These are used to indicate how close or how far something is from the speaker, the listener or both.

Near the speaker	Near the listener	Far from both
este	ese	aquel
esta	esa	aquella
estos	esos	aquellos
estas	esas	aquellas

- *Este edificio es del siglo XVI.*
- ○ *¿Y ese?*
- *Ese también es del siglo XVI.*

► Apart from the masculine and feminine forms there are neuter ones (**esto**, **eso**, **aquello**) that are used to refer to something unknown or that we do not want to or cannot identify with a noun.

- *¿Qué es eso que tienes en la mano?*
- ○ *¿Esto? Un regalo para mi madre.*

- *Aquello sigue sin resolverse.*

► Demonstratives are related to the adverbials of place **aquí**, **ahí** and **allí**.

AQUÍ	AHÍ	ALLÍ
este chico	**ese** chico	**aquel** chico
esta chica	**esa** chica	**aquella** chica
estos amigos	**esos** amigos	**aquellos** amigos
estas amigas	**esas** amigas	**aquellas** amigas
esto	**eso**	**aquello**

POSSESSIVES

► Possessives that come before the noun are used to identify something or someone, referring to their possessor. They vary according to who the possessor is (**yo** → **mi casa**, **tú** → **tu casa**…) and agree in gender and number with that which is possessed (**nuestra casa, sus libros**, etc.).

(yo)	**mi** libro/casa	**mis** libros/casas
(tú)	**tu** libro/casa	**tus** libros/casas
(él/ella/usted)	**su** libro/casa	**sus** libros/casas
(nosotros/as)	**nuestro** libro	**nuestros** libros
	nuestra casa	**nuestras** casas
(vosotros/as)	**vuestro** libro	**vuestros** libros
	vuestra casa	**vuestras** casas
(ellos/as, ustedes)	**su** libro/casa	**sus** libros/casas

► The possessives **su/sus** can refer to different persons (él, ella, usted, ellos, ellas, ustedes) which is why they are only used when there is no room for confusion.

- *Esos son Guillermo y su novia, Julia.*
- *Señor Castro, ¿es este su paraguas?*

► If it is not clear who the possessor is, we use **de** + nombre (name):

- *Esta es la casa de Manuel y esa, la de Jorge.*

► There is another range of possessives.

mío	mía	míos	mías
tuyo	tuya	tuyos	tuyas
suyo	suya	suyos	suyas
nuestro	nuestra	nuestros	nuestras
vuestro	vuestra	vuestros	vuestras
suyo	suya	suyos	suyas

These possessives are used in three contexts.

- To ask for and give information about who something belongs to.
- *¿Es tuyo este coche?*
- ○ *Sí, es mío.*

- After the noun and with the indefinite article or other determiners.

> ● *He visto a **un** amigo **tuyo**.*
> ○ *¿Sí? ¿A quién?*

- With definite articles, substituting a previously-mentioned noun, or one that is known by the interlocutor.

> ● *¿Esta es tu maleta?*
> ○ *No, **la mía** es verde.*

QUALIFYING / POSSESSIVE ADJECTIVES

► Adjectives always agree in gender and number with the noun. In Spanish the adjective almost always comes after the noun. When it comes before the noun, its meaning may change.

> Un hombre **pobre** = un hombre con poco dinero
> Un **pobre** hombre = un hombre desgraciado

► The adjectives **bueno**, **malo**, **primero** and **tercero**, lose their final **-o** when they come before a singular masculine noun: **un buen día**, **un mal momento**, **mi primer libro**. The adjective **grande** becomes **gran** before a singular noun (masculine or feminine): **un gran día**, **una gran semana**.

> **! Attention**
> Adjectives that express origin, shape or colour never come before the noun.

COMPARATIVES

► The comparative is formed with construction: verb + **más/menos** + adjective + **que** + noun.

> ● *María es **más** guapa **que** Rosario.*
> ● *Argentina tiene **menos** habitantes **que** México.*

► There are some exceptions.

> | | |
> |---|---|
> | más bueno/a ➡ **mejor** | más grande ➡ **mayor** |
> | más malo/a ➡ **peor** | más pequeño/a ➡ **menor** |

> **! Attention**
> To talk about kindness/goodness or to talk about the taste of food **más bueno/a**. are used. To talk about the size of something, **más grande/pequeño** are used.

SUPERLATIVES

► The "relative superlative" is formed with construction: **el/la/los/las** (+ noun) + **más** + adjective (+ **de** noun).

> ● *El Aconcagua es **la** montaña **más** alta **de** América.*
> ● *El lago Titicaca es **el más** alto **del** mundo.*

► The "absolute superlative" is formed with the suffix **-ísimo/a**. When the adjective ends with a vowel, it disappears: **malo** ➡ **malísimo**. When the adjective ends with a consonant, the suffix is added: **difícil** ➡ **dificilísimo**.

> **Attention**
> There are some spelling changes when the adjective finishes in **-co/-ca**: **blanco** ➡ **blanquísimo,** and when the adjective finishes in **-z**: **veloz** ➡ **velocísimo**

QUANTIFIERS

QUANTIFIERS + UNCOUNTABLE NOUNS

> **demasiado** pan / **demasiada** sal
> **mucho** pan / **mucha** sal
> **bastante** pan/sal
> **un poco de** pan/sal *
> **poco** pan / **poca** sal *
> **nada de** pan/sal

* With **un poco de** we highlight the existence of something considered positive; with **poco** we highlight its scarcity/shortage.

> ● *¿Queda café?*
> ○ *Sí, todavía hay **un poco** en la despensa.*

> ● *Queda **poco** café. Tenemos que ir a comprar más.*

QUANTIFIERS + COUNTABLE NOUNS

> **demasiados** coches / **demasiadas** horas
> **muchos** coches / **muchas** horas
> **bastantes** coches/horas
> **pocos** coches / **pocas** horas
> **algún** coche / **alguna** hora / **algunos** coches / **algunas** horas
> **ningún** coche / **ninguna** hora

> ● *Marta siempre lleva **muchas** joyas.*
> ● *Necesitamos **algunos** libros nuevos.*
> ● *No tengo **ningún** disco de jazz.*

QUANTIFIERS + ADJECTIVE

demasiado joven/jóvenes
muy alto/alta/altos/altas
bastante tímido/tímida/tímidos/tímidas
un poco caro/cara/caros/caras
poco atractivo/atractiva/atractivos/atractivas
nada simpático/simpática/simpáticos/simpáticas

- *Esa casa es **demasiado** grande.*
- *Felipe es **muy** alto.*
- *Mi hermano es **bastante** tímido.*
- *Este jersey es **un poco** caro.*
- *Tu prima Carmen **no** es **nada** simpática.*

VERB + QUANTIFIERS

corre	**demasiado**
corre	**mucho**
corre	**bastante**
corre	**un poco**
corre	**poco**
no corre	**nada**

- *Comes **demasiado**.*
- *Agustín trabaja **mucho**.*
- *Mi hermana **no** hace **nada**.*

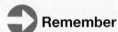 **Remember**

Un, **algún** and **ningún** become **uno**, **alguno** and **ninguno** when there is no noun following.

- *¿Tienes **algún** diccionario francés-español?*
- *No, no tengo **ninguno**, pero creo que Carlos tiene **uno**.*

► **Demasiado** (too/too much/too many) is generally used with a negative sense.

- *Este jersey es **demasiado** caro.*
- *No me gusta este chico: habla **demasiado** y sonríe **demasiado**.*

► **Un poco** is used before adjectives that express negative qualities. With adjectives that express positive qualities **poco**, can be used to mean "not enough".

- *Este diccionario es **un poco** caro, ¿no?*
- *Sí, además es muy **poco** práctico.*

PERSONAL PRONOUNS

The form of personal pronouns changes according to the place in the sentence, as well as their function.

AS A SUBJECT

1ª pers. singular	**yo**	• ***Yo** me llamo Ana, ¿y tú?*
2ª pers. singular	**tú** **usted**	• ***Tú** no eres de aquí, ¿verdad?*
3ª pers. singular	**él, ella**	• ***Él** es argentino y **ella**, española.*
1ª pers. plural	**nosotros, nosotras**	• ***Nosotras** no vamos a ir a la fiesta; no nos invitaron.*
2ª pers. plural	**vosotros, vosotras ustedes**	• *¿**Vosotros** trabajáis mañana?*
3ª pers. plural	**ellos, ellas**	• ***Ellos** son muy amables.*

► Subject pronouns are used when we want to highlight the person in contrast to others or when their absence could lead to confusion, for example, in the third person.

- *○ **Nosotras** estudiamos Biología, ¿y **vosotras**?*
- *○ **Yo** estudio Geología y **ellas** Física.*

► **Usted** and **ustedes** are respectively the singular and plural formal / respectful forms of address. They are used in hierarchical relationships, with strangers of a certain age, and with senior citizens in general. However, there are vast differences in their use according to social or geographical context. They are basically second person forms, but they take the third person verb and pronouns.

► The feminine plural forms (**nosotras**, **vosotras**, **ellas**) are used only when all of the group are female. If there is at least one male in the group, the masculine plural forms are used.

► In Latin American Spanish, the **vosotros** form is never used; the form for the second person plural is **ustedes**.

► In some parts of Latin America (Argentina, Uruguay and parts of Paraguay, Colombia and Central America), **vos** is used instead of **tú**.

MÁS GRAMÁTICA

WITH A PREPOSITION

1ª pers. singular	**mí** *	• *A **mí** me encanta el cine, ¿y a ti?*
2ª pers. singular	**ti** * **usted**	• *Mira, esto es para **ti**.*
3ª pers. singular	**él, ella**	• *¿Cómo está Arturo?* ○ *Bien, ayer estuve con **él**.*
1ª pers. plural	**nosotros, nosotras**	• *Nunca te acuerdas de **nosotras**...*
2ª pers. plural	**vosotros, vosotras ustedes**	• *No tenemos coche. ¿Podemos ir con **vosotros**?*
3ª pers. plural	**ellos, ellas**	• *¿No han llegado tus padres? ¡No podemos empezar sin **ellos**!*

* With the preposition **con**, we say **conmigo** and **contigo**.

► After **según**, **como**, **menos** and **excepto**, the personal subject pronoun form is used.

• ***Según tú**, ¿cuál es el mejor disco de los Beatles?*

REFLEXIVES

1ª pers. singular	**me** llamo
2ª pers. singular	**te** llamas / **se** llama
3ª pers. singular	**se** llama
1ª pers. plural	**nos** llamamos
2ª pers. plural	**os** llamáis / **se** llaman
3ª pers. plural	**se** llaman

AS A DIRECT OBJECT
(COD – COMPLEMENTO DE OBJETO DIRECTO)

1ª pers. singular	**me**	• *¿**Me** llevas al centro?*
2ª pers. singular	**te** **lo***, **la**	• ***Te** quiero.*
3ª pers. singular	**lo***, **la**	• *La carta, **la** escribí yo.*
1ª pers. plural	**nos**	• *Desde esa ventana no **nos** pueden ver.*
2ª pers. plural	**os** **los, las**	• *¿Qué hacéis aquí? A vosotros no **os** invité.*
3ª pers. plural	**los, las**	• *Tus libros, **los** tengo en casa.*

* When the direct object refers to a singular male, the **le** form is also accepted: **A Luis lo/le veo todos los días.**

AS AN INDIRECT OBJECT
(COI – COMPLEMENTO DE OBJETO INDIRECTO)

1ª pers. singular	**me**	• *Siempre **me** dices lo mismo.*
2ª pers. singular	**te** **le (se)**	• *¿**Te** puedo pedir un favor?*
3ª pers. singular	**le (se)**	• *¿Qué **le** compro a mi madre?*
1ª pers. plural	**nos**	• *Esta es la carta que **nos** escribió Arturo.*
2ª pers. plural	**os** **les (se)**	• *Chicos, mañana **os** doy las notas.*
3ª pers. plural	**les (se)**	• *A mis padres, **les** cuento todos mis problemas.*

- The indirect object pronouns are only differentiated from the direct object pronouns in the third person form.

- The indirect object pronouns **le** and **les** become **se** when they are accompanied by the direct object pronouns **lo**, **la**, **los**, **las**: ~~Le lo~~ doy. / **Se lo** doy.

PRONOUN POSITION

► The order of pronouns is COI + COD + verb. Pronouns always go before the conjugated verb (except in the imperative).

• ***Me** lavo las manos.*
• ***Me** gusta leer.*

• ***Me** han regalado un libro.*
○ *¿Sí? ¿Y quién **te lo** ha regalado?*

► With the Infinitive and the Gerund, pronouns go after the verb, and form just one word.

• *Levantar**se** los lunes es duro.*

• *¿Dónde está Edith?*
○ *Duchándo**se**.*

► With periphrastic verbs and structures like **poder/querer** + infinitive, pronouns can go before the conjugated verb or after the infinitive, but never between them.

- *Tengo que comprar**le** un regalo a mi novia.*
- ***Le** tengo que comprar un regalo a mi novia.*
- ~~*Tengo que **le** comprar un regalo a mi novia.*~~

- *¿Puedo lavar**me** las manos?*
- *¿**Me** puedo lavar las manos?*
- ~~*¿Puedo **me** lavar las manos?*~~

INTERROGATIVES / QUESTIONS

► Interrogative pronouns and adverbs replace the unknown element in open (not yes/no answer) questions.

QUÉ, CUÁL/CUÁLES

► In open questions with no reference to a noun, **qué** is used to ask about things.

- *¿**Qué** le has regalado a María?*
- *¿**Qué** hiciste el lunes por la tarde?*

► When we ask about a thing or person within a group or restricted field, **qué** or **cuál/cuáles** are used, depending on whether the noun is present or not.

- *¿**Qué** <u>zapatos</u> te gustan más: los negros o los blancos?*
- ○ *Los negros.*

- *Me gustan esos zapatos.*
- ○ *¿**Cuáles**? ¿Los negros?*

OTHER INTERROGATIVES

to ask ...		
who/whom?	**quién/es**	• *¿Con **quién** fuiste al cine?*
how many?	**cuánto/a/ os/as**	• *¿**Cuántos** hermanos tienes?*
where?	**dónde**	• *¿**Dónde** está Michoacán?*
when?	**cuándo**	• *¿**Cuándo** viene Enrique?*
how?	**cómo**	• *¿**Cómo** se prepara este plato?*
why?	**por qué**	• *¿**Por qué** estudias ruso?*
(for) what?	**para qué**	• *¿**Para qué** sirve ese aparato?*

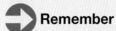

Remember

- All questions have two question marks.
- When a verb is accompanied by a preposition, the preposition goes before the question word.

- *¿**De** dónde eres?*   ○ ***De** Sevilla.*

- In closed questions (yes/no answer) the form can be exactly the same as an affirmative; it is only the intonation that changes.

- *Jorge está casado.*
- *¿Jorge está casado?*

All question words are accented.
- *¿**Cómo** te llamas?*

NEGATIONS

► The negating particle always comes before the verb.

- ***No** soy español.*   (I'm not Spanish)
- ***No** hablo bien español.*   (I don't speak Spanish well).

- *¿Eres español?*   • *¿Eres venezolano?*
- ○ ***No**, soy colombiano.*   ○ ***No**, **no** soy venezolano.*

► **Nada**, **nadie**, **ningún**(o)/**a**/**os**/**as** and **nunca** can go before or after the verb. If they go after it, **no** must also to be used, before the verb.

- ***Nada** ha cambiado. / **No** ha cambiado **nada**.*
- ***Nadie** me ha llamado. / **No** me ha llamado **nadie**.*

PREPOSITIONS

a direction, distance	• *Vamos **a** Madrid.* • *Ávila está **a** 55 kilómetros de aquí.*
en location, means of transport	• *Vigo está **en** Galicia.* • *Vamos **en** coche.*
de origin, far/close/ next to – before **de**	• *Venimos **de** la universidad.* • *Caracas está lejos **de** Lima.*
desde starting point	• *Vengo a pie **desde** el centro.*
hasta point of arrival	• *Podemos ir en metro **hasta** el centro.*
por movement in or though a space	• *Me gusta pasear **por** la playa.* • *El ladrón entró **por** la ventana.*

POSITION AND MOVEMENT

a + time	• *Me levanto **a** las ocho.*
por + part of the day	• *No trabajo **por** la mañana.*
de + day/night	• *Prefiero estudiar **de** noche.*
en + month/season/year	• *Mi cumpleaños es **en** abril.*
antes/después de	• *Hago deporte **antes de** cenar.*
de + start **a** + end	• *Trabajamos **de** 9 **a** 6.* • *Nos quedamos aquí **del** 2 **al*** 7.*
desde las + time **hasta las** + time	• *Te esperé **desde las** 3 **hasta las** 5.*

TIME

* Remember that **a** + **el** = **al**; **de** + **el** = **del**.

OTHER USES

A
manner: **a la plancha**, **al horno**
personal direct object: **Hemos visto a Pablo en el centro.**

DE
material: **de lana**
part or portion, with uncountable nouns: **un poco de** pan

POR/PARA
por + reason / cause: **Viaja mucho por su trabajo.**
para + aim / objective: **Necesito dinero para pagar el taxi.**
para + who for: **Estos libros son para tu hermana.**

CON
company: **¿Fuiste al cine con Patricia?**
garnish/accompaniment: **pollo con patatas**
tool/instrument: **He cortado el papel con unas tijeras.**

CONNECTORS

► **Y, NI, TAMBIÉN, TAMPOCO**

When we mention two or more elements of the same kind, **y** is used. To add more elements in another sentence **también** is used.

  • *En mi barrio hay un teatro **y** dos cines. **También** hay dos salas de baile.*

> **! Attention**
>
> When the word following **y** begins with **i**, **hi** or **y** (pronounced **i**), **e** is used instead of **y**.
>
> Ignacio **y** Javier   pero   Javier **e** Ignacio

► Two negative elements can be joined with the particle **ni**.

  • ***Ni** Jorge **ni** Iván hablan francés.*
  (= Jorge no habla francés + Iván no habla francés)

► To add more elements in negative sentences **tampoco** is used.

  • *En mi barrio no hay cines; **tampoco** hay teatros.*

TAMBIÉN, TAMPOCO, SÍ, NO

► To express agreement with an affirmative statement (of opinion or fact) **también** is used, while **tampoco** is used to express agreement with a negative statement. In either case **sí** and **no** are used to express disagreement.

  • *Paola siempre hace los deberes.*
  ○ *Yo **también**.*
  ■ *Yo **no**.*

  • *A mí no me gusta el pescado.*
  ○ *A mí **tampoco**.*
  ■ *A mí **sí**.*

LA CONJUNCIÓN O

► This is used to present alternatives.

  • *Podemos ir al cine **o** a cenar...*
  • *¿Prefieres vino **o** cerveza?*

> **! Attention**
>
> When the word following **o** begins with **o** o **ho**, **u** is used instead of **o**.
>
> el uno **o** el otro   but   uno **u** otro

SINO, PERO

► **Sino** is used to present something that we affirm in contrast to one that we negate. **Pero** is used to present new information that in some way contradicts or contrasts with what has gone before. These words correspond to two uses of 'but' in English.

  • *No soy española **sino** venezolana.*
  (I'm not Spanish -as you thought- but Venezuelan)

- *No soy española **pero** hablo español.*
  (I'm not Spanish but I speak Spanish)

PORQUE, POR QUÉ

Porque is used to express cause / reason. It answers the question **¿por qué?**

- ●*¿**Por qué** estudias español?*
- ○***Porque** trabajo en una empresa mexicana.*

VERBS

CONJUGATIONS

► In Spanish there are three conjugations, which are identified by their endings: **-ar** (first conjugation), **-er** (second) e **-ir** (third). The second and third conjugation verbs forms are very similar. Most irregular verbs occur in these two categories.

► In the verb there are two elements: the root and the ending. The root is obtained by removing the **-ar**, **-er**, **-ir** ending from the infinitive. The ending gives us information about mood, tense, person and number.

estudiar ----> terminación
raíz

► Irregularities affect only the root of the verb. Irregular endings are only found in the Indefinido tense.

REFLEXIVE VERBS

► These are verbs that are conjugated with the reflexive pronouns **me**, **te**, **se**, **nos**, **os**, **se**: **llamarse**, **levantarse**, **bañarse**...

- ●*(Yo) **me** llamo Abel. (llamar**se**)*

► There are verbs such as **dedicar** and **ir** that change meaning with the reflexive pronoun.

- ●*¿Me **dedicas** tu libro?*
- ●*¿A qué **te dedicas**?*
- ●***Vamos** al cine.*
- ●***Nos vamos** de aquí.*
- ●***Duermes** demasiado.*
- ●***Me dormí** en clase.*

► Other verbs can become reflexive when the action is done on and by the subject himself.

- ●*Marcela lava la ropa.*

- *Marcela **se** lava.*
- *Marcela **se** lava las manos.*

VERBS THAT FUNCTION LIKE **GUSTAR**

► There is a group of verbs (**gustar**, **encantar**, **apetecer**, **interesar**, etc.) that are almost always conjugated in the third person (in the singular if they are followed by a singular name or an infinitive); and the plural if they are followed by a plural noun). These verbs are accompanied by the Indirect object (COI) pronouns **me**, **te**, **le**, **nos**, **os**, **les** and express feelings and opinions about things, people or activities.

(A mí)	**me**		
(A ti)	**te**		el cine *(NOMBRES EN SINGULAR)*
(A él/ella/usted)	**le**	**gusta**	ir al cine *(VERBOS)*
(A nosotros/nosotras)	**nos**	**gustan**	las películas de guerra
(A vosotros/vosotras)	**os**		*(NOMBRES EN PLURAL)*
(A ellos/ellas/ustedes)	**les**		

► In these verbs, the use of stressed pronoun (**a mí**, **a ti**, **a él/ella/usted**, **a nosotros/as**, **a vosotros/as**, **a ellos/ellas/ustedes**) is not compulsory.

- ●*Pablo es muy aventurero, **le** encanta viajar solo y **le** interesan mucho las culturas indígenas.*

- ●*¿Qué aficiones tienen?*
- ○***A mí me** gusta mucho leer y hacer deporte.*
  ~~Yo me gusta mucho leer...~~
- ■***A mí me** encanta el teatro. ¿Y **a ti**?*

PRESENTE DE INDICATIVO

	cantar	**leer**	**vivir**
(yo)	cant**o**	le**o**	viv**o**
(tú)	cant**as**	le**es**	viv**es**
(él/ella/usted)	cant**a**	le**e**	viv**e**
(nosotros/nosotras)	cant**amos**	le**emos**	viv**imos**
(vosotros/vosotras)	cant**áis**	le**éis**	viv**ís**
(ellos/ellas/ustedes)	cant**an**	le**en**	viv**en**

- The first person singular ending is the same in all three conjugations.

- The third conjugation endings are the same as for the second, except in the first and second persons plural.

► The *Presente de Indicativo* is used for:

- making timeless/permanent affirmations: **Un día tiene** 24 **horas.**
- talking about actions that occur often or frequently: **Voy mucho al gimnasio.**
- talking about a *present narrative*: **¡Estoy aquí!**
- asking for things, or asking people to do things: **¿Me pasas la sal?**
- talking about plans / intentions: **Mañana voy a París.**
- narrating in the *historic present*: **En 1896 se celebran las primeras Olimpiadas de la era moderna.**
- expressing consequences of a possible event: **Si esta tarde tengo tiempo, te llamo.**
- giving instructions: **Bajas las escaleras, giras a la derecha y ahí está la biblioteca.**

IRREGULARITIES IN THE PRESENTE DE INDICATIVO

Diphthongisation: e > ie, o > ue

► Several verbs among the three conjugations are irregular in this way in the Presente Indicativo. This does not affect the first and second persons of the plural.

	cerrar	**poder**
(yo)	cierro	puedo
(tú)	cierras	puedes
(él/ella/usted)	cierra	puede
(nosotros/nosotras)	cerramos	podemos
(vosotros/vosotras)	cerráis	podéis
(ellos/ellas/ustedes)	cierran	pueden

Vowel closure: e > i

► The change of **e** to **i** occurs in many third conjugation verbs in which the final vowel of the root is **e**, as in **pedir**.

	pedir
(yo)	pido
(tú)	pides
(él/ella/usted)	pide
(nosotros/nosotras)	pedimos
(vosotros/vosotras)	pedís
(ellos/ellas/ustedes)	piden

G in the first person singular

► There is a group of verbs that insert a **g** in the first person singular.

salir ➡ salgo   poner ➡ pongo   valer ➡ valgo

► This irregularity may appear alone, as in **salir** or **poner**, or in a combination with a diphthong in the other persons, as in **tener** and **venir**.

	tener	**venir**
(yo)	tengo	vengo
(tú)	tienes	vienes
(él/ella/usted)	tiene	viene
(nosotros/nosotras)	tenemos	venimos
(vosotros/vosotras)	tenéis	venís
(ellos/ellas/ustedes)	tienen	vienen

ZC in the first person singular

► Verbs ending in -acer, -ecer, -ocer and -ucir are also irregular in the first person singular.

conocer ➡ conozco   producir ➡ produzco

Orthographic / Spelling changes

► Watch out for -ger and -gir endings. Notice how the spelling changes in their conjugations.

escoger ➡ escojo   elegir ➡ elijo

PRETÉRITO PERFECTO

	Present of **haber**	+ (Past) Participle
(yo)	**he**	
(tú)	**has**	
(él/ella/usted)	**ha**	cantado
(nosotros/nosotras)	**hemos**	leído
(vosotros/vosotras)	**habéis**	vivido
(ellos/ellas/ustedes)	**han**	

► The Pretérito Perfecto is formed with the present of the auxiliary verb **haber** and the past participle (**cantado, leído, vivido**).

► The Participle is invariable. The auxiliary verb and the Participle form one indivisible unit, they cannot be separated. Pronouns always go before the auxiliary.

- *Ya* he ido al banco.
- *He ya ido al banco.*

- *Los* hemos visto esta mañana.
- *Hemos los visto esta mañana.*

► The Pretérito Perfecto is used to refer to actions and events that occurred at an indefinite time in the past. The exact time when they occurred is not stated because it is not relevant or not known. It is accompanied by time adverbials such as **ya/todavía no; siempre/nunca/alguna vez/una vez/dos veces/muchas veces.**

- **¿Ya has hablado** con tu madre?
- **Todavía no me han llamado** del banco.
- **Nunca he estado** en Gijón.
- **¿Has visto alguna vez** un oso panda?
- **Siempre me ha gustado** la gente sincera.

► The Pretérito Perfecto is also used to refer to actions and events that occurred in a period of time not yet finished.

- **Esta semana he ido** a cenar con Antonio.
- **Este año hemos estado** en Cuba.

► In addition, it is used to refer to very recent actions and events or those which have a direct bearing on the present.

- **Hace un rato he hablado** con tu hermana.

PRETÉRITO INDEFINIDO

	cantar	comer	vivir
(yo)	cant**é**	com**í**	viv**í**
(tú)	cant**aste**	com**iste**	viv**iste**
(él/ella/usted)	cant**ó**	com**ió**	viv**ió**
(nosotros/nosotras)	cant**amos**	com**imos**	viv**imos**
(vosotros/vosotras)	cant**asteis**	com**isteis**	viv**isteis**
(ellos/ellas/ustedes)	cant**aron**	com**ieron**	viv**ieron**

► The Pretérito Indefinido is used to narrate actions and events that occurred at a definite or specified time in the past unrelated to the present, and which are finished. It is accompanied by time adverbials, such as:

- dates (**en 1990, en 2003, el 8 de septiembre, en enero...**)
- **ayer, anoche, anteayer**
- **el lunes, el martes...**
- **el mes pasado, la semana pasada**, etc.

- *El lunes **hablé** con mi profesor de español.*
- *Anteayer **comí** frijoles.*

IRREGULARITIES IN THE PRETÉRITO INDEFINIDO
Vowel closure: e > i, o > u

► The change of e to i occurs in many third conjugation verbs in which the final vowel of the root is **e**, as in **pedir**. The e becomes an **i** in the third persons singular and plural. The same thing occurs in third conjugation verbs in which the last vowel of the root is **o**, as in **dormir**. In these cases, the o becomes a **u** in the third person singular and plural.

	pedir	dormir
(yo)	pedí	dormí
(tú)	pediste	dormiste
(él/ella/usted)	p**i**dió	d**u**rmió
(nosotros/nosotras)	pedimos	dormimos
(vosotros/vosotras)	pedisteis	dormisteis
(ellos/ellas/ustedes)	p**i**dieron	d**u**rmieron

► **Avoidance of the triphthong**

When the root of a verb in the second or third conjugation ends in a vowel, the third person **i** becomes a **y**.

caer ➡ ca**y**ó/ca**y**eron
huir ➡ hu**y**ó/hu**y**eron

► **Orthographic / Spelling changes**

Watch out for **-car, -gar** and **-zar** endings. Notice how the spelling changes in their conjugations.

acer**car** ➡ acer**qué**
lle**gar** ➡ lle**gué**
almor**zar** ➡ almor**cé**

► **Verbs with irregular endings**

All the following verbs have irregularities in the root itself, and take special endings independently of the conjugation they form part of.

andar	➡ **anduv-**	
conducir*	➡ **conduj-**	
decir*	➡ **dij-**	-e
traer*	➡ **traj-**	-iste
estar	➡ **estuv-**	-o
hacer	➡ **hic-/hiz-**	-imos
poder	➡ **pud-**	-isteis
poner	➡ **pus-**	-ieron
querer	➡ **quis-**	
saber	➡ **sup-**	
tener	➡ **tuv-**	
venir	➡ **vin-**	

* In the third person plural, the **i** disappears (**condujeron, dijeron, trajeron**). All verbs ending in **-ucir** conjugate this way.

Attention

In the first and third persons singular of regular verbs, the last syllable is stressed. In irregular verbs, however, it is the penultimate syllable that is stressed.

Verbs ir and ser

► The verbs **ir** and **ser** have the same form in the Indefinido.

	ir/ser
(yo)	**fui**
(tú)	**fuiste**
(él/ella/usted)	**fue**
(nosotros/nosotras)	**fuimos**
(vosotros/vosotras)	**fuisteis**
(ellos/ellas/ustedes)	**fueron**

(THE PAST) PARTICIPLE

► The Past Participle is formed by adding an **-ado** ending to verbs in the first conjugation and **-ido** to the verbs in the second and third conjugations.

cantar ➡ cant**ado**   beber ➡ beb**ido**
                         vivir ➡ viv**ido**

► There are some irregular Participles.

abrir*	➡ **abierto**	decir	➡ **dicho**
escribir	➡ **escrito**	hacer	➡ **hecho**
morir	➡ **muerto**	poner	➡ **puesto**
ver	➡ **visto**	volver	➡ **vuelto**
romper	➡ **roto**		

* All verbs ending in **-brir** take the irregular Participle ending **-bierto**.

► The Participle has two functions. As a verb, it accompanies the auxiliary verb **haber** in compound tense forms (made up of two or more words), and does not change. As an adjective, it agrees with the noun in gender and number, and refers to situations or states deriving from the action of the verb. That is why it is often used with the verb **estar** in these cases.

Eva se **ha cansado**. ➡ Eva está **cansada**.
Han cerrado las puertas. ➡ Las puertas están **cerradas**.
Han roto la ventana. ➡ La ventana está **rota**.
Bea **ha abierto** los sobres. ➡ Los sobres están **abiertos**.

IMPERSONAL SE

► In Spanish an impersonal style can be expressed in several ways. One of them is with the construction **se** + verb in the third person.

- *La tortilla española **se hace** con patatas, huevos y cebollas.*

SER/ESTAR/HAY

► To situate something in space, the verb **estar** is used.

- *El ayuntamiento **está** frente a la estación.*
- *El libro **está** en la sala.*

► But if we are informing about the existence of something, we use **hay** (from the verb **haber**). This is the only form for the present, and it only exists in the third person. It is used to talk about both singular and plural things.

- ***Hay** un cine en la calle Reforma.*
- ***Hay** muchas escuelas en esta ciudad.*
- ***Hay** un concierto esta noche.*

Attention

- En mi pueblo **hay**   **un** cine / **dos** bibliotecas…
  mucha gente / **algunos** bares…
  calle**s** muy bonita**s**…
- El cine Astoria **está** en la plaza.
- Las bibliotecas **están** en el centro histórico.

► To talk about where a previously-mentioned event takes place, **ser** is used.

- *El concierto **es** en el Teatro Albéniz.*
- *La reunión **es** en mi casa.*

► With adjectives, **ser** is used to talk about the essential nature of the noun, and **estar** to express a condition or special state at a given moment.

- *David **es** estudiante.*   - *David **está** cansado.*
- *La casa **es** pequeña.*   - *La casa **está** sucia.*

► **Ser** is also used to identify someone or something or when we talk about the inherent nature of something.

- *Pablo **es** mi hermano.*
- *Pablo ~~**está**~~ mi hermano.*

- *El gazpacho **es** una sopa fría.*
- *El gazpacho ~~**está**~~ una sopa fría.*

► With the adverbs **bien/mal** only **estar** is used.

- *Este libro **está** muy bien; es muy interesante.*

VERBS

[handwritten: simple past—jumped/swam]

Presente	Pretérito Indefinido	Pretérito Perfecto

1. ESTUDIAR (learn/study)   Participio: estudiado

[handwritten: studied]

Presente	Pretérito Indefinido	Pretérito Perfecto	
estudio	estudié	he	estudiado
estudias	estudiaste	has	estudiado
estudia	estudió	ha	estudiado
estudiamos	estudiamos	hemos	estudiado
estudiáis	estudiasteis	habéis	estudiado
estudian	estudiaron	han	estudiado

2. COMER (eat)   Participio: comido

[handwritten: ate]

Presente	Pretérito Indefinido	Pretérito Perfecto	
como	comí	he	comido
comes	comiste	has	comido
come	comió	ha	comido
comemos	comimos	hemos	comido
coméis	comisteis	habéis	comido
comen	comieron	han	comido

3. VIVIR (live)   Participio: vivido

[handwritten: lived   beebee-o]

Presente	Pretérito Indefinido	Pretérito Perfecto	
vivo	viví	he	vivido
vives	viviste *[handwritten: Beebyó]*	has	vivido
vive	vivió	ha	vivido
vivimos	vivimos	hemos	vivido
vivís	vivisteis	habéis	vivido
viven	vivieron	han	vivido

*Irregular participles

		escribir	escrito	poner	puesto
		freír	frito/freído	romper	roto
abrir	abierto	hacer	hecho	ver	visto
cubrir	cubierto	ir	ido	volver	vuelto
decir	dicho	morir	muerto	resolver	resuelto

Presente	Pretérito Indefinido	Pretérito Perfecto	Presente	Pretérito Indefinido	Pretérito Perfecto	Presente	Pretérito Indefinido	Pretérito Perfecto
4. ACTUAR (act/work) Participio: actuado			**5. ADQUIRIR (buy/acquire) Participio: adquirido**			**6. ALMORZAR ((have for) lunch) Participio:** almorzado		
actúo	actué	he actuado	adquiero	adquirí	he adquirido	almuerzo	almorcé	he almorzado
actúas	actuaste	has actuado	adquieres	adquiriste	has adquirido	almuerzas	almorzaste	has almorzado
actúa	actuó	ha actuado	adquiere	adquirió	ha adquirido	almuerza	almorzó	ha almorzado
actuamos	actuamos	hemos actuado	adquirimos	adquirimos	hemos adquirido	almorzamos	almorzamos	hemos almorzado
actuáis	actuasteis	habéis actuado	adquirís	adquiristeis	habéis adquirido	almorzáis	almorzasteis	habéis almorzado
actúan	actuaron	han actuado	adquieren	adquirieron	han adquirido	almuerzan	almorzaron	han almorzado
7. AVERIGUAR (find out/work out) Participio: averiguado			**8. BUSCAR (look for/search) Participio: buscado**			**9. CAER (fall) Participio: caído**		
averiguo	averigüé	he averiguado	busco	busqué	he buscado	caigo	caí	he caído
averiguas	averiguaste	has averiguado	buscas	buscaste	has buscado	caes	caíste	has caído
averigua	averiguó	ha averiguado	busca	buscó	ha buscado	cae	cayó	ha caído
averiguamos	averiguamos	hemos averiguado	buscamos	buscamos	hemos buscado	caemos	caímos	hemos caído
averiguáis	averiguasteis	habéis averiguado	buscáis	buscasteis	habéis buscado	caéis	caísteis	habéis caído
averiguan	averiguaron	han averiguado	buscan	buscaron	han buscado	caen	cayeron	han caído
10. COGER (get/take) Participio: cogido			**11. COLGAR (hang) Participio: colgado**			**12. COMENZAR (begin/start) Participio: comenzado**		
cojo	cogí	he cogido	cuelgo	colgué	he colgado	comienzo	comencé	he comenzado
coges	cogiste	has cogido	cuelgas	colgaste	has colgado	comienzas	comenzaste	has comenzado
coge	cogió	ha cogido	cuelga	colgó	ha colgado	comienza	comenzó	ha comenzado
cogemos	cogimos	hemos cogido	colgamos	colgamos	hemos colgado	comenzamos	comenzamos	hemos comenzado
cogéis	cogisteis	habéis cogido	colgáis	colgasteis	habéis colgado	comenzáis	comenzasteis	habéis comenzado
cogen	cogieron	han cogido	cuelgan	colgaron	han colgado	comienzan	comenzaron	han comenzado
13. CONDUCIR (drive/lead) Participio: conducido			**14. CONOCER (meet/know) Participio: conocido**			**15. CONTAR (count/tell) Participio: contado**		
conduzco	conduje	he conducido	conozco	conocí	he conocido	cuento	conté	he contado
conduces	condujiste	has conducido	conoces	conociste	has conocido	cuentas	contaste	has contado
conduce	condujo	ha conducido	conoce	conoció	ha conocido	cuenta	contó	ha contado
conducimos	condujimos	hemos conducido	conocemos	conocimos	hemos conocido	contamos	contamos	hemos contado
conducís	condujisteis	habéis conducido	conocéis	conocisteis	habéis conocido	contáis	contasteis	habéis contado
conducen	condujeron	han conducido	conocen	conocieron	han conocido	cuentan	contaron	han contado
16. DAR (give) Participio: dado			**17. DECIR (say/tell) Participio: dicho**			**18. DIRIGIR (direct/manage) Participio: dirigido**		
doy	di	he dado	digo	dije	he dicho	dirijo	dirigí	he dirigido
das	diste	has dado	dices	dijiste	has dicho	diriges	dirigiste	has dirigido
da	dio	ha dado	dice	dijo	ha dicho	dirige	dirigió	ha dirigido
damos	dimos	hemos dado	decimos	dijimos	hemos dicho	dirigimos	dirigimos	hemos dirigido
dais	disteis	habéis dado	decís	dijisteis	habéis dicho	dirigís	dirigisteis	habéis dirigido
dan	dieron	han dado	dicen	dijeron	han dicho	dirigen	dirigieron	han dirigido
19. DISTINGUIR (distinguish/tell apart) Participio: distinguido			**20. DORMIR (sleep) Participio: dormido**			**21. ENVIAR (send) Participio: enviado**		
distingo	distinguí	he distinguido	duermo	dormí	he dormido	envío	envié	he enviado
distingues	distinguiste	has distinguido	duermes	dormiste	has dormido	envías	enviaste	has enviado
distingue	distinguió	ha distinguido	duerme	durmió	ha dormido	envía	envió	ha enviado
distinguimos	distinguimos	hemos distinguido	dormimos	dormimos	hemos dormido	enviamos	enviamos	hemos enviado
distinguís	distinguisteis	habéis distinguido	dormís	dormisteis	habéis dormido	enviáis	enviasteis	habéis enviado
distinguen	distinguieron	han distinguido	duermen	durmieron	han dormido	envían	enviaron	han enviado
22. ESTAR (be) Participio: estado			**23. FREGAR (clean/rub/mop up) Participio: fregado**			**24. HABER (have (auxiliary)) Participio: habido**		
estoy	estuve	he estado	friego	fregué	he fregado	he	hubo _hube_	he habido
estás	estuviste	has estado	friegas	fregaste	has fregado	has	hubiste	has habido
está	estuvo	ha estado	friega	fregó	ha fregado	ha/hay (impersonal)	hubo	ha habido
estamos	estuvimos	hemos estado	fregamos	fregamos	hemos fregado	hemos	hubimos	hemos habido
estáis	estuvisteis	habéis estado	fregáis	fregasteis	habéis fregado	habéis	hubisteis	habéis habido
están	estuvieron	han estado	friegan	fregaron	han fregado	han	hubieron	han habido
25. HACER (do/make) Participio: hecho			**26. INCLUIR (include) Participio: incluido**			**27. IR (go) Participio: ido**		
hago	hice	he hecho	incluyo	incluí	he incluido	voy	fui	he ido
haces	hiciste	has hecho	incluyes	incluiste	has incluido	vas	fuiste	has ido
hace	hizo	ha hecho	incluye	incluyó	ha incluido	va	fue	ha ido
hacemos	hicimos	hemos hecho	incluimos	incluimos	hemos incluido	vamos	fuimos	hemos ido
hacéis	hicisteis	habéis hecho	incluís	incluisteis	habéis incluido	vais	fuisteis	habéis ido
hacen	hicieron	han hecho	incluyen	incluyeron	han incluido	van	fueron	han ido

	Presente	Pretérito Indefinido	Pretérito Perfecto		Presente	Pretérito Indefinido	Pretérito Perfecto		Presente	Pretérito Indefinido	Pretérito Perfecto

JUGAR (play) Participio: jugado

Presente	Pretérito Indefinido	Pretérito Perfecto
o	jugué	he jugado
as	jugaste	has jugado
a	jugó	ha jugado
mos	jugamos	hemos jugado
s	jugasteis	habéis jugado
an	jugaron	han jugado

29. LEER (read) Participio: leído

Presente	Pretérito Indefinido	Pretérito Perfecto
leo	leí	he leído
lees	leíste	has leído
lee	leyó	ha leído
leemos	leímos	hemos leído
leéis	leísteis	habéis leído
leen	leyeron	han leído

30. LLEGAR (arrive) Participio: llegado

Presente	Pretérito Indefinido	Pretérito Perfecto
llego	llegué	he llegado
llegas	llegaste	has llegado
llega	llegó	ha llegado
llegamos	llegamos	hemos llegado
llegáis	llegasteis	habéis llegado
llegan	llegaron	han llegado

MOVER (move) Participio: movido

Presente	Pretérito Indefinido	Pretérito Perfecto
vo	moví	he movido
ves	moviste	has movido
ve	movió	ha movido
emos	movimos	hemos movido
éis	movisteis	habéis movido
ven	movieron	han movido

32. OÍR (hear) Participio: oído

Presente	Pretérito Indefinido	Pretérito Perfecto
oigo	oí	he oído
oyes	oíste	has oído
oye	oyó	ha oído
oímos	oímos	hemos oído
oís	oísteis	habéis oído
oyen	oyeron	han oído

33. PENSAR (think/belive) Participio: pensado

Presente	Pretérito Indefinido	Pretérito Perfecto
pienso	pensé	he pensado
piensas	pensaste	has pensado
piensa	pensó	ha pensado
pensamos	pensamos	hemos pensado
pensáis	pensasteis	habéis pensado
piensan	pensaron	han pensado

PERDER (lose) Participio: perdido

Presente	Pretérito Indefinido	Pretérito Perfecto
o	perdí	he perdido
les	perdiste	has perdido
e	perdió	ha perdido
emos	perdimos	hemos perdido
éis	perdisteis	habéis perdido
en	perdieron	han perdido

35. PODER (can/be able to/manage to) Participio: podido

Presente	Pretérito Indefinido	Pretérito Perfecto
puedo	pude	he podido
puedes	pudiste	has podido
puede	pudo	ha podido
podemos	pudimos	hemos podido
podéis	pudisteis	habéis podido
pueden	pudieron	han podido

36. PONER (put) Participio: puesto

Presente	Pretérito Indefinido	Pretérito Perfecto
pongo	puse	he puesto
pones	pusiste	has puesto
pone	puso	ha puesto
ponemos	pusimos	hemos puesto
ponéis	pusisteis	habéis puesto
ponen	pusieron	han puesto

QUERER (want/love) Participio: querido

Presente	Pretérito Indefinido	Pretérito Perfecto
o	quise	he querido
es	quisiste	has querido
e	quiso	ha querido
emos	quisimos	hemos querido
éis	quisisteis	habéis querido
en	quisieron	han querido

38. REÍR (laugh) Participio: reído

Presente	Pretérito Indefinido	Pretérito Perfecto
río	reí	he reído
ríes	reíste	has reído
ríe	rió	ha reído
reímos	reímos	hemos reído
reís	reísteis	habéis reído
ríen	rieron	han reído

39. REUNIR (meet/gather) Participio: reunido

Presente	Pretérito Indefinido	Pretérito Perfecto
reúno	reuní	he reunido
reúnes	reuniste	has reunido
reúne	reunió	ha reunido
reunimos	reunimos	hemos reunido
reunís	reunisteis	habéis reunido
reúnen	reunieron	han reunido

SABER (know) Participio: sabido

Presente	Pretérito Indefinido	Pretérito Perfecto
	supe	he sabido
s	supiste	has sabido
	supo	ha sabido
mos	supimos	hemos sabido
is	supisteis	habéis sabido
n	supieron	han sabido

41. SALIR (go out/leave) Participio: salido

Presente	Pretérito Indefinido	Pretérito Perfecto
salgo	salí	he salido
sales	saliste	has salido
sale	salió	ha salido
salimos	salimos	hemos salido
salís	salisteis	habéis salido
salen	salieron	han salido

42. SENTIR (feel) Participio: sentido

Presente	Pretérito Indefinido	Pretérito Perfecto
siento	sentí	he sentido
sientes	sentiste	has sentido
siente	sintió	ha sentido
sentimos	sentimos	hemos sentido
sentís	sentisteis	habéis sentido
sienten	sintieron	han sentido

SER (be) Participio: sido

Presente	Pretérito Indefinido	Pretérito Perfecto
	fui	he sido
	fuiste	has sido
	fue	ha sido
os	fuimos	hemos sido
	fuisteis	habéis sido
	fueron	han sido

44. SERVIR (serve/use) Participio: servido

Presente	Pretérito Indefinido	Pretérito Perfecto
sirvo	serví	he servido
sirves	serviste	has servido
sirve	sirvió	ha servido
servimos	servimos	hemos servido
servís	servisteis	habéis servido
sirven	sirvieron	han servido

45. TENER (have/have got) Participio: tenido

Presente	Pretérito Indefinido	Pretérito Perfecto
tengo	tuve	he tenido
tienes	tuviste	has tenido
tiene	tuvo	ha tenido
tenemos	tuvimos	hemos tenido
tenéis	tuvisteis	habéis tenido
tienen	tuvieron	han tenido

TRAER (bring/get) Participio: traído

Presente	Pretérito Indefinido	Pretérito Perfecto
o	traje	he traído
s	trajiste	has traído
	trajo	ha traído
mos	trajimos	hemos traído
s	trajisteis	habéis traído
n	trajeron	han traído

47. UTILIZAR (use) Participio: utilizado

Presente	Pretérito Indefinido	Pretérito Perfecto
utilizo	utilicé	he utilizado
utilizas	utilizaste	has utilizado
utiliza	utilizó	ha utilizado
utilizamos	utilizamos	hemos utilizado
utilizáis	utilizasteis	habéis utilizado
utilizan	utilizaron	han utilizado

48. VALER (to be worth/to be of use) Participio: valido

Presente	Pretérito Indefinido	Pretérito Perfecto
valgo	valí	he valido
vales	valiste	has valido
vale	valió	ha valido
valemos	valimos	hemos valido
valéis	valisteis	habéis valido
valen	valieron	han valido

VENCER (win) Participio: vencido

Presente	Pretérito Indefinido	Pretérito Perfecto
o	vencí	he vencido
es	venciste	has vencido
e	venció	ha vencido
emos	vencimos	hemos vencido
éis	vencisteis	habéis vencido
	vencieron	han vencido

50. VENIR (come) Participio: venido

Presente	Pretérito Indefinido	Pretérito Perfecto
vengo	vine	he venido
vienes	viniste	has venido
viene	vino	ha venido
venimos	vinimos	hemos venido
venís	vinisteis	habéis venido
vienen	vinieron	han venido

51. VER (see) Participio: visto

Presente	Pretérito Indefinido	Pretérito Perfecto
veo	vi	he visto
ves	viste	has visto
ve	vio	ha visto
vemos	vimos	hemos visto
veis	visteis	habéis visto
ven	vieron	han visto

INDEX OF VERBS IN AULA INTERNACIONAL 1

The following is a list of all the verbs that appear in **Aula Internacional 1**. The numbers indicate the conjugation type for each verb.

abandonar, 1
abordar, 1
abrir, 3*
acabar, 1
aceptar, 1
acercar(se), 8
acertar, 33
acoger, 10
acompañar, 1
acostar(se), 15
adivinar, 1
afectar, 1
afeitar(se), 1
afirmar, 1
agregar, 30
ahorrar, 1
aislar, 1
almorzar, 6
alquilar, 1
amar, 1
ampliar, 21
anochecer, 14
anotar, 1
añadir, 3
aparecer, 14
aprender, 2
aprobar, 15
archivar, 1
arreglar(se), 1
asegurar(se), 1
asociar, 1
atravesar, 33
averiguar, 7
ayudar, 1
bailar, 1
bastar, 1
beber, 2
besar, 1
borrar, 1
brillar, 1
buscar, 8
calentar, 33
cambiar(se), 1
caminar, 1
cansar(se), 1
cantar, 1
celebrar(se), 1
cenar, 1
clasificar, 8
cocinar, 1
coincidir, 3
colaborar, 1
coleccionar, 1
colgar, 1
colocar, 8
combinar, 1
comentar, 1
comer, 2

comparar, 1
compartir, 3
completar, 1
componer, 36*
comprar, 1
comprender, 2
comprobar, 15
comunicar(se), 8
concordar, 15
conducir, 13
confirmar, 1
confundir, 3
conjugar, 30
conocer(se), 14
conseguir, 44
conservar, 1
considerar, 1
consistir, 3
consolidar, 1
construir, 26
consultar, 1
contar, 15
contener, 45
contestar, 1
continuar, 4
contradecir, 17*
contrastar, 1
contratar, 1
controlar, 1
conversar, 1
convertir(se), 42
correjir, 44
correr, 2
corresponder, 2
coser, 2
costar, 15
cotizar, 47
crear, 1
creer, 29
criticar, 8
cruzar, 47
cubrir, 3*
cuidar(se), 1
charlar, 1
chatear, 1
dar, 16
debutar, 1
decidir(se), 3
decir, 17*
declarar, 1
decorar, 1
dedicar(se), 8
deducir, 13
dejar, 1
demostrar, 15
depender, 2
desaparecer, 14
desarrollar, 3

desayunar, 1
describir, 3*
descubrir, 3*
desear, 1
desenvolver(se), 31*
despedir(se), 44
despertar(se), 33
destacar, 8
desvestir(se), 44
dibujar, 1
diferenciar(se), 1
dirigir, 11
discutir, 3
distinguir, 19
dividir, 3
dormir, 20
ducharse, 1
durar, 1
edificar, 8
elegir**, 44
emitir(se), 3
empezar, 12
emprender, 2
enamorar(se), 1
encantar, 1
encargar(se), 30
encender, 34
encontrar(se), 15
engordar, 1
enseñar, 1
entender, 34
entrar, 1
entregar, 30
enviar, 21
escoger, 10
escribir, 3*
escuchar, 1
esperar, 1
esquiar, 21
establecer, 14
estar, 22
estrenar, 1
estudiar, 1
existir, 3
explicar, 8
explorar, 1
expresar(se), 1
extender(se), 34
faltar, 1
fijar(se), 1
filmar, 1
formular, 1
fumar, 1
fundar, 1
fusionar, 1
ganar, 1
generalizar, 47
gozar, 47

gustar, 1
haber, 24
hablar, 1
hacer, 25
huir, 26
identificar(se), 8
imaginar, 1
inaugurar, 1
indicar, 8
influenciar, 1
influir, 26
informar, 1
iniciar, 1
intentar, 1
intercalar, 1
intercambiar, 1
interesar, 1
interpretar, 1
introducir(se), 13
inventar, 1
invitar, 1
ir, 27
jugar, 28
lanzar, 47
lavar(se), 1
leer, 29
levantar(se), 1
limpiar, 1
luchar, 1
llamarse, 1
llegar, 30
llenar, 1
llevar, 1
llover, 31 (unipersonal)
mantener, 45
maquillar(se), 1
marcar, 8
matar, 1
mejorar, 1
memorizar, 47
mencionar, 1
merendar, 33
merecer, 14
mezclar, 1
mirar(se), 1
morir(se), 20*
nacer, 14
nadar, 1
necesitar, 1
negar, 23
observar, 1
obtener, 45
ocurrir, 3
odiar, 1
ofrecer, 14
oír, 32
olvidar, 1

opinar, 1
ordenar, 1
organizar, 47
pagar, 30
parar, 1
parecer(se), 14
participar, 1
partir, 3
pasar, 1
pasear, 1
pedir, 44
peinar(se), 1
pensar, 33
perder, 34
permitir, 3
pertenecer, 14
picar, 8
planchar, 1
poder, 35
poner(se), 36*
practicar, 8
preferir, 42
preguntar, 1
preparar(se), 1
presentar(se), 1
prever, 51*
probar, 15
proceder, 2
producir, 13
programar, 1
promocionar, 1
pronunciar, 1
proyectar, 1
publicar, 8
quedar(se), 1
quejarse, 1
quemar(se), 1
querer, 37
quitar, 1
reaccionar, 1
realizar, 47
recaer, 9
recibir, 3
reconocer, 14
recordar, 15
recorrer, 2
referir(se), 42
reflexionar, 1
reforzar, 46
regalar, 1
reinterpretar, 1
relacionar, 1
relatar, 1
rellenar, 1
repartir, 3
resaltar, 1
resolver, 31*
respirar, 1

responder, 2
resultar, 1
retratar, 1
reunir(se), 39
revelar, 1
rodar, 1
romper, 2*
saber, 40
salir, 41
saltar, 1
saludar, 1
secuenciar, 1
seguir, 44
sentir(se), 42
significar, 8
situar, 4
soler, 31
solucionar, 1
sonar, 15
soñar, 15
sorprender, 2
sortear, 1
subrayar, 1
sufrir, 3
sugerir, 42
suspender, 2
tachar, 1
tener, 45
terminar, 1
titular(se), 1
tocar, 8
tomar, 1
trabajar, 1
traducir, 13
traer, 46
transcribir, 3*
trasladar(se), 1
tratar(se), 1
triunfar, 1
ubicar, 8
unir, 3
usar, 1
utilizar, 47
ver, 51*
vestir(se), 44
viajar, 1
vincular, 1
visitar, 1
vivir, 3
volar, 15
volver, 31*

*see list of irregular
 verbs
before **a and **o** the **g**
becomes **j**.

TRANSCRIPCIONES
Audio script

UNIDAD 1. NOSOTROS

2. PALABRAS EN ESPAÑOL

1. teléfono	11. música
2. perfumería	12. hotel
3. aula	13. plaza
4. museo	14. diccionario
5. estación	15. metro
6. calle	16. escuela
7. televisión	17. restaurante
8. aeropuerto	18. euro
9. teatro	19. bar
10. taxi	20. libro

4. EN LA RECEPCIÓN

1.
● Hola, buenos días.
○ Hola.
● ¿Cómo te llamas?
○ Paulo.
● ¿Paolo o Paulo?
○ Paulo. Con "u".
● ¿Y tu apellido?
○ De Souza.
● ¿De dónde eres?
○ De Brasilia
● Ah, brasileño. Muy bien. ¿Y cuántos años tienes?
○ Diecinueve.
● Diecinueve… ¿A qué te dedicas?
○ Soy estudiante.
● ¿Y tienes móvil?
○ Sí, mi número es el 675312908.
● ¿Correo electrónico?
○ Sí, claro: paulo102@aula.com.
● Muy bien, gracias. Pues mira, siéntate aquí un momento que ahora mismo te llaman...

2.
● Hola. ¿Cuál es tu nombre?
○ Katia Vigny.
● ¿Vigny cómo se escribe?
○ Uve, i, ge, ene, i griega.
● ¿De dónde eres?
○ Soy francesa.
● ¿Edad?
○ 27 años.
● ¿Y en qué trabajas, Katia?
○ Pues soy camarera.
● ¿Un teléfono de contacto?
○ Sí, 913490025.
● ¿Tienes correo electrónico?
○ No, no tengo.
● Muy bien, gracias. Ahora mismo te llaman.

3.
● Hola, buenos días.
○ Buenos días.
● ¿Cómo te llamas?
○ Barbara.
● ¿Y tu apellido?
○ Meyerhofer.
● Mmm.. ¿De dónde eres?
○ Alemana, de Munich.
● Y... Barbara, ¿cuántos años tienes?
○ Veinticuatro.
● ¿A qué te dedicas?
○ ¿Cómo?
● ¿En qué trabajas?
○ ¿Mi trabajo? Soy enfermera.
● ¿Y cuál es tu número de teléfono?
○ Mira, es que no tengo teléfono aquí en España.
● ¿Y tienes correo electrónico?
○ ¿Cómo?
● ¿Tienes e-mail?
○ Ah, sí: barbara5@mail.com
● Gracias. Enseguida te llaman para hacer el test de nivel.

6. LETRAS Y SONIDOS

gimnasio	camarero
cero	cine
comida	quilo
queso	guitarra
jugar	cinco
guerra	cuenta
colección	zoo
Zaragoza	general
jefe	joven
cincuenta	cantar
gol	

8. EL PRIMER DÍA DE CLASE

● ¿Hola?
○ ¡Rodolfo!
● ¡Antonio! ¿Cómo fue la primera clase?
○ Muy bien, ché, fantástica. Muy interesante…
● ¿Y los compañeros, qué tal? ¿Son muchos?
○ No, somos muy pocos. Somos siete nada más, y todos muy simpáticos...
● Qué bien, ¿no? ¿Todos de tu edad?
○ Y bueno, más o menos... Hay una chica holandesa, que se llama Karen, que tiene 28 años, como yo, y que trabaja en una empresa de exportación.
● ¡Ah, mirá! ¿Y conociste a alguien más?
○ Bueno, un chico turco, que se llama Eli y es estudiante de Económicas. Es un poco más joven. Y después una italiana, Claudia, también muy joven, 20 años tiene, y también es estudiante.

● Muchos estudiantes, ¿no?

○ Sí, pero de diferentes nacionalidades y eso es interesante. Luego, también hay un ingeniero, Robert, que es inglés y es mayor, creo que tiene 45. ¡Ah! Y se me olvidaban las japonesas, Hanae y Keiko.

● ¡Ah, buenísimo! ¡Gente de todos lados!

10. MÚSICA LATINA

A.

1. *Música de Argentina.*
2. *Música de Cuba.*
3. *Música de México.*
4. *Música de España.*

11. SALUDOS Y DESPEDIDAS

1. Hola, ¿qué tal? ¿Todo bien?
2. Chao y hasta la próxima.
3. Hasta luego.
4. Chau, nos vemos.
5. Hola, ¿cómo están?
6. Hola, ¿qué tal?
7. Adiós, hasta luego.
8. ¿Qué onda? ¿Cómo estás?

UNIDAD 2. QUIERO APRENDER ESPAÑOL

3. ¿POR QUÉ ESTUDIAN ESPAÑOL?

1. Bueno, yo estudio italiano por mi trabajo, porque trabajamos con empresas italianas, y también porque me parece un idioma muy bonito.

2. Estudio alemán porque mi novio es alemán y para entender su cultura, a sus amigos, a su familia.

3. Estudio griego porque mi padre es griego y cada año vamos allí, al país, para visitar a toda su familia.

UNIDAD 3. ¿DÓNDE ESTÁ SANTIAGO?

7. ¿ARGENTINA TIENE MÁS DE 75 MILLONES DE HABITANTES?

B.

1.
● Tiene más de 75 millones de habitantes.

○ No, la población de Argentina es de 36 millones de habitantes.

2.
● En el oeste están los Andes.

○ Sí, es verdad. La cordillera de los Andes está en el oeste y nos separa de Chile.

3.
● El clima es tropical en todo el país.

○ No, eso no es verdad. Es tropical en algunos lugares del norte, pero en el sur hace muchísimo frío.

4.
● Hay dos equipos de fútbol muy famosos: Boca Juniors y River Plate.

○ Sí, eso es verdad. Hay muchísimos otros, pero estos son los más conocidos.

● ¿Y tú de cuál eres?

○ De River, por supuesto.

5.
● El bife a caballo es un plato típico.

○ Sí, eso es verdad. Es un bistec que arriba lleva dos huevos fritos.

● ¿Y está bueno?

○ Buenísimo.

6.
● Hay dos lenguas oficiales: el español y el inglés.

○ No, ¿qué decís? La única lengua oficial es el español.

7.
● Está en Sudamérica.

○ Sí, eso sí es verdad. Somos el país que está más al sur de Sudamérica.

8.
● Hay muchos lagos.

○ Sí, hay muchísimos lagos. Sobre todo en la zona de la Patagonia.

11. ¿TE SORPRENDE?

1. En España se celebra mucho el Carnaval. Hay muchos carnavales y, bueno... los más espectaculares, con diferen-

cia, son los de Tenerife y Gran Canaria. Hay mucha fiesta en la calle, hace mucho calor, se preparan mucho los desfiles, los trajes...

2. En el sur de Argentina hace mucho frío por su proximidad con la Antártida. Allí se encuentra el glaciar Perito Moreno, que es una gran extensión de hielo. Atrae mucho turismo y es uno de los espectáculos naturales más grandes que hay en este planeta.

3. El béisbol es el deporte nacional de Cuba. Y... entonces, todos los niños lo juegan desde pequeñitos. También hay mucha tradición y los padres es costumbre que enseñen a los niños a jugar. No importa la edad, juegan los padres, juegan los abuelos y... casi todo el mundo. Casi todos los cubanos sabemos jugar al béisbol.

4. Bueno, te digo, la Colonia Tovar es un pueblito muy cerca de Caracas, en el estado de Miranda, a como a media hora más o menos de Caracas. Es un pueblito donde hay generaciones de alemanes, por consiguiente es como una pequeña Alemania dentro de Venezuela.

UNIDAD 4. ¿CUÁL PREFIERES?

1. CAMISETAS

1.
● Oye, ¿qué te parece esta?
○ ¿Cuál? ¿La blanca?
● Mm.
○ Está bien. ¿Cuánto cuesta?
● 80 euros, vaya...
○ ¿80? ¡Es muy cara!
● Sí, ni hablar.

2.
○ Oye... ¿Y esta roja? Mmm... ¿Qué tal?
● Hombre, no está mal. ¿Cuánto cuesta?
○ A ver... 25. Pero es muy pequeña, ¿no?

3.
● Mauricio, mira esta de rayas qué bonita.
○ ¿Qué? ¿Tú crees?
● Sí, es muy bonita, y no es cara: 25 euros.
○ Ay, no sé, Patri...

4.
● ¿Y estas?
○ ¿Cuáles?
● Las de manga larga.
○ Ah, pues sí. Están bien.
● ¿Cuál te gusta más? ¿La azul o la amarilla?
○ La azul, creo. Mmm... ¿Cuánto cuestan?

● A ver... 45 euros. Un poco caras, ¿no?
○ Hombre, depende...

7. ¡BINGO!

cuatrocientas	seiscientas
seiscientos	doscientos
ochocientos	novecientas
quinientas	novecientos
setecientas	trescientas
cuatrocientos	ochocientas
setecientos	doscientas
quinientos	trescientos

UNIDAD 5. TUS AMIGOS SON MIS AMIGOS

2. CONTACTOS

1. Me encanta hacer esquí acuático. El viento en la cara, el mar, las olas... No sé. Es una sensación única, muy emocionante.

2. A mí me gusta hacer muchas cosas... Me gusta comprar ropa, aprender idiomas, me encanta ir a conciertos y, sobre todo, me encanta escuchar música en casa.

3. Con lo que más disfruto en este mundo es con los viajes y la fotografía. Y tengo la suerte de que ambas cosas son más o menos complementarias. Cuando viajo, puedo hacer fotos y lo puedo compartir con mis amigos.

UNIDAD 6. DÍA A DÍA

3. ¿QUÉ HORA ES?

1.
● Oye, Luis, ¿qué hora es?
○ Son las nueve menos cinco.
● ¡Uy! ¡Qué tarde! Me tengo que ir.

2.
● Perdona, ¿tienes hora?
○ Sí, mira, las tres y veinticinco.
● Gracias.

3.
Son las doce y media, las once y media en Canarias.
Noticias.

4.
● ¿Qué hora tienes, Carmen?
○ Mmm... Las ocho menos cuarto.

5.
● Perdone, por favor, ¿tiene hora?
○ Sí, son las seis y veinte.
● Gracias.

6.
● Perdone, por favor, ¿qué hora tiene?
○ Mmm... Las cinco y cuarto.
● Gracias.

4. UN DÍA NORMAL

● ¿Y cómo es un día normal para ti?
○ Pues me levanto a las siete y media de la mañana, Mmm... me ducho, después desayuno tranquilamente y cojo la moto y voy hacia mi trabajo.
● Mmm... ¿Dónde trabajas?
○ Trabajo en una escuela que está fuera de Barcelona.
● ¿Y a qué hora empiezas?
○ Pues empiezo a las nueve de la mañana, hasta las cinco. Y paramos a la una y media para comer, hasta las dos y media.
● ¿Coméis allí?
○ Sí, comemos allí.
● ¿Y sales a las cinco?
○ Sí, salgo a las cinco de la tarde y a veces voy al gimnasio y otras veces voy para casa directamente. Normalmente ceno a las nueve y media.
● ¿Y te acuestas muy tarde?
○ Sobre las once y media, doce.

6. HORARIOS DE TRABAJO

● Mmm... ¿Os veis mucho?
○ Bueno, a veces desayunamos juntos, nos vemos también algunos domingos, por las noches, que solemos cenar juntos y vamos a tomar algo con los amigos.
● ¿Y, durante el día, no os veis?
○ Sí, a veces vamos a estudiar juntos a la biblioteca, porque yo también estudio diseño gráfico.

11. CUANDO ME LEVANTO

Cuando me levanto por la mañana
miro por la ventana
y me entran ganas de pensar.

Pongo la cafetera mientras me afeito
el café se quema y mi cabeza
también se quema de tanto pensar.

Cómo es el mundo,
por qué somos así,
por qué es tan difícil
simplemente vivir.

Las vueltas y más vueltas
que da este mundo
que no se cansa de tantas vueltas
quién las puede controlar.

Este grillo marino que llevo dentro
de la cabeza nunca se para
nunca me para de recordar.

Dime algo, no me digas nada
el mar todo lo borra
el mar todo lo ama.

Hoy empieza todo, tú y yo solos
contra el mundo dentro del mundo
y en un segundo la eternidad.

Letra y música: José M. López Sanfeliu

UNIDAD 7. ¡A COMER!

2. DE PRIMERO, ¿QUÉ DESEAN?

● Hola, buenas. ¿Ya saben lo que van a tomar?
○ ¿De qué es la sopa del día?
● Es de pescado.
○ ¿Está buena?
● Está muy buena.
○ Vale, pues yo, de primero, la sopa.
● Muy bien.
■ Y la ensalada, ¿qué lleva?
● Lleva lechuga, tomate, cebolla, huevo duro, atún...
■ Mmm... Vale, sí, pues una ensalada para mí.
● Muy bien. ¿Y de segundo, qué van a tomar?
○ Yo, de segundo, el lomo a la plancha.
● Lomo a la plancha. ¿Y usted?
■ Mmm... Yo, los calamares.
● Estupendo. ¿Y para beber, qué desean?
■ ¿Pedimos... vino y agua?
○ Sí, sí, un poquito de vino.
● Muy bien. Vino... ¿Vino tinto?
■ ¿Sí?
○ Sí.
■ Vale, pues vino tinto y agua, por favor.
● Muy bien.
(...)

- ¿Han acabado ya?
- Sí, sí, gracias.
- Y de postre, ¿qué desean?
- ¿Qué hay?
- Hay flan de la casa, hay yogur y hay fruta, hay melón...
- Sí, para mí melón, por favor.
- Muy bien. ¿Y para usted, por favor?
- Y yo, el flan.
- Perfecto.

UNIDAD 8. EL BARRIO IDEAL

4. PERDONE, ¿SABE SI HAY...?

1.
- Perdone, ¿sabe si hay alguna farmacia por aquí?
- Sí, a ver, la primera... no, la segunda a la derecha. Está justo en la esquina.

2.
- Perdone, ¿la biblioteca está en esta calle?
- Sí, pero al final. Sigues todo recto hasta la plaza y está en la misma plaza, a la izquierda.

3.
- Perdona, ¿sabes si hay una estación de metro cerca?
- Cerca, no. Hay una pero está un poco lejos, a unos diez minutos de aquí.

4.
- Perdona, ¿sabes si el hospital está por aquí cerca?
- ¿El hospital? Sí, mira. Sigues todo recto y está al final de esta calle, al lado de la universidad.

7. ICARIA

- ¿Y qué tal tu nuevo barrio?
- Pues, muy bien. Estoy muy contento, porque es un barrio... me gusta muchísimo estar ahí. Es un barrio muy céntrico, donde hay muchísimas tiendas, hay muchos bares y muchos restaurantes...
- Buenos transportes, me imagino también, ¿no?
- Sí, está muy bien comunicado, tengo el metro junto a casa y tengo muchos autobuses.
- Ajá... Y con el perro, ¿qué haces?
- Ese es el problema, que no hay muchas zonas verdes y entonces es un problema para pasearlo.
- Ya...
- Sí, pero, en general, estoy muy contento.
- Es bonito, ¿no?
- ¡Es muy bonito! Los edificios... Hay muchos edificios que son preciosos...

UNIDAD 9. ¿SABES COCINAR?

6. GENTE ÚNICA

1.
Buenas tardes queridos y queridas oyentes. Bienvenidos a nuestro programa. Como es habitual, para empezar, vamos a escuchar qué mensajes tenemos en nuestro buzón de voz. Esta semana buscamos a gente única.

Hola, me llamo Alberto y llamo desde Madrid. Bueno, pues la verdad es que soy único por muchas cosas, pero creo que lo más destacado es que tengo 50 años y me he casado 15 veces. Y supongo que mi mujer actual no será la última.

2.
Hola, me llamo Ana y llamo desde Barcelona. Yo creo que soy la única persona en el mundo que ha suspendido el examen de conducir 22 veces. Pero espero conseguirlo pronto, ¿eh?

3.
Hola, soy Jesús, de Pontevedra, y llamo desde el hospital. Nada, que me encanta esquiar y me he roto la pierna. Lo curioso es que esta no es la primera vez, ya van cinco veces, y nada, creo que soy único por eso. Oye, y que me gusta mucho el programa, ¿eh?

4.
Hola, soy Eduardo, de Albacete. Llamaba porque, bueno, creo que soy la persona que más veces ha leído *El Quijote*. Y... bueno, es una novela que me encanta. Entonces, la leo, y en cuanto acabo de leerla, vuelvo otra vez a empezar. No sé... podría recitarla casi toda de memoria: "En un lugar de la Mancha...".

UNIDAD 10. UNA VIDA DE PELÍCULA

6. TODA UNA VIDA

- Y... tú has tenido seguro una vida bastante interesante, ¿no?
- Bueno...
- Venga, cuenta, porque tú te... ahora estás aquí, en España, pero tú has viajado bastante, ¿no?
- Bueno, para empezar soy del Mar del Plata, Argentina, y... sí, he viajado algo.
- Estuviste en París.
- Sí, estuve en París. Viví un par de años allí.
- ¿Eso en qué año fue?

○ En el 95.

● Ajá, ¿y qué hiciste?

○ Trabajé de varias cosas. Trabajé de camarero, correo comercial...

● Ajá. Aprendiste francés...

○ Un poquito.

● Pero, ¿qué pasó?

○ Finalmente, en el 97 decidí volver a Argentina.

● Ya. Y... ¿En Argentina qué hiciste?

○ En Argentina me busqué la vida como pude, también, hasta que me informé de un curso que dictaban en Barcelona y en el año 99 me vine.

● Y del 97, ¿no? ¿Dices? ¿Del 97 al 99 en Argentina qué hiciste?

○ Me dediqué a mis aficiones. Soy músico, toco el bajo, y me dediqué a eso un tiempo.

● Mmm, pero... ¿tocaste así en un grupo, en locales, en bares...?

○ Sí, sí. Tuve dos grupos y...

● ¿Tuviste tú, dos grupos?

○ Sí, sí, dos grupos.

● Ah, qué bien.

○ Sacamos un disco...

● Y, entonces, viniste a España en el 99...

○ Sí, sí, en el 99 y comencé el curso... un curso de animación 3D que, por suerte, me dio salida laboral.

● Ah, sí.

○ Comencé a trabajar en España, y en el 2001 me ficharon desde una empresa en California...

● Guau, en California, ¿Estados Unidos?

○ Sí, sí, sí, en California. Lamentablemente, no me adapté y en el 2003 regresé a España.

● ¿También estuviste dos años en Estados Unidos?

○ También, también...

MÁS CULTURA / UNIDAD 6

2. RITMOS DE VIDA

● ¿Cómo es tu vida en La Habana, Caro?

○ Bueno, yo soy filóloga inglesa y... bueno, actualmente trabajo de recepcionista en un hotel.

● Ajá, y... ¿Entonces trabajas de lunes a viernes o...?

○ Trabajo de lunes a viernes en horario de día, por suerte, de ocho de la mañana a cinco de la tarde, y algunos fines de semana. Me los voy turnando junto con mi otra compañera.

● Ajá. ¿En un gran hotel de La Habana?

○ Sí, trabajamos en el Nacional.

● Ajá. Qué bien.

○ Queda en el centro de La Habana.

● Y aparte de trabajar, ¿qué otras cosas haces?

○ Bueno, además de trabajar, por las noches las tengo libre y cada noche tengo ensayo. Soy bailarina con el Folclórico Universitario y tenemos que ensayar cada noche.

● ¿Qué es eso, el Folclórico Universitario?

○ Es el Ballet Folclórico de la Universidad de La Habana, donde yo estudié. Y, bueno, cada noche ensayamos, de ocho a diez de la noche.

● Vaya, todas las noches.

○ Sí, de lunes a viernes.

● Uf. ¿Y tenéis actuaciones, salís por ahí, vais al extranjero de vez en cuando?

○ Sí, yo de momento, todavía, recién... solo llevo un par de años en el Folclórico y entonces, de momento no voy al extranjero, pero sí hacemos actuaciones en La Habana, así que si estás por aquí, pues ya te invito...

● Ah, muy bien, pues encantado. Pero... seguro que haces otras cosas... que vas al cine o quedas con tus amigos o tus amigas, ¿no?

○ ¡Hombre, claro! Vamos al cine y vamos a la playa... Nos encantan las playas que están a las afueras de La Habana. Son las más concurridas y también son las más bonitas, por supuesto. No te puedes ir de Cuba sin verlas.

● Mm.

○ También vamos al cine. Muy a menudo, la verdad. Hay muchos cines al aire libre y eso está muy bien. Por el calor, sobre todo. Pero lo que más nos gusta creo que es ir a bailar.

● Ah, ¿sí?

○ ¡Claro! A diferencia de cualquier otra cultura, nos gustan mucho las fiestas en nuestras casas.

● Mm.

○ Y, bueno, eso. Nos encanta convidar a la gente y darles de comer y también, bailar. Pero más que las discotecas. Yo creo que es un ambiente mucho más familiar.

● O sea, que soléis quedar en casa de alguien, y...

○ Exacto. Y montamos la fiesta ahí.

● Vale. ¿Con música en directo o...?

○ Sí, casi siempre... casi siempre hacemos lo que se llaman las descargas. Que vienen amigos músicos, tocan en directo y entonces... bueno, se arma la fiesta.

MÁS CULTURA / UNIDAD 8

1. MADRID, BARCELONA, SEVILLA

1. ALICIA

● Bueno, Alicia, ¿y cómo es Madrid?

○ ¿Madrid? Es una ciudad fantástica, es una ciudad muy bonita, monumental, genial.

● ¿Y la gente?

○ Hay mucha gente de fuera, de... fuera, de todas partes de España y de... y, sobre todo, es muy abierta.

● Y... ¿y qué es lo que más te gusta de Madrid?

○ Lo que más me gusta, por supuesto, es el ambiente nocturno, la noche, y el hecho de... pues, que puedes salir de tapas, ir a tabernas...

● Hay mucho ambiente, ¿no?, por la noche. Los bares que están llenos... ¿no?, de gente...

○ Sí. Llenos de gente y sobre todo puedes elegir, ¿no? Depende de lo que quieras, en unos barrios u otros...

● Ajá, qué bien...

2. MARTA

● ¿Y Barcelona cómo es?

○ Pues Barcelona es una ciudad muy bonita, es una ciudad con mucho encanto.

● ¿Qué tiene de especial?

○ Lo tiene todo.

● Ajá.

○ Tiene... tiene playa...

● Sí.

○ ...que para mí es muy importante, tiene montaña... Tiene...

● ¿Se puede esquiar en invierno?

○ Están los Pirineos aquí al ladito...

● Muy bien.

○ Lo tienes todo. Tienes...

● ¿Y la gente qué tal? ¿Cómo es?

○ La gente es amable, es abierta pero no en exceso. Es buena gente.

● ¿Qué otras cosas tiene Barcelona especiales?

○ Bueno, tiene muchos monumentos conocidos en el mundo entero. Hay muy buenos restaurantes, también...

● Se come bien.

○ Se come muy bien en Barcelona. Sobre todo por el Barrio Gótico...

● ¿Qué es? ¿La parte del centro, la parte más antigua?

○ Es la parte antigua, es el casco antiguo de la ciudad. Hay muy buenos restaurantes.

3. ALFREDO

● ¿Y Sevilla cómo es?

○ Pues Sevilla es una ciudad muy alegre, con mucho colorido...

● Sí... ¿La gente?

○ La gente es muy extrovertida, alegre también...

● Se sale mucho...

○ Se sale muchísimo, sobre todo porque hay muchos sitios donde ir. Para visitar tienes muchísimos monumentos como puede ser la Torre del Oro, la catedral, la Giralda, el barrio de Santa Cruz...

● El barrio de Santa Cruz... ¿Es bonito?

○ Sí, es muy bonito.

● Ajá. ¿Y se come bien?

○ Se come muy bien. Sobre todo se va mucho de tapeo, se come mucho jamón, queso...

GLOSARIO
ESPAÑOL - INGLÉS

ABREVIATURAS - ABBREVIATIONS

abbr	abbreviation
adj	adjective
adv	adverb
f	feminine
fam	familiar
inf	infinitive
m	masculine
past part	past participle
pl	plural
sing	singular
n	noun
coll	colloquial
sl	slang

ENUNCIADOS - INSTRUCTIONS

adivina / adivinad	guess
añade / añadid	add
anota / anotad	note down
busca / buscad	find
coloca / colocad	put
comenta / comentad	talk about
compara / comparad	compare
completa / completad	complete / fill in
comprueba / comprobad	check
¿crees? / ¿creéis?	Do you think?
cuenta / contad	count
decide / decidid	decide
descubre / descubrid	find out
di / decid	say
elige / elegid	choose
encuentra / encontrad	find
escribe / escribid	write
escucha / escuchad	listen
Has acertado?	Did you get it right?
haz / haced una lista	make a list
identifica / identificad	identify / choose
imagina / imaginad	imagine
informa / informad	inform / tell
intenta / intentad	try
juega / jugad	play
justifica / justificad	justify / say why
lee / leed	read
marca / marcad	mark
observa / observad	observe / look
piensa en / pensad en	think about
ponte de acuerdo con	agree with
poneos de acuerdo	agree with each other
pregunta / preguntad	ask
prepara / preparad	get ready
¿puedes? / ¿podéis?	Can you?
¿quieres? / ¿queréis?	Do you want to?
relaciona / relacionad	link
¿sabes? / ¿sabéis?	Do you know?
señala / señalad	show
subraya / subrayad	underline

A

a. C. BC (Before Christ) U3_Cu
abandonar leave U10_7B
abeja f bee U6_2A
abierto/-a open U5_Gr
abogado m, **abogada** f lawyer U9_Cu
abrazo m hug U5_2A
abrigo m coat U4_Cu
abril m April U6_2A
abrir las puertas to open the doors U5_Cu
abrir to open U4_11A
absurdo/-a absurd U9_Cu
abuelo m, **abuela** f grandfather / grandmother U5_4
abundancia f abundance U3_Cu
aburrido/-a bored U5_Gr
aburrirse to get bored U9_Cu
acabar to finish U6_6A
academia f academy U10_4
académico/-a academic U10_4
acceso m access / entry U8_5A
accidente m accident U10_5A
aceite m oil U3_1C
acento m accent U8_9A
aceptar to accept U10_7A
acercar to get close U5_Cu
acoger to receive U5_9A
acompañamiento m garnish U7_Gr
acompañar to accompany U3_Cu
acompañar con las palmas to accompany with hand-clapping U1_10B
Aconcagua m Aconcagua U3_11C
acontecimiento m event U10_Cu
acostarse (ue) to go to bed U6_4A
actividad f activity U2_2A
activo/-a active U3_11C
actor m, **actriz** f actor / actress U5_7
actorazo m, **actoraza** f great actor / actress U5_Cu
actuación f performance U5_3A
actual current / modern U1_2A
en la actualidad nowadays U8_5A
actualmente adv currently U10_2A
actuar to act U9_Cu
acueducto m aqueduct U3_5A
adaptado/-a adapted U8_9A
además what's more / besides U3_3A
adiós goodbye U1_Gr
administrativo m, **administrativa** f clerk U10_2A
adolescente m, f adolescent U2_Cu
adornar to decorate U8_Cu
aeropuerto m airport U1_2A
afeitado m shaving U9_Cu
afeitarse to shave U6_1A
afición f hobby U1_9A
aficionado m, **aficionada** f amateur U2_Cu
afirmativo/-a affirmative U9_3B
África f Africa U10_3A
africano/-a African U1_10B

en las afueras on the outkirts U8_1D
agosto August U4_Cu
agradable pleasant U5_2C
agradecido/-a grateful U9_Cu
agrícola agricultural U3_Cu
agrupado/-a grouped U8_9A
agua f water U4_Gr
aguacate m avocado U7_8B
aguardiente m alcohol spirit U3_Cu
ahora now U3_3A
ahora mismo right now U7_3A
ahorrar to save U9_9
aire m air U2_10A
aislar to isolate U5_Cu
ajedrez m chess U9_4B
ajo m garlic U7_Gr
alacrán m scorpion U9_Cu
Alaska Alaska U3_1A
albergar to hold / contain U8_Cu
alegre happy U5_2C
alemán m German U2_8A
alemán, alemana German (adj) U1_4A
Alemania f Germany U4_11A
algo something U4_5A
algodón m cotton U4_Cu
alguien somebody U9_3A
algún, alguna some / any U3_5A
alguna vez sometimes U7_10A
Alhambra f Alhambra (13th C. Moorish palace in Granada) U3_5A
alimentación f food / diet U7_Cu
alimento m food / foodstuff U7_Cu
allí there (place) U3_3A
alma f soul U9_Cu
almorzar (ue) to have lunch U7_Gr
almuerzo m lunch U7_Gr
alpaca f alpaca U4_Cu
alquilar to rent / hire U4_2C
alquiler m rent / hire U8_7A
alrededor near U4_Cu
altiplano m Altiplano U3_Cu
altitud f altitude U3_Cu
alto/-a high U3_1A
altruista altruist / altruistic U9_Cu
altura f height U8_2B
alumno m, **alumna** f student / pupil U5_7
amable friendly U3_3A
amado/-a loved U9_3B
amar to love U6_11A
amarillo/-a yellow U4_1A
Amazonas m Amazonas U3_Gr
ambicioso/-a ambitious U9_2A
ambiente m atmosphere U8_3C
ambos/-as both U10_9A
ambulante travelling U4_Cu
América America U7_Cu
América Latina f Latin America U3_1A
americano/-a American U3_1A
amigo m, **amiga** f friend U1_9A
amistad f friendship U2_Cu
amor m love U5_7
ampliación f expansion U8_Cu
ampliar to enlarge / widen U1_10B
amplio/-a wide U10_4

analítico/-a analytical U9_Cu
ancho/-a wide U8_7A
anchoa f anchovy U7_1A
Andalucía f Andalusia U3_1C
andaluz/a Andalusian U4_Cu
Andes m pl the Andes U3_1B
Andorra f Andorra U4_11A
anglófono m, **anglófona** f English speaker/speaking U2_Cu
animadamente adv passionately / loudly U8_9A
animal m animal U6_2A
animal doméstico m pet U7_Cu
año m year U2_2A
año m **pasado** last year U10_3A
anoche last night U10_3A
años 50 m pl the 50s U10_1A
años 60 m pl the 60s U8_7A
años noventa m pl the 90s U9_10A
anteayer the day before yesterday U10_Gr
anterior previous U10_Cu
antes before that U6_Cu
antes de before U6_5B
anticiparse (a) foretell U9_Cu
antiguamente adv formerly U8_5A
antiguo/-a old U8_3C
antipático/-a unfriendly U5_2C
anulación f cancellation U6_Cu
aparato m device / appliance U10_9A
aparecer (zc) to appear
apariencia f appearance U10_9A
apartado m **de correos** PO Box U3_2A
apasionado/-a pasionate U9_3A
apellido m surname / family name U1_4A
apertura f opening U4_11A
aplauso m applause U8_Cu
aportación f contribution U7_Cu
apoyar to help U10_7B
aprender to learn U2_2A
apresar to capture U10_7B
apretado captured / tight U4_Cu
aprobar el curso to pass a course U2_3A
aproximadamente adv about / approximately U5_7
aquí here U2_4A
árabe m Arab U8_5A
Arabia Saudí f Saudi Arabia U4_11A
árbol m tree U8_2B
Archipiélago m **de Colón** Columbus Archipelago U3_1A
archivo adjunto m attachment U3_3A
arco m arch U4_Cu
ardilla f squirrel U9_Cu
arena f sand U3_3A
Argentina f Argentina U1_10A
argentino/-a Argentinean U1_3A
arma f weapon U9_Cu
arquitecto m, **arquitecta** f architect U1_3A
arquitectura f architecture U8_Cu
arregladito/-a well dressed U6_Cu
arreglar to dress up / dress well U6_Cu

arroba *f* @ U1_Gr
arroz *m* rice U7_2B
arroz *m* **a la cubana** boiled rice with tomato sauce and fried egg U7_2B
arroz *m* **con leche** rice pudding U7_2B
arte *m* art U2_6A
arte dramático *m* dramatic art U10_8A
artesanía *f* craftwork U2_6A
artículo *m* article U9_10A
artista *m*, *f* artist U1_3A
artístico/-a artistic U6_10A
asado/-a roast U7_2A
Asamblea Permanente por los Derechos Humanos *f* Standing Commission for Human Rights U10_Cu
asegurar to make sure U9_Cu
así like this U6_11A
así que so U8_9A
Asia *f* Asia U3_9A
asiático/-a Asian U7_Cu
asistir a to attend U6_10A
aspecto *m* appearance U6_1B
aspecto *m* **físico** physical appearance U5_8A
aspiradora *f* vacuum cleaner U9_Cu
aspirina *f* aspirin U4_2A
Asturias Asturias U3_Gr
asunto *m* subject U3_3A
asustarse to get frightened U9_Cu
atar to tie U1_Cu
atención *f* attention U1_Cu
atlántico/-a Atlantic U3_2A
atractivo/-a attractive U5_Gr
atraer *(ig)* to attract U3_Cu
atún *m* tuna U7_1A
aula *f* classroom U1_2A
aunque even though / although U2_Cu
Austria *f* Austria U4_11A
autocrítico/-a self-critical U5_Cu
autóctono/-a autochtonous / indigenous U3_Gr
autopista *f* motorway U3_1A
autor *m*, **autora** *f* author U6_Cu
autoritario/-a authoritarian U9_Cu
avanzado/-a advanced U10_4
ave *f* bird U2_Gr
avenida *m* avenue U8_Gr
aventura *f* adventure U9_Cu
¡ay! oh! U4_Cu
ayer yesterday U10_Gr
aymara *m an indigenous language in Bolivia* U3_Cu
ayudar to help U9_Cu
azteca Aztec U7_Cu
azúcar *m* sugar U7_7A
azul blue U4_1A

B

bacon *m* bacon U7_1A
Bahrein *m* Bahrain U4_11A
bailar to dance U8_Cu
bailarín *m*, **bailarina** *f* dancer U1_3A

baile *m* dance U5_9A
bajar to go down U6_6A
bajo under U10_9A
balada *f* ballad U5_Cu
balcón *m* balcony U4_Cu
baloncesto *m* basketball U5_Gr
bambú *m* bamboo U6_2A
bañador *m* swimsuit U4_Cu
banco *m* bank U1_Gr
bando *m* side U10_9A
bandolero *m* bandit U4_Cu
baño *m* bathroom U6_7A
bar *m* bar U1_2A
bar *m* **de tapas** tapas bar U1_2A
barato/-a cheap U4_3A
barbaridad *f* tremendous U5_Cu
barcelonés, barcelonesa from Barcelona U8_2B
barco *m* boat / ship U4_Cu
barrer to sweep U9_7A
barrio *m* district/neighbourhood U1_10B
Barroco *m* baroque U8_Cu
basarse en to base something on U3_Cu
base *f* basis U1_10B
básicamente basically U7_10A
básico/-a basic U8_2A
bastante enough U5_2C
bastante bien quite well U2_8A
bastón *m* walking stick U1_Cu
basura *f* rubbish U8_1A
bata *f* housedress / dressing gown U6_Cu
batalla *f* battle U3_Cu
beber to drink U7_3A
bebida *f* drink U3_2A
beis beige U4_Gr
belga Belgian U1_Gr
Bélgica *f* Belgium U4_11A
bélico/-a war film U10_9A
beneficio *m* benefit U7_Cu
beneficioso/-a beneficial U7_Cu
besar to kiss U2_10A
beso *m* kiss U3_3A
biblioteca *f* library U6_6A
bicicleta *f* bicycle U8_7A
bien *adv* good / fine U1_Gr
bien vestido/-a well-dressed / smart U3_Cu
bienal *f* biennial U5_9A
bife *m* **a caballo** steak with fried egg on top U3_7A
billete *m* banknotes U3_Cu
biografía *f* biography U6_Cu
biológico/-a biological U8_6C
biólogo *m*, **bióloga** *f* biologist U3_5A
biquini *m* bikini U4_2A
bistec *m* steak U7_2B
blanco/-a white U4_1A
blues *m* the blues U8_6B
bocadillo *m* filled roll / sandwich U7_1A
bocadillo mixto *m* mixed filled roll U7_1A
bocata *m coll* filled roll / sandwich U7_1A

boda *f* wedding U1_10B
bohemio/-a bohemian / unconventional U8_5A
bolígrafo *m* pen U1_7
Bolivia *f* Bolivia U1_10A
boliviano/-a Bolivian U10_7B
bolsa *f* the stock market U4_11A
bolsa de la compra *f* shopping bag U9_Cu
bolsillo *m* pocket U4_Cu
bombón *m* chocolates U9_3A
bonito/-a beautiful U3_5A
bordador *m*, **bordadora** *f* sempstress U10_Cu
bordar to hand-sew U4_Cu
borrar to rub out / erase U6_11A
bosque *m* wood / forest U8_5A
bossa nova *f* Bossa Nova U5_Cu
bota *f* boot U4_Cu
botella *f* bottle U4_2C
bragas *f pl* slip U4_2A
brasileño/-a Brazilian U1_4A
bravo bravo! U2_Cu
brillar to shine U4_Cu
brisa *f* breeze U4_Cu
brujo *m*, **bruja** *f* wizard / witch U9_Cu
buen, bueno/-a good U2_Gr
buena educación *f* good manners / politeness U9_Cu
buenas noches good evening / good-night U1_Gr
buenas tardes good evening U1_Gr
bueno (introductory) well U3_5A
buenos días good morning U1_Gr
burgués, burguesa middle class *(adj)* U8_2A
burguesía *f* middle class *(noun)* U8_5A
burrito *m* burrito (Mexican tortilla dish) U8_9A
buscar to look for U2_9A
búsqueda *f* search U9_Cu

C

caballito *m* small horse U4_Cu
cabello *m* hair U10_2A
cabeza *f* head U6_11A
al cabo de poco tiempo soon after-wards U10_2A
cabra *f* goat U7_Cu
cacahuete *m* peanut U7_Cu
cacao *m* cocoa U3_1B
cacerola *f* saucepan U9_Cu
cada every / each U5_9A
cada vez más more and more often U10_9A
cadena *f* chain U4_11A
café *m* coffee U3_1B
cafetera *f* coffee jug U6_11A
cajero *m* **automático** cash dispenser / ATM U8_1A
calabacín *m* courgette / zucchini U7_Cu
calamar *m* baby squid U7_1A

calamares *m pl* **a la romana** fried baby squid rings U7_2A
calentar *(ie)* to heat U9_Cu
calidad *f* **de vida** quality of life U9_10A
cálido/-a warm U3_Cu
caliente hot U7_1A
calle *f* street / road U1_2A
calor *m* heat U3_3A
cama *f* bed U6_7A
cámara *f* **de fotos** camera U4_10B
camarero *m*, **camarera** *f* waiter / waitress U1_4A
ha cambiado has changed U7_10A
cambiar to change U7_10A
cambio *m* currency exchange U9_Cu
camello *m* camel U3_8
caminar to walk U7_Cu
camino *m* way / path U5_Cu
camisa *f* shirt U4_Cu
camiseta *f* T-Shirt U4_1A
campesino, campesina peasant / agricultural labourer U10_Cu
cámping *m* campsite U4_10A
Canadá *m* Canada U4_11A
canción *f* song U2_9A
canción *f* **de amor** love song U9_3A
candombe *m* traditional Uruguayan folk music U5_Cu
canelones *m pl* cannelloni U7_2B
canguro *m* kangaroo U3_6A
cansar to get tired U7_10A
cansarse to get married U6_11A
cantante *m*, *f* singer U1_3A
cantar to sing U1_5A
cante *m* singing U5_9A
cantor *m*, **cantora** *f* singer-songwriter, U10_Cu
capacidad *f* ability U10_2A
caparazón *m* shell U3_Cu
capaz de able to / capable of U5_Cu
capital *f* captal city U3_1B
captar to capture U8_9A
carácter *m* character U5_8A
característico/-a characteristic U10_9A
caracterizar to describe as U10_Cu
cargar to load U3_Cu
cargo *m* care / responsibility U9_Cu
cargo *m* **político** political post U10_7A
Carib *m* Caribbean U3_6A
caricia *f* caress U9_Cu
cariño *m* darling U7_4A
carismático/-a charismatic U9_Cu
carnaval *m* carnival U8_9A
carne *f* meat U7_1A
carne picada *f* mincemeat U7_8B
carné *m* **(de conducir)** driving licence U4_2C; U9_Gr
carné de identidad identity card U4_2A
carnicería *f* butcher's U8_5A
caro/-a expensive U4_4
carpincho *m* capybara U4_Cu
carrera *f* race U10_4
carretera *f* main road U3_1A
carta *f* menu U7_Gr; letter U8_7A
casa *f* house U1_6

casado/-a married U9_6A
casarse to get married U9_9
casero/-a home-made U7_10A
caseta *f* stall / booth / stand U8_Cu
casi almost U3_3A
caso *m* case U2_Cu
castaño/-a chestnut U10_2A
castañuelas *f* castanets U3_Gr
castellano *m* Castillian, Spanish language U3_Cu
catalán *m* Catalan U3_1C
Cataluña *f* Catalonia U3_1C
catedral *f* cathedral U3_Gr
a causa de because of U6_Cu
cebolla *m* onion U7_1A
celebrarse to hold (an event) U5_9A
cementerio *m* cemetery/graveyard U8_2A
cena *f* dinner / supper U9_3A
cenar to have dinner / supper U2_1A
censura *f* censorship U10_9A
centenares de hundreds of U8_Cu
céntimo *m* cent U4_5A
centrarse (en) focused on U9_2A
céntrico/-a central U8_7A
centro de arte *m* art gallery U8_Cu
centro *m* centre U8_3A
en el centro in the centre U3_1B
centro *m* **comercial** shopping centre / mall U8_1A
centro *m* **social** social centres U8_2B
centro de atención *m* information office U9_Cu
Centroamérica *f* Central America U3_Gr
cepillo *m* brush U4_2A
cepillo *m* **de dientes** toothbrush U4_2A
ceramista *m*, *f* potter U10_Cu
cerca (de) near / close to U7_10A
cerdo *m*, **cerda** *f* pork U7_Cu
cereales *m pl* cereals U7_Cu
cero zero U1_6
cerquita quite near U7_10A
cerrado/-a closed / shut U5_2C
cerrar *(ie)* to close / shut U7_10A
cerveza *f* beer U7_Gr
ceviche *m* *Peruvian dish with raw fish marinated in lemon juice* U7_8A
champú *m* shampoo U4_2A
chao/chau ciao U1_11
charango *m* *small Bolivian guitar* U3_Cu
charlar to chat U8_9A
chat *m* chat U3_5A
chatear to chat on-line U2_3A
chicha *f* distilled corn spirits U3_Cu
chico *m*, **chica** *f* young man, young woman U5_2C
Chile *m* Chile U1_10A
chileno/-a Chilean U7_8A
China *f* China U3_9A
chino mandarín *m* Mandarin U3_9A
Chipre *m* Cyprus U4_11A
chiste *m* joke U9_4B
chocolate *m* chocolate U7_Cu
chorizo *m* chorizo U7_1A
ciclo *m* cycle U5_9A
cielo *m* sky U4_Cu

ciencias naturales *f pl* natural sciences U9_Cu
científico *m*, **científica** *f* scientist U9_Cu
cigarro habano *m* Havana cigar U8_9A
cincuenta fifty U1_6
cine *m* cinema U1_6
cine *m* **de autor** art-house cinema U10_9B
cine *m* **independiente** indie film U10_2A
cine *m* **mudo** silent film U10_9B
cine *m* **sonoro** sound film U10_9A
cineasta *m*, *f* film-maker U10_2A
cinematográfico/-a film / cinematographic U10_9A
cinematógrafo *m* film camera U10_1A
cinta *f* tape U4_Cu
cita *f* date / appointment U5_9A
ciudad *f* town / city U3_5A
civilización *f* civilisation U9_7B
clandestinidad *f* clandestine / underground U10_7B
claro of course U5_1A
clase *f* class U2_9A; social class U8_2B
clase alta *f* upper class U7_Cu
clase particular *f* private class U2_2A
clásico *m* classics U10_9A
en clave de rock rock style U5_Cu
cliente *m*, **clienta** *f* client / customer U4_9
clima *m* climate U3_1B
climático/-a climatic U3_1A
club *m* club U2_2A
cobre *m* copper U3_1B
coca-cola *f* Coca-cola U7_7A
coche *m* car U4_2C
cocido *m* dish of boiled vegetables with meat U7_10A
cocido/-a cooked / boiled U7_Gr
cocina *f* kitchen / cooker U2_2A
cocinar to cook U1_5A
cocinero *m*, **cocinera** *f* cook / chef U1_Gr
cofradía *f* guild U8_Cu
coincidir to coincide U4_Cu
colaborar to work together with U10_2A
colección *f* collection U1_6
coleccionar to collect U1_5A
colegial *m*, **colegiala** *f* schoolboy/girl U4_Cu
colocar to put / wear U4_Cu
Colombia *f* Colombia U1_10A
colombiano/-a Colombian U1_3A
colonizador *m*, **colonizadora** *f* coloniser / settler U7_Cu
color *m* colour U4_Cu
colorido *m* colouring U10_2A
coma *m* coma U10_5A
comandante *m* commander U10_7B
combinar to combine U7_10A
comedia *f* comedy U5_7
comenzar *(ie)* to begin / start U9_Cu
comer to eat U2_Gr
comercial sales representative U4_11A
comerciante *m*, *f* shop-owner U7_10A
cómico/-a comical U10_9A

comida *f* food U1_6; lunch U7_Gr
comida hecha *f* take-away food U9_Cu
comida rápida *f* fast food U7_Cu
comienzo *m* beginning / start U9_Cu
comilón, comilona big eater U6_2A
como such as U1_10B
¿cómo? What? U1_4B
¿Cómo andas? *coll* How's it going? U1_Cu
¿Cómo están? How are you? (plural, formal) U1_11
¿Cómo estás? How are you? U1_11
¿Cómo te llamas? What's your name? U1_4B
¿con quién? Who with? U5_Gr
como mínimo at least U6_1A
comodidad *f* comfort / convenience U8_7A
compañero *m*, **compañera** *f* classmate U2_5B; workmate U5_Gr
Compañía *f* **Telefónica** former state-owned telecom monopoly U10_2A
compartir to share U10_Cu
competidor/a *m, f* competitor U9_Cu
complejo/-a complex U10_Cu
complementario/-a complementary U5_9A
componer *(g)* to compose U9_2A
composición *f* composition U10_Cu
compra *f* shopping U2_1A
comprar to buy U2_Gr
comprendo I understand U1_2A
compuesto/-a made up of two parts U1_Cu
compuso composed / wrote U10_Cu
común common U3_1A
estar bien/mal comunicado to have good / poor transport connections U8_3A
comunicador/a communicative U9_Cu
comunicar communicate U9_Cu
comunidad *f* community U6_2A
con with U1_9A
concierto *m* concert U5_9A
concreto/-a concrete U7_10A
condimentar to season U3_Cu
condimento *m* seasoning U7_1A
conducir *(zc)* to drive U9_Gr
conectar to connect / be on-line U3_5A
Confederación Socialista *f* Socialist Confederation U10_Cu
conferencia *f* public talk / public lecture U6_10A
confianza *f* trust / confidence U9_Cu
confiar en to trust in U9_Cu
confort *m* comfort U9_Cu
confuso/-a mixed up U9_2A
conjunto *m* group / band U1_10B
conmigo with me U2_2A
conocer *(zc)* to know / meet U2_Gr
conocimiento *m* knowledge U10_4
conquista *f* conquest U10_Cu
consagrar to establish yourself as U10_2A
conseguir *(i)* to manage to do something U10_1A

conservador/a conservative U9_Cu
conservar to keep U1_Cu
considerar + *n/adj* to consider somone as U10_7B
consolidar to consolidate U10_7B
constante *f* constant U10_Cu
en constante evolución constantly developing U8_Cu
construido/-a built U8_7A
construir *(y)* to build U4_11A
consumidor *m*, **consumidora** *f* consumer U9_10A
consumo *m* consumption U6_10A
contacto *m* contact U5_2A
estar en contacto con to be in contact with U5_9A
contacto *m* **directo** direct contact U10_7B
contaminación *f* pollution U8_2B
contar *(ue)* to count / tell U1_6
contar *(ue)* **con** count on U5_9A
contemporáneo/-a contemporary U5_9A
contenedor *m* **de basura** skip / rubbish container U8_1A
contestar a to answer / reply U3_2A
contigo with you U9_3B
continente *m* continent U3_1A
continuar to continue / carry on U4_11A
contra against U6_11A
contrastar (con) to contrast with U8_5A
contraste *m* contrast U3_Cu
contratar to contract U10_8A
controlar to control U6_11A
convalecencia *f* convalescence U10_Cu
conversar to converse U8_9A
convertirse *(ie)* **en** to become U4_11A
corazón *m* heart U8_5A
cordel *m* string U1_Cu
corregir to correct U6_Cu
correo electrónico *m* Email U1_4A
correr to run / rush U6_2A
cortar el pelo to cut one's hair U9_10A
corto/-a short U4_1A
cortometraje *m* short (film) U10_2A
cosa *f* thing U3_1A
cosecha *f* harvest U7_Cu
coser to sew U9_4B
cosmética *f* cosmetics U4_11A
costa *f* coast U3_1B
costanera *f* coastal U6_Cu
Costa Rica *m* Costa Rica U1_10A
costar *(ue)* to cost U4_5A
costumbre *f* habit U7_10A
cotidiano/-a everyday U1_Cu
cotizar en bolsa quoted on the stock market U4_11A
creación *f* creation U4_11A
crear to create U8_2B
crecimiento *m* growth U4_11A
creer to believe U3_1B
crema *f* cream U6_1A
cremallera *f* zip U4_Cu
cría *f* raising / breeding U7_Cu
criarse to raise / breed U10_Cu

criollo/-a Creole U8_5A
crisis *f* crises U9_10A
cristiano *m*, **cristiana** *f* Christian U7_8A
cronológicamente chronologically U3_Cu
cruasán *m* croissant U7_Gr
crudo/-a raw U7_Gr
cruzar to cross U3_1A
cuadrado/-a square shaped U8_2A
cuadriculado/-a in rectangular blocks U8_Cu
cuadro *m* painting U8_Cu
¿cuál? What? Which? U1_4B
cualidad *f* quality U5_8A
cualquier any U9_Cu
cuando when U6_6A
cuarto/-a fourth U2_Cu
¿cuánto/-a? How much? U4_5A
¿cuánto tiempo? How long (time)? U6_1A
¿cuántos/-as? How many? U1_4B
¿Cuántos años tienes? How old are you? U1_4B
Cuba *m* Cuba U1_10A
cubano/-a Cuban U1_3A
cubierto/-a (de) covered (with) U8_9A
Cubismo *m* cubism U8_Cu
cubrir to cover U4_Cu
cuchara *f* spoon U9_Cu
cuello *m* collar U4_Cu
cuenta counts U1_6
cuenta *f* the bill (in a restaurant) U7_3A
cuerpo *m* body U2_10A
cuidado *m* be careful U9_3B
con cuidado carefully U9_Cu
cuidar to look after U6_1A
cuidarse to look after yourself U6_1A
cultivar to grow (crops) U7_Cu
cultivo *m* growing / planting U7_Cu
cultura *f* culture U2_6A
cultural cultural U2_2A
cumbia *f* *popular musical style in Colombia* U5_Cu
cumpleaños *m* bithday U1_10B
cuna *f* crib U3_Cu
curar to cure U9_Cu
curiosidad *f* interesting fact U10_2A
curioso/-a curious U8_9A
currículum *m* CV / Résumé U2_3A
curso *m* course U2_2A

dar to give U6_6A
dar la bienvenida to welcome U8_Cu
dar conferencias to give talks / lectures U4_Cu
dar lugar a to give rise to U5_Cu
dar órdenes to give orders U9_Cu
dar un paseo to go for a stroll U6_6A
dar vueltas to go round in circles U6_11A
datar (de) to date from U7_Cu

dato *m* piece of information U8_9A; detail U10_4
datos personales *m pl* personal information U10_2A
de of / from U1_4B
debate *m* debate U2_2A
deber duty U7_3A
deberes *m pl* homework U10_3A
débil weak U9_Cu
debutar to make a debut U5_Cu
década *f* decade U10_9A
decidir to decide U10_2A
décima *f* ten-line verse U10_Cu
decir *(i)* to say U4_5A
decisión *f* decision U9_Cu
decisivamente decisively U5_9A
declarar to declare U9_3A
decoración *f* decoration U7_Cu
decorado *m* film sets U10_2A
decorar to decorate U4_Cu
decorativo/-a decorative U4_Cu
dedicado/-a a dedicated to U4_11A
dedicar to dedicate U8_Cu
dedicarse a to dedicate yourself to U5_Cu
¿A qué te dedicas? What's your job? U1_4B
defecto *m* defect U9_1A
definir to define U9_Cu
definitivamente *adv* definitive U10_2A
dejar to leave U9_9
delante de in front of U7_10A
delicioso/-a delicious U9_8A
delincuencia *f* crime U3_Gr
los demás *m pl* the others U9_Cu
demasiado too much U5_Cu
democracia *f* democracy U10_9A
demostrar *(ue)* to show U9_3B
denso/-a dense U3_1A
dentro de inside U6_11A
depender de it depends on U6_6A
deporte *m* **náutico** water sport U5_2A
deporte *m* sport U2_Gr
deportista *m, f* sportsman/woman U5_7
deportivo/-a sports *(adj)* / sporty U8_Cu
deprisa fast U5_1A
a la derecha to the right U8_4A
derecho *m* right U10_Cu
derechos humanos *m pl* human rights U10_Cu
derivado/-a (de) derived from U10_Cu
desafiar to challenge U9_Cu
desagradable unpleasant / disagreeable U5_Gr
desarrollar to develop U7_Cu
desarrollarse to develop (reflexive) U3_Cu
desastre *m* disaster U6_1B
desayunar to have breakfast U6_6A
desayuno *m* breakfast U7_Gr
descansar to rest U9_Cu
descanso *m* rest U6_6A
descubrimiento *m* discovery U7_Cu
descubrir to discover U2_Gr

desde since (time) U3_1A
desde hace for (time) U3_11C
desear to desire / wish U4_5A
deseo *m* desire / wish U9_Cu
desgraciadamente unfortunately U7_Cu
deshacerse *(g)* to get rid of U9_Cu
desierto *m* desert U3_2A
desierto/-a deserted U9_7B
desorganizado/-a disorganised U9_1A
despertador *m* alarm clock U4_2B
despertarse *(ie)* to wake up U6_5B
despierto/-a awake U5_9A
despistado/-a absent-minded / forgetful U9_1A
después afterwards U3_3A
después de after U3_11C
destacar to stand out U5_9A
destape *m* nudity (in films) U10_9A
desvestirse to take off one's clothes U9_Cu
detalle *m* detail U10_2A
detallista considerate U9_2A
determinante crucial / determining U10_7B
detestar to detest U9_Cu
día *m* day U3_3A
de día during the day U6_6A
dialecto *m* dialect U3_9A
dibujar to draw U9_4B
dibujo *m* drawing U4_Cu
diccionario *m* dictionary U1_2A
se dice it is said U1_7
diciembre *m* December U4_11A
dictadura *f* dictatorship U10_9A
dieta *f* diet U7_Cu
diferencia *f* difference U8_2B
diferente different U6_2A
difícil hard / difficult U6_11A
dificultad *f* difficulty U2_Cu
difundir to spread U10_Cu
dinámico/-a dynamic U8_7A
dinero *m* gold U4_2A
dios *m* god U3_Cu
¡Dios mío! my god! U4_Cu
dioses *m pl* gods U7_Cu
diploma *m* **de honor** with Honours U10_Cu
diplomático *m*, **diplomática** *f* diplomat U9_Cu
dirección *f* address U1_4C; directions U8_2B
directamente *adv* directly U9_Cu
directo/-a direct U9_Cu
director *m*, **directora** *f* director U10_1A
director *m* **de cine, directora** *f* **de cine** film director U2_Cu
dirigir to aim at U4_11A
discman *m* Discman U4_2A
disco *m* record U5_1A
discoteca *f* disco U2_Gr
diseñador gráfico *m*, **diseñadora gráfica** *f* graphic designer U1_9A
diseñador *m*, **diseñadora** *f* designer U1_3A
diseño *m* design U5_9A

disfrutar to enjoy U9_Cu
disponibilidad *f* availability U10_4
distinto/-a distinct / different U8_5A
diversidad *f* diversity U3_1A
diverso/-a diverse / varied U1_10B
divertido/-a fun U5_2C
divertir *(ie)* to have fun U9_Cu
divorciarse to get divorced U10_Gr
DJ *m* disc jockey U5_9A
DNI *m* (*Abbr for* **documento nacional de identidad**) national ID card U10_4
doctor *m*, **doctora** *f* doctor U10_5A
documento *m* document U1_Cu
documento nacional de identidad *m* National ID card U1_Cu
dólar *m* Dollar U3_1B
doler *(ue)* to hurt U9_Cu
dolor *m* pain U9_Cu
doloroso/-a painful U10_Cu
domingo *m* Sunday U6_5A
dominio *m* full command of U10_4
dominó *m* dominoes U8_9A
¿dónde? Where? U5_3A
¿de dónde? From where? U1_4B
¿De dónde eres? Where are you from? U1_4B
dorado/-a golden U9_Cu
dormilón, dormilona sleepyhead U6_2A
dormir *(ue)* to sleep U6_2A
ducha *f* shower U9_Cu
ducharse to have a shower U6_5B
dúo *m* duet U9_2A
durante during / for U6_2A
durar to last U5_9A

e and (instead of *y* before *i* and *hi-*) U1_10B
echar una siesta/siestecita have a siesta / nap U7_10A
economía *f* economy U2_6A
económico/-a inexpensive U2_2A
Ecuador *m* Ecuador U1_10A
edad *f* age U1_4A
Edad Media *f* Middle Ages U8_Cu
edificado/-a built up U8_2B
edificio *m* building U8_2A
editorial *f* publisher's U10_4
educación *f* education U10_Cu
egoísta selfish U9_1A
ejecutivo *m*, **ejecutiva** *f* executive U7_10A
ejemplo *m* example U1_Cu
ejercer to practise a profession U10_7A
ejercer la Medicina to practise medicine U10_7A
ejercicio *m* exercise U2_9A
ejército *m* army U10_7B
ekeko *m* a *Bolivian good-luck charm* U3_Cu
electrónico/-a electronic U5_9A
elefante *m*, **elefanta** *f* elephant U3_8

elegante elegant U9_Cu
elegido/-a chosen U5_8A
embutido *m* cold meat suasage U7_1A
emigrante *m,f* emmigrant U1_10B
Emiratos Árabes *m pl* United Arab Emirates U4_11A
emitir to broadcast U2_Cu
emoción *f* feeling / emotion U9_Cu
empanada *f* pastry / pie U3_1B
empanadilla *f* small pastry / piece U7_8A
empezar *(ie)* to begin U4_11A
empinado/-a steep U8_5A
emprender un viaje to set off on a trip U10_7B
emprender to set off U10_7B
empresa *f* company / business U4_11A
empresario *m*, **empresaria** *f* entrepreneur / businessperson U8_7A
en in / on U1_4C
estar enamorado/-a (de) to be in love with U9_2A
encaje *m* lace U4_Cu
encantar to love doing something U5_2A
me encanta I love (it/him/her) U5_2A
encanto *m* charm U8_7A
encargarse de to be responsible for U5_Cu
encender *(ie)* to switch on U6_Cu
enchilada *f* Mexican dish (filled tortilla) U8_9A
encía *f* gums U9_Cu
encontrar *(ue)* to find U9_2A
encontrarse *(ue)* **con** find oneself with/in U3_1A
enero January U9_Cu
enfermero *m*, **enfermera** *f* nurse U1_4A
engordar to put on weight U6_Cu
enorme huge / enormous U8_7A
ensalada *f* salad U7_2A
enseguida right away! Coming! U7_3A
entender *(ie)* to understand U2_8A
entero/-a whole / complete U5_Cu
enterrar to bury U10_7B
entiendo I understand U2_8A
entonces so / then U10_Gr
entrañable likeable / pleasant U10_2A
entrar en contacto establish contact U7_Cu
entrar to enter U2_Gr
entrar ganas de to suddenly feel like doing something U6_11A
entregar to hand in / deliver U6_9C
enviar to send U3_2A
época *f* time / age 10_2A
en esa época in that period U10_2A
época *f* **dorada** golden age U10_9A
equipo *m* team U3_7A
eres you are U1_4B
erótico/-a erotic U10_9A
es is U1_3A
escaparate *m* shop-window U6_1A
escaso/-a (here) low U3_Cu
se escribe it is spelt U1_7

escribir to write U1_5A
escritor *m*, **escritora** *f* writer / author U1_3A
escuchar to listen U2_9A
escuela *f* school U1_2A
escultor *m*, **escultora** *f* sculptor U10_Cu
esencial essential / fundamental U5_Cu
Eslovaquia *f* Slovakia U4_11A
Eslovenia *f* Slovenia U4_11A
esmeralda *f* emerald U9_Cu
eso sí and it has to be U7_10A
espacio *m* space U8_2A
espaguetti a la boloñesa spaghetti bolognese U7_Cu
espalda *f* back U9_Cu
España *f* Spain U1_2A
español *m* Spanish (language) U1_2A
español/a Spanish (person) / Spaniard U1_3A
especial special U2_2A
especialidad *f* speciality U7_1A
especializarse en to specialise in U4_11A
especialmente especially U8_2A
espectacular spectacular U3_1A
espejo *m* mirror U6_1A
esperar to look forward to U5_2A
espíritu *m* spirit U8_5A
espiritual spiritual U9_Cu
espléndido/-a splendid U10_Cu
espuela *f* spurs U4_Cu
esquí *m* ski-ing U1_5A
esquiar to ski U9_2A
esquina *f* street corner U7_10A
esta vez this time U5_Cu
estable stable *(adj)* U2_5A
estación *f* station U1_2A
estación (del año) *f* season U9_Cu
estadio *m* stadium U3_Gr
estado *m* state U3_2A
Estados Unidos *m pl* USA U4_11A
estadounidense American U1_Gr
estar to be U3_1A
este *m* East U8_7A
este/-a this U1_10B
estereotipado/-a stereotype U10_Cu
estético/-a aesthetic U10_Cu
estilo *m* style U1_10B
Estonia *f* Estonia U4_11A
estrecho/-a narrow U8_3A
estrella *f* star U3_2A; U5_9A
estrella de cine *f* film star U9_Cu
estremecer *(zc)* to disturb U4_Cu
estrenar to release / premiere U10_2A
estreno *m* premiere U5_9A
estructurado/-a structured U6_2A
estudiante *m, f* **Erasmus** Erasmus Scholarship student U10_4
estudiante *m, f* student / pupil U1_4A
estudiar to study U1_Gr
estudio *m* study U6_10A
estudios *m pl* studies / formal education U4_Cu
estuvo he/she/it was U10_Cu
eternidad *f* eternity U6_11A

ética *f* ethics U9_Cu
euro *m* Euro U1_2B
Europa *f* Europe U3_6A
europeo/-a European U7_Cu
Everest *m* Mount Everest U3_Gr
evitar to avoid U9_Cu
evolución *f* evolution U8_Cu
exactamente *adv* exactly U3_5A
exaltado/-a impassioned U10_Cu
excelente excellent U5_Cu
excéntrico/-a eccentric U10_2A
exclusivamente exclusively U7_Cu
exclusivo/-a exclusive U8_7A
excursión *f* outing / excursion U2_1A
exigente demanding *(adj)* U10_2A
exiliarse to go into exile U10_9A
éxito *m* success U10_2A
expansión *f* growth / expansion U4_11A
experiencia *f* experience U2_2A
explotación *f* exploitation U3_Cu
exponer *(g)* to expose / show U10_Cu
exposición *f* exhibition U6_10A
expresar to express U1_10B
expresarse to express yourself U5_Cu
expresión *f* expression U2_Cu
Expresionismo *m* Expressionism U8_Cu
exprimidor *m* juice squeezer U9_Cu
exquisito/-a delicious U8_Cu
extenderse *(ie)* to extend U8_2B; to spread U9_10A
extensión *f* extension U2_Cu
extranjero *m* abroad / overseas U4_2C
extranjero *m*, **extranjera** *f* foreigner U8_7A
extraordinario/-a remarkable U9_2A
extremeño/-a from Extremadura U10_2A
extrovertido/-a extroverted U9_Cu

fabricar to make / produce U4_Cu
fabuloso/-a fabulous U3_2A
fácil easy / simple U9_Cu
con facilidad with ease U9_Cu
fácilmente *adv* easily U9_Cu
facultad *f* faculty U6_6A
faja *f* girdle U4_Cu
fallecer *(zc)* to pass away U10_Cu
fama *f* fame U9_Cu
familia *f* family U2_7
famoso/-a famous U2_5A
fantástico/-a fantastic U3_2A
farmacia *f* pharmacy / chemist's U8_4A
favorito/-a favourite U5_1A
febrero *m* February U10_Gr
fecha *f* date U5_Cu
feliz happy U9_Cu
femenino/-a feminine U4_11A
feminista feminist U10_Cu
feo/-a ugly U5_Gr
Feria de Abril *f* April Fair (popular event in Seville) U8_Cu

fertilidad *f* fertility U3_Cu
festival *m* festival U5_9A
fiambrera *f* plastic lunch box U7_10A
fideos *m pl* noodles U7_3A
fiesta *f* party / fiesta U1_10B
fiesta *f* **de cumpleaños** birthday party U4_2C
figura *f* figure / big name U5_Cu
figura *f* figure / big name U5_9A
fijo/-a regular / standard U7_10A
filete *m* steak U7_10A
Filipinas The Philippines U2_Cu
filmar to film U10_1A
filmografía *f* list of film works U10_2A
filología *f* language and literature / philology U10_4
Filosofía y Letras Arts and Philosophy U4_Cu
fin *m* **de semana** weekend U2_Gr
final *m* end U3_5A
a final de mes at the end of the month U3_5A
a finales de + *n* at the end of + noun U7_Cu
al final eventually U7_10A
finalmente *adv* finally U10_5A
Finlandia *f* Finland U4_11A
fino/-a fine U4_CU
firmemente *adv* firmly U5_Cu
físico/-a physical U5_Cu
flamenco *m* flamenco U1_10B
flamenco/-a Flemish- U5_9A
flan *m* creme caramel U7_2A
fleco *m* tassel U4_Cu
flor *f* flower U4_Cu
folclórico/-a folk - U10_9A
fondo *m* treasures U8_Cu
forma *f* way U8_Cu
de forma meticulosa meticulously U5_Cu
de forma ininterrumpida one after the other U10_1A
formación *f* the make up U5_9A
formar to form U8_2A
formar parte de to form part of U10_2A
formato *m* format U4_11A
fórmula *f* formula U5_Cu
foro *m* forum U10_7B
Foro de Libre Pensamiento *m* Forum for Free Thought U10_Cu
foto *f* photo U2_1A
fotografía *f* photography U2_Gr
frágil fragile U9_Cu
francés *m* French U2_8A
francés, francesa Frenchman/woman U1_4A
Francia *f* France U3_Gr
franquismo *m* *the Franco dictatorship in Spain* (1939-1975) U10_9A
frase phrase U2_Cu
frecuente often / frequent U1_Cu
fresco/-a fresh U7_6A
frijoles *m pl* kidney beans U7_8B
frío *m* cold U3_Gr
frío/-a cold U3_1A

frito/-a fried U7_Gr
fruta *f* fruit U7_2B
fuego *m* fire U4_Cu
fuente de ingresos *f* source of income U3_Cu
fuera outside U8_2B
fuera de out of U4_11A
fuerte strong U6_2A
fuerza *f* strength U5_Cu
estar fumando to be smoking U8_9A
función *f* purpose U3_Cu
fundamentalmente basically U10_Cu
fundar to found U10_Cu
fundir to melt U4_Cu
fusilar to execute by firing squad U10_7B
fusión *f* fusion U5_Cu
fusionar to merge U5_Cu
futuro *m* future

gafas *f pl* glasses U1_Cu
gafas *f pl* **de sol** sunglasses U4_2A
galería *f* **de arte** art gallery U8_1D
galería *f* gallery U10_2A
gallego *m* Galician (language) U3_1C
gallego/-a Galician U1_2A
gallopinto *m* *Chilean dish of refried rice and beans* U3_1B
ganar to win 3_2A
ganas de *f pl* desire / appetite for U5_Cu
garantizar to guarantee
gas *m* gas U7_3A
gas natural *m* natural gas U3_Cu
gastos *m pl* expenses U3_2A
gastronomía *f* cooking / gastronomy U2_Cu
gato *m*, **gata** *f* cat U1_6
gazpacho *m* *cold Andalusian vegetable soup* U7_2B
gel *m* **de baño** bath gel U4_2A
generación *f* generation U5_9A
general general U1_6
en general in general U6_6A
generalizarse to generalise U7_Cu
generalmente generally U4_Cu
género *m* genre U10_9A
generoso/-a generous U9_1A
genio *m* genius U10_9A
gente *f* people U1_Cu
geográfico/-a geographic U3_1A
geométrico/-a geometric U4_Cu
gigante giant U2_2A
gimnasio *m* gym U1_5A
gira *f* Tournee U9_2A
Giralda *f* *tower of Seville Cathedral* U3_5A
globito *m* party balloon U1_Cu
gobierno *m* government U10_7A
gol *m* goal (in sport) U1_6
golf *m* golf U5_Gr
gorro *m* cap U4_Gr

Gótico *m* Gothic U8_Cu
gótico/-a Gothic U8_Cu
gozar (de) to enjoy U10_9A
grabación *f* recording U2_9A
estar grabando to be recording U10_Cu
gracias a thanks to U2_Cu
gracias thank you U1_2C
gramática *f* grammar U2_2A
Gran Bretaña *f* Great Britain U10_4
Gran Hermano *m* Big Brother (reality show) U2_2A
gran big / large (before noun) U3_1A
grande big / large (after noun) U2_5A
gratinado/-a *au gratin* U7_2A
grave serious U9_Cu
gravísimo/-a life-threatening U10_Cu
Grecia *f* Greece U4_11A
griego *m* Greek U2_11
grillo *f* cricket (insect) U6_11A
gris grey U4_1A
grotesco/-a grotesque U10_9A
grupo *m* group U4_11A
guacamole *m* guacamole U3_4
guapo/-a good-looking U5_2C
guaraní *m* *language of Guarani indians* U4_Cu
guardar un secreto to keep a secret U9_Cu
Guatemala *m* Guatemala U1_10A
guayabera *f* *loose tropical shirt with big pockets* U8_9A
guepardo *m* cheetah U6_2A
guerra *f* war U1_6
Guerra *f* **Civil** Civil War U10_9A
Guerra Civil española *f* Spanish Civil War (1936-1939) U8_Cu
guía *f* guide U4_10B
guindilla *f* red chilli pepper U1_Cu
guión *m* **original** original screenplay U10_1A
guisado/-a braised / stewed U7_Gr
guitarra *f* guitar U1_6
guitarra flamenca *f* flamenco guitar U2_2A
me gusta I like U5_2A
gustar to like U5_2A
gusto *m* taste U8_9A
estar a gusto This is the life! / This is snug! U9_Cu
gustos *m pl* tastes U5_8A

habitante *m,f* inhabitant U3_2A
habitual normal U10_9A
habla *f* way of speaking U1_Cu n
de habla hispana Spanish-speaking U3_Gr
hablante *m, f* speaker U2_Cu
hablar to speak U2_Gr
hablarse to be spoken U2_Cu
hace calor it is hot U3_3A
hace frío it is cold U3_Gr

hacer *(g)* to make / do U3_3A
hacer deporte *m* to do exercise / sport U2_Gr
hacer ejercicio to do exercise U2_1A
hacer fotos to take photos U2_1A
hacer la cama to make the bed U6_7A
hacer la compra to do the shopping U9_7A
hacer la instrucción to do military drill U1_Cu
hacer una consulta to consult U6_10A
hacerse *(g)* **amigo/-a (de)** to make friends (with) U10_5A
hacia circa U3_Cu
estar haciendo to be doing / making something U1_Cu
halcón *m* falcon / hawk U9_Cu
hambre *f* hunger U7_4A
hamburguesa *f* hamburger U7_1A
harina *f* flour U7_8B
hasta until U3_1A
hasta la próxima Until next time! U1_11
hasta la vista See you! U2_Cu
hasta luego See you later! U1_Gr
hasta pronto See you soon! U5_2A
hawaiano *m* Hawaian U2_11
hay there is / are U3_1A
hay que + *verb* (something) has to be done U5_Cu
hecho/-a done U7_Gr
de hecho in fact / actually U2_Cu
estar hecho/-a to be done U3_Cu
estar hecho/-a una facha to be a complete disaster U6_Cu
heladería *f* ice-cream shop U8_5A
helado *m* ice-cream U7_2B
hermano *m*, **hermana** *f* brother, sister U2_Gr
hermanos *m pl* brothers & sisters / siblings U5_1A
héroe *m*, **heroína** *f* hero, heroine U10_7B
hielo *m* ice U7_7A
hijo *m*, **hija** *f* son, daughter U2_5A
hip hop *m* hip-hop U5_3A
hispano/-a Hispanic / Spanish U2_Cu
hispanohablante *m*, *f* Spanish-speaking U2_Cu
historia *f* history / story U2_6A
historia *f* **de amor** love story / romance U9_3A
histórico/-a historical U6_10A
hogar *m* home / house U4_11A
hogareño/-a home-loving U9_Cu
hola hello U1_1A
Holanda *f* The Netherlands / Holland U4_11A
holandés *m* Dutch U2_11
hombre *m* man U4_9
hombre *m*, **mujer** *f* **de negocios** businessman/woman U5_7
hombro *m* schoulder U4_Cu
Honduras *m* Honduras U1_10A
hora *f* hour U6_1A

horario *m* **de trabajo** the working day U6_6A
horizonte *m* horizon U5_Cu
hormiga *f* ant U6_2A
horno *m* oven U7_Gr
al horno *m* baked / roast U7_Gr
horóscopo *m* horoscope, U10_2A
hospital *m* hospital U8_2A
hotel *m* hotel U1_2A
hotel *m* **de cinco estrellas** five-star hotel U3_2A
hoy today U3_Cu
hoy en día nowadays U10_9A
huevo *m* egg U7_1A
huevo *m* **duro** hardboiled egg U7_1A
huevo *m* **frito** fried egg U7_2B
huir to run away U6_Cu
humanidad *f* humanity U5_Cu
humanístico/-a humanistic U9_Cu
húmedo/-a damp U3_3A
humor *m* humour U9_Cu
humorista *m*, *f* comedian U9_Cu
Hungría *f* Hungary U4_11A

iconografía *f* iconography U10_Cu
idea *f* idea U2_10A
ideal *m* ideal U10_Cu
identidad *f* identity U6_Cu
ideología *f* ideology U10_7B
idioma *m* language U2_5A
iglesia *f* church U8_1C
imagen *f* body / image U6_1A
imaginar to imagine U7_Cu
imaginativo/-a imaginative U9_10A
impaciente impatient U9_1A
impacto *m* impact U2_2A
imparable unstoppable U4_11A
Imperio Inca *m* Inca Empire U3_Cu
importante important U3_1B
imprescindible essential U5_9A
impresionante impressive U5_9A
Impresionismo *m* Impressionism U8_Cu
impresora *f* printer U9_10C
impuntual late / unpunctual U9_1A
inaugurar to open U4_11A
inca Inca U3_Cu
incansable tireless U5_Cu
incluso even U9_10A
inconformista unconventional U5_Cu
inconfundible unmistakable U8_9A
inconstante lacking in perserverance U9_Cu
incorporar to incorporate U2_Cu
increíble amazing / incredible U3_3A
independencia *f* independence U3_Cu
independiente independent U6_Cu
independientemente *adv* independently U5_Cu
India *f* India U10_6A
indígena native / indigenous U1_10B

industria *f* industry U10_9A
industria alimentaria *f* food industry U3_Cu
industria mecánica *f* mechanical industry U3_Cu
industrial industrial U8_Cu
inestable unstable U9_Cu
infantil children's U4_11A
infinitamente infinitely U8_2B
influencia *f* influence U1_10B
influenciar to influence U7_Cu
influir *(y)* to influence U5_9A
influyente influential U5_9A
información *f* information U2_9A
informática *f* IT (information technology) U9_10C
informático *m*, **informática** *f* IT technician U5_8B
infusión *f* **(de hierbas)** herbal infusion U3_Gr; U9_Cu
ingeniero *m*, **ingeniera** *f* engineer U8_2B
ingenuo/-a naive U10_Cu
inglés *m* English U2_8A
ingrediente *m* ingredient U7_1C
iniciar to commence U4_11A
inmenso/-a huge / immense U10_Cu
inmortalizado/-a immortalised U8_5A
inmóvil still / motionless U9_Cu
inquieto/-a restless / inquiring U9_Cu
inspirado/-a (en) inspired by U10_Cu
inspirar inspire U9_Cu
instalación *f* installation U5_9A
Instituto Cervantes Instituto Cervantes (Spanish cultural institute) U2_Cu
instrumento musical *m* musical instrument U3_Gr
intelectual intellectual U6_9A
inteligente intelligent U5_2C
intenso/-a intense U9_Cu
intentar to try U5_Cu
intercambio *m* language exchange U2_2A
interés *m* interest U3_1B
me interesa I'm interested in him/her/it U5_3A
me interesan I'm interested in them U2_2B
interesante interesting U3_5A
interesar to be into / interested in U2_2B
interior interior U8_2B
en el interior in the interior U3_1B
internacional international U4_11A
internacionalmente *adv* internationally U10_2A
internet *m* Internet U2_9A
interponerse en el camino to get in the way U9_Cu
interpretar to play (a role) U5_Cu
interrumpir to interrupt U10_9A
introducirse *(zc)* to enter / gain access to (a new market, etc) U4_11A
intuir *(y)* to intuit / sense U9_Cu
inundar to flood U8_Cu

inventar to invent U10_1A
invierno *m* Winter U9_Cu
invitado *m*, **invitada** *f* guest U5_8B
invitar guest U5_8B
invitar a cenar to invite someone to dinner U2_1A
ir a to go to U1_5A
ir al gimnasio to go to the gym U1_5A
ir de compras to go shopping U2_1A
ir de excursión to go on an outing / excursion U2_1A
ir en aumento to be on the increase U9_Cu
irisado/-a rainbow-coloured U9_Cu
Irlanda *f* Ireland U4_11A
irlandés/irlandesa Irish U7_Cu
irónico/-a ironical U10_9A
irresponsable irresponsible U9_1A
irse to go U9_2A
isla *f* island U8_2B
Isla *f* **de Pascua** Easter Island U3_1B
Islandia *f* Iceland U4_11A
Islas Baleares *f pl* Balearic Islands U3_1C
Islas Canarias *f pl* Canary Islands U3_1C
Islas Cíes *f pl* Cies Islands (off the coast of Galicia) U3_Gr
Islas Galápagos *f pl* Galapagos Islands U3_1A
Islas Malvinas *f pl* Falkland Islands U3_1A
Israel *m* Israel U4_11A
Italia *f* Italy U4_11A
italiano *m* Italian U2_8A
italiano/-a Italian (person) U1_Gr
a la izquierda to the left U8_4A

jaguar *m* jaguar U9_Cu
jamón *m* ham U1_6
jamón *m* **serrano** cured ham U7_1A
jamón *m* **york** boiled ham U7_1A
Japón *m* Japan U4_11A
japonés *m* Japanese (language) U2_11
japonés, japonesa Japanese *(adj)* U7_6A
jardín *f* garden U8_2B
jardinero *m*, **jardinera** *f* gardener U9_Cu
jazz *m* jazz U5_3A
jefe *m*, **jefa** *f* boss U1_6
jersey *m* jersey / jumper U4_2A
jinete *m* rider U4_Cu
Jordania *f* Jordan U4_11A
joven *m, f* young man / boy, young woman / girl U2_Cu
joven young U1_6
joya *f* jewel U8_Cu
jubilación *f* retirement U9_9
jubilado *m*, **jubilada** *f* retired U8_7A
juego *m* game U2_9A
juerguista *adj* raver / nighthawk U6_9A

jueves *m* Thursday U2_2A
juez *m*, **jueza** *f* judge U1_Gr
jugar *(ue)* to play U5_8B
jugar a las cartas to play cards U8_7A
jugar al fútbol to play football U1_5A
julio *m* July U5_9A
junio *m* June U5_9A
junto con together with U9_Cu
juntos/-as together U7_10A
justo just (place) U8_4A
justo/-a fair (justice) U9_Cu
juventud *f* youth U10_7A

Kenia *m* Kenya U3_6B
ketchup *m* ketchup U7_1A
Kilimanjaro *m* Kilimanjaro U3_6B
kilo *m* Kilo U6_2A
kilómetro *m* Kilometre U3_1A
km por hora Kilometres per hour U6_2A
Kuwait *m* Kuwait U4_11A

laboral *adj* work *(adj)* U10_4
lácteo/-a dairy products U7_1A
lado gracioso *m* the funny side U9_Cu
lado *m* side U8_2B
al lado de next to / beside U8_4A
en todos lados everywhere U5_3A
lagarto *m* lizard U9_Cu
lago *m* lake U3_Gr
lana *f* wool U4_Cu
largo/-a long U3_Gr
largometraje *m* full-length film U10_1A
gafas *f pl* glasses / spectacles U4_Gr
latino/-a Latino-American U3_11C
Latinoamérica Latin America U5_Cu
latinoamericano/-a Latin American (person) U1_10B
lavadora *f* washing machine U9_7A
lavar to wash U9_Cu
lavar los platos to wash the dishes U9_Cu
lavarse to wash (yourself) U6_2A
lavarse los dientes to brush your teeth U6_7A
lavavajillas *m* dishwasher U9_Cu
leal loyal U9_Gr
leche *f* milk U7_2B
lechuga *f* lettuce U7_1A
lechuza *f* owl U9_Cu
leer to read U1_5A
leer el pensamiento to read someone's thoughts U9_Cu
lejos (de) far away (from) U7_10A
lencería *f* lingerie U4_11A
lengua *f* language U2_Gr
lengua materna *f* mother tongue U2_8A
lengua oficial *f* official language U3_1B

lenteja *f* lentil U7_2B
Letonia *f* Latvia U4_11A
letras *f pl* Arts (degree) U9_Cu
levantar to lift U6_2A
levantarse to get up U6_4A
leyenda *f* legend U7_Cu
Líbano *m* Lebanon U4_11A
Libra Libra U10_2A
libro *m* book U1_2A
licenciatura *f* Bachelor's degree U10_4
licor *m* liquer U7_Gr
liderazgo *m* leadership U9_Cu
liga *f* league U2_2A
ligero/-a leicht U7_10A
lila lilac U4_1A
límite *m* limit U8_2B
estar limitado/-a (por) to be bodered (by) U8_5A
limón *m* lemon U7_7A
limpiar to clean U9_Cu
limpio/-a clean U6_2A
lindo/-a beautiful U3_5A
lino *m* linen U4_Cu
lío *m* mess / muddle U9_2A
estar listo/-a to be ready U9_Cu
literario/-a literary U4_Cu
literatura *f* literature U2_2A
Lituania *f* Lithuania U4_11A
llajhua *f* *spicy Bolivian tomato sauce* U3_Cu
se llama he/she/it is called U1_Gr
llamado called / named U8_2A
llamar to phone / to call U10_5A
llamarse to be named / called U1_Gr
me llamo my name is U1_1A
llanura *f* plain U3_Cu
llave *f* key U9_5
llegada *f* arrival U10_9A
llegar to arrive U6_5B
llenarse (de) to fill up (with) U8_5A
lleno/-a (de) full (of) U8_2A
llevar to carry / take with (me) U4_2B
llevar a cabo to carry out U10_Cu
llover *(ue)* to rain U3_3A
llucho *m* *typical woollen Anean cap* U4_Cu
lluvia *f* rain U4_Cu
lluvioso/-a rainy U3_2A
local local U2_Cu
locro *m* *stew with meat, beans and vegetables* U3_1B
lograr erlangen U3_Cu
lomo *m* pork U7_1A
lucero *m* bright star U4_Cu
lucha *f* struggle / fight U10_7B
lucha *f* **activa** active struggle U10_7B
luchador/a fighter U9_Cu
luchar to fight / struggle U9_10A
luego then / later U6_5B
lugar *m* place U2_Gr
en lugar de instead of U2_Cu
lugar *m* **de origen** place of origin U1_4B
lugarteniente *m* lieutenant U3_Cu
lujo *m* luxury U5_Cu
de lujo luxury U3_Cu

lujoso/-a luxurious U8_2A
luna *f* the moon U2_5A
luna *f* **de miel** honeymoon U10_8A
lunes *m* Monday U6_5A
Luxemburgo *m* Luxembourg U4_11A
luz *f* light U2_10A

 M

macarrones *m pl* macaroni U7_2A
macho *m* macho U2_Cu
madera *f* wood U4_Cu
madre *f* mother U4_Gr
madrileño/-a from Madrid U10_9A
madrugar to wake up early U6_Cu
maestro *m*, **maestra** *f* master U10_1A
maíz *m* corn / maize U3_Cu
majo/-a nice U5_Gr
mal *adv* bad U4_Cu
Malasia *f* Malaysia U4_11A
maleta *f* suitcase U4_Gr
Malta *f* Malta U4_11A
maltratado/-a mistreated U6_Cu
mamá *f* Mum / Mom U9_7A
mamífero *m* mammal U4_Cu
mañana tomorrow U3_3A
manera *f* way U7_6A
de manga corta short-sleeved U4_1A
de manga larga long-sleeved U4_1A
manifestar *(ie)* to show U9_Cu
mano *f* hand U2_Gr
mantel *m* tablecloth U9_Cu
mantener *(g)* to maintain U3_Cu
mantener *(g)* **la línea** to keep slim U6_Cu
mantener *(g)* **los pies en la tierra** to keep your feet on the ground U5_Cu
mantón de manila *m* *embroidered silk shawl* U4_Cu
manzana *f* apple U8_Cu
manzana *f* block U8_2A
maquillarse to get made up U6_1A
mar *m* sea U5_2A
maravilloso/-a wonderful U3_3A
marca *f* make / brand U4_11A
marcar to mark U10_Cu
estar marcado/-a por to be marked by U10_7B
marginado *m*, **marginada** *f* marginalised U10_Cu
marginal marginalised U1_10B
mariachi *m* *mariachi musician* U1_10B
marido *m* husband U5_4
mujer *f* wife U5_4
marinero *m* sailor U8_7A
marino marine *(adj)* U6_11A
marrón brown U4_1A
marroquí Moroccan U1_Gr
Marruecos *m* Morocco U4_11A
Marte *m* Mars U10_8A
martes *m* Tuesday U6_5A
marzo March U9_Cu
más o menos more or less U5_3A

más tarde later U7_4A
más more U3_3A
máster *m* Master's Degree U10_4
mate *m* mate (South American infusion) U3_Gr
maya *m* Mayan (language) U3_2A
maya Maya U3_3A
mayo *m* May U10_5A
mayonesa *f* mayonnaise U7_1A
(el/la) mayor the oldest / eldest U3_11C
mayoría *f* **(de)** most of U6_1B
con mayúsculas seriously good (etc9 U5_Cu
medicina *f* medicine U10_7A
médico *m*, **médica** *f* doctor U1_Gr
medieval medieval U8_2B
a mediados de los 60 in the mid 60s U10_2A
medio *m* medium U10_9A
a/al mediodía early afternoon U6_5B
medios de comunicación *m pl* the media U5_Cu
mediterráneo/-a Mediterranean U7_Cu
mejor *adv* better U7_Gr
mejorar to improve U2_3A
melancolía *f* melancholy U1_10B
melodía *f* melody U1_10B
melón *m* honeymelon U7_2A
memoria *f* memory U10_5A
al menos at least U6_10A
menos de less / fewer than U6_1A
mensaje *m* message U5_2A
mente *f* mind U9_Cu
mente despierta *f* an inquiring mind U9_Cu
mentir *(ie)* to lie / tell a lie U9_3A
menú *m* menu U7_2A
menú *m* **del día** set meal / today's special U7_2A
a menudo *adv* often U6_5A
mercado *m* market U4_11A
merecer *(zc)* **atención** to be worthy of attention U5_Cu
merendar *(ie)* to have a snack U7_Gr
merienda *f* snack U7_Gr
merluza *f* **a la romana** crumbed hake, fried U7_2B
merluza *f* hake U7_2B
mes *m* month U2_2A
mesa *f* table U9_Cu
mesa *f* **redonda** roundtable U6_10A
mestizaje *m* blend / mixture U5_Cu
meta *f* goal / aim U4_Cu
metafórico/-a metaforical U10_Cu
meterse en el personaje to get into the character / role U5_Cu
meticuloso/-a meticulous U5_Cu
metódico/-a methodical U9_Cu
metro *m* metro U1_2A
mexicano/-a Mexican U3_4
México *m* Mexico U1_10A
mezclar to mix U5_Cu
mi, mis *pl* my U1_4C
micrófono *m* microphone U5_9A
microondas *m* microwave U7_10A

miembro *m* member U8_Cu
mientras while U6_11A
miércoles *m* Wednesday U6_5A
miles de thousands of U8_Cu
militar to be a member of a political party U10_Cu
millón *m* million U3_1B
milonga *f* *music and dance genre from Argentina* U5_Cu
mimético/-a imitative U5_Cu
mineral mineral U3_Cu
minería *f* mining U3_Cu
ministro *m*, **ministra** *f* Minister U10_7B
minuto *m* minute U6_1A
mirar to watch / look U2_10A
mirarse to look at oneself U6_1A
mismo/-a same U5_3A
al mismo tiempo at the same time U9_10A
mítico/-a legendary U5_9A
mixto/-a mixed U7_2A
moda *f* fashion U4_11A
de moda fashionable U4_11A
estar de moda to be fashionable U2_Cu
modelo *m* model U4_1A
modernista Art Nouveau / Jugendstil U8_Cu
modernizar to modernise U1_10B
moderno/-a modern U8_5A
modo de vida *m* lifestyle U9_Cu
molestar to disturb U5_Cu
molino *m* **de viento** windmill U3_8
moneda *f* currency U3_1B
mono *m*, **mona** *f* monkey U9_Cu
montaña *f* mountain U3_1A
monumento *m* sight / monument U6_10A
morado/-a purple U4_Cu
morir *(ue)* to die U10_7A
moro *m*, **mora** *f* Moor / Moorish U7_8A
moros y cristianos Cuban rice and bean dish U7_8A
mostaza *f* mustard U7_1A
mostrar *(ue)* to show U8_Cu
moto *f* motorbike U2_Gr
móvil *m* mobile phone / cellphone U1_4B
movimiento *m* movement U10_7A
muchas gracias thank you very much U3_5A
muchas veces very often U3_Cu
muchísimo/-a very much U5_Cu
mucho *adv* a lot U2_9A
mucho/-a a lot U2_Cu
muchos/-as a lot / many U3_1A
muerte *f* death U10_7B
muerto/-a dead U4_Cu
muestra *f* sign U2_Cu
mujer *f* woman U4_9
mulita *f* armadillo U3_Cu
multifacético/-a multifacted U9_Cu
multimedia multimedial U5_9A
multinacional *f* multinational U10_Gr
multiplicarse to multiply U7_Cu
mundano/-a worldly U9_Cu

mundial worldwide U5_9A
mundialmente *adv* internationallly U10_7B
mundo *m* world U1_10B
mundo del espectáculo *m* showbusiness U9_Cu
muñeco *m* a doll U3_Cu
muñequito *m* a small doll U3_Cu
mural *m* mural U8_9A
muralista *m, f* mural artist U10_Cu
muralla *m* town wall U8_2B
murciélago *m* bat U9_Cu
murga *f* *band of street musicians* U5_Cu
museo *m* museum U1_2A
Museo *m* **del Prado** the Prado (main art gallery in Madrid) U1_2A
música *f* music U1_2A
música electrónica *f* electronic music U5_Cu
música *f* **clásica** classical music U5_3A
música *f* **electrónica** electronical music U5_3A
música folklórica *f* folk music10_Cu
música instrumental *f* instrumental music U10_Cu
música *f* **moderna** modern music U6_10A
música *f* **soul** soul U5_3A
música raï *f* raï U5_Cu
musical musical U5_Cu
músico *m*, **música** *f* musician U1_10B
músico clásico *m*, **música clásica** *f* classical musician U2_Cu
muy very / really U1_10B
muy bien very good / really good U1_Gr
muy mal very bad / really bad U2_8A

 N

nacer *(zc)* to be born U4_Cu
nacer en to be born in U1_10B
nacimiento *m* birth U5_1A
nacional national U5_9A
nacionalidad *f* nationality U1_4A
nada nothing U6_11A
nadar to swim U9_4A
nadie nobody U7_10A
ñandutí *m* spider's web (in Guarani) U4_Cu
naranja *f* orange (fruit) U7_Gr
naranja orange U4_1A
nativo/-a native-speaker U2_2A
natural natural U3_Cu
naturaleza *f* nature U2_6A
Navidad *f* Christmas U10_Gr
necesario/-a necessary U8_2B
necesidad *f* need U9_10A
necesitar to need U6_1A
negro/-a black U3_3A
nervioso/-a tense U9_1A
nevar *(ie)* to snow U3_Gr
ni idea no idea U3_10B
Nicaragua *m* Nicaragua U1_10A

niebla *f* mist U4_Cu
nieto *m*, **nieta** *f* grandson, granddaughter U5_4
nieve *f* snow U4_Cu
Nilo *m* Nile U3_Gr
ninguno/-a nobody U3_2A
niño *m*, **niña** *f* boy, girl U4_9
nivel *m* level U10_4
no no U1_2A
no importa it doesn't matter U3_3A
no me digas nada Don't say anything to me U6_11A
no me gusta nada … I don't like … at all U5_Gr
no me gusta nada … ni … I don't like … or …. at all U5_6
noble noble U5_Cu
noche *f* night U1_5A
de noche at night / night-time U6_6A
nociones básicas *f pl* basic knowledge U10_4
nómada nomad, U9_Cu
nombre *m* name U1_4A
nombre *m* **de pila** first / given name U1_Cu
normal normal U9_Gr
normalmente *adv* normally U1_10B
norte *m* North U8_7A
en el norte in the North U3_1A
norteamericano/-a American / North American U5_7
Noruega *f* Norway U4_11A
nos vemos See you later. U1_11
novela *f* novel U1_5A
novela *f* **rosa** romantic novel U9_3B
noviembre November U9_Cu
novio *m*, **novia** *f* boyfriend / girlfriend / partner U2_3A
nuestro/-a; nuestros/-as our *pl*
Nueva Zelanda *f* New Zealand U10_1A
nuevo/-a new U2_Gr
de nuevo *adv* again U10_7B
número *m* number U6_1B
número *m* **de teléfono** telephone number U1_4B
numerosos/-as several / numerous U5_9A
nunca never U4_2B

 O

o sea in other words U7_10A
objeto *m* object U3_Cu
obligar (a) to make somebody do something U10_Cu
obra *f* work / piece (artistic) U10_2A
obra de teatro *f* play (theatre) U4_Cu
obra maestra *f* masterpiece U8_Cu
observación *f* observation U9_Cu
observar to observer U5_Cu
obtener *(g)* to get / obtain U10_7B
ocasión *m* occasion U6_1A
octavo/-a eighth U4_11A

octubre *m* October U6_2A
ocupación *f* job U5_8A
odiar to hate U6_1A
oeste *m* West U3_1A
oferta *f* offer U8_7A
oficina *f* office U7_10A
oficio *m* profession U9_Cu
ofrecer *(zc)* to offer U7_Gr
oír *(oigo, y)* to hear U8_5A
ojo *m* eye U10_2A
olé bravo / olé U2_Cu
olímpico/-a olympic U8_Cu
olivo *m* olive tree U7_Cu
olvidarse (de) to forget something U9_Cu
opción *f* alternative / option U9_10A
ópera *f* opera U6_10A
opinar to think (have an opinion) U9_2A
opinión *f* opinion U7_10A
optimista optimistic U9_Gr
oral orla U10_4
orden *f* order U9_Cu
ordenar to organise / tidy up U3_Cu
ordenado/-a well-ordered U8_2A
ordenador *m* computer U10_1A
oreja *f* ear U1_Cu
organizado/-a organised U6_2A
origen *m* origin U1_10B
originalmente *adv* originally U4_Cu
originario/-a de originally from U4_Cu
orilla *f* shore / bank U4_Cu
Oscar *m* Oscar (Academy Award) U10_1A
oscuro/-a dark U9_Cu
oso *m*, **osa** *f* bear U3_8
oso panda *m* panda U6_2A
ostra *f* oyster U5_1A
otoño *m* Autumn U9_Cu
otro/-a other / another U1_10B

 P

paciencia *f* patient U9_Cu
paciente patient U9_1A
Pacífico *m* Pacific U3_3A
pacífico/-a peaceful U9_Cu
pacifismo *m* pacifist U10_Cu
padre *m* father U4_Gr
paella *f* *Valencian rice dish with seafood and/or meat* U3_1C
pagado/-a paid U3_2A
página *f* page U5_2A
país *m* country U2_2A
país *m* **de origen** home country U8_9A
paisaje *m* landscape / countryside U3_1A
paja straw U4_Cu
palabra *f* word U1_2A
palacete *m* small palace, villa U8_5A
palacio *m* palace U8_Cu
palmera *f* palm U3_8
pan *m* bread U7_2A
Panamá *m* Panama U1_10A

panorama *m* panorama / view U5_9A
pantalla *f* screen U2_2A
pantalón *m* trousers U4_2A
pañuelo *m* handkerchief U4_Cu
papá *m* Dad U9_7A
papel *m* paper U5_Cu
papis *(fam) m pl* Mum and Dad U3_3A
para + *inf* for + gerund U1_4B
para dos personas *f* for two people U3_2A
parada *f* **de autobús** bus stop U8_1A
Paraguay *m* Paraguay U1_10A
paralelamente *adv* at the same time U10_9A
paralelo/-a parallel U8_2A
parar to stop U6_6A
parecer *(zc)* to seem / to look like U5_2C
parecerse *(zc)* to look like somebody U9_2A
pared *f* wall U8_9A
pareja *f* partner U2_5A
pareo *m* lavlava / wrap-around cloth U4_Cu
párking *m* car-park U8_1A
parlanchín/parlanchina talkative / chatterbox U9_Cu
parque *m* park U3_5A
parque natural *m* national park U3_1B
parte *f* part U3_Cu
en gran parte largely U10_Cu
en todas partes everywhere U5_3A
participar to take part in U10_2A
particular individual / special U5_Cu
partido *m* match U2_2A
partir to leave U10_7B
a partir de from U5_Cu
a partir de ese momento from now on U10_7B
pasada la medianoche after midnight U6_Cu
pasado *m* past U8_5A
pasaje *m* back-street U8_5A
pasaporte *m* passport U4_2C
pasar inadvertido/-a to go unnoticed U9_Cu
pasar la aspiradora to vacuum U9_Cu
pasar por to go through U3_1A
pasárselo bien to have a good time U9_2A
pasear to go for a stroll / walk U1_9A
paseo *m* stroll / walk U8_Cu
pasión *f* passion U5_2A
paso *m* stay / visit U10_7B
pasta *f* **de dientes** toothpaste U4_2A
pastelería *f* cake shop / patisserie U9_10A
Patagonia *f* Patagonia U2_7
patata *f* potato U7_1A
patatas fritas *f pl* chips / French fries U7_Cu
patio *m* patio / courtyard U8_5A
patito *m* duck U1_Cu
pausa *f* pause U7_10A
pavo real *m* turkey U9_Cu
pedir *(i)* to ask for U6_5B

peinarse to brush / comb one's hair U9_Cu
película *f* film U2_2A
película *f* **de acción** action film U5_Gr
pelota *f* ball U1_Cu
peluquería *f* hairdresser's U6_1A
pensar *(ie)* to think U5_6
estar pensando to be thinking U9_2A
pepino *m* cucumber U7_Gr
pequeño/-a small U3_6A
perder *(ie)* to lose U9_5
pérdida *f* loss U9_10A
perdone pardon me / excuse me U7_3A
perfecto/-a perfect U3_5A
perfume *m* perfume U4_Gr
perfumería *f* perfume shop U1_2A
periódico *m* newspaper U2_9A
periodismo *m* journalism U10_Cu
periodista *m, f* journalist U1_Gr
periodo *m* period U4_Cu
permitir to let / allow U8_2B
pero but U2_8A
perpendicular perpendicular U8_2A
perro *m,* **perra** *f* dog U1_9A
perseverancia *f* perserverance U9_Cu
persona *f* person U3_2A
personaje *m* character U10_2A
personal personal U5_Cu
personalidad *f* personality U9_Cu
personalmente personally U10_2A
pertenecer *(zc)* **a** to belong to U5_Cu
perteneciente a belonging to U3_Cu
Perú *m* Peru U1_10A
peruano/-a Peruvian U3_Gr
pesar to weigh U4_Cu
pesca *f* fishing U3_Cu
pescadito *m* small fish U7_10A
pescado *m* fish U7_1A
pescador *m* fisherman U8_7A
pesimista pessimistic U9_Gr
peso *m* weight U6_2A
peso *m* Peso (currency) U3_1B
petróleo *m* petrol U3_Gr
piano *m* piano U9_2A
picante spicy / hot U7_8C
picar algo to have a bite to eat U6_Cu
pichurri *coll* darling / honey (used esp. for men) U1_Cu
a pie on foot U8_Gr
de pie *adv* standing up U6_Cu
con los pies en la tierra with ones' feet on the ground U5_Cu
piel *f* skin U6_1A
pimiento *m* paprika U7_2A
pintar to paint U10_2A
pintas *f pl* strange appearance / look U6_Cu
pintor *m,* **pintora** *f* painter / artist U6_6A
pintoresco/-a picturesque U8_5A
pintura *f* painting (activity) U5_Cu
pirámide *f* pyramid U3_6A
piscina *f* swimming pool U8_6C
piso *m* flat / apartment U8_2B
pista *f* **de esquí** ski piste / slope U3_8
pizza *f* pizza U7_10A

placer *m* pleasure U2_Cu
placita *f* small square (urban) U8_5A
plan *m* plan U8_2B
plan *m* **urbanístico** town plan U8_2B
a la plancha grilled U7_2A
planchar to iron U6_1A
planeta *m* planet U3_11C
planta *f* floor / storey U8_2A; plant U8_5A
plato *m* dish U3_3A
plato *m* **combinado** mixed dish U7_10A
plato típico *m* local speciality U2_9A
playa *f* beach U7_2A
plaza *f* square (urban) U1_2A
en pleno/-a + *n* in the middle of U10_9A
plomo *m* (here) a dead weight, normally lead (metal) U6_Cu
población *f* pupulation U3_1B
el más poblado with the highest population U3_6A
el poder *m* power U8_9A
poder *(ue)* + *inf* can / to be able to do something U6_2A
poder *m* **adquisitivo** spending power U9_10A
poema *m* poem U4_Cu
poema *m* **de amor** love poem U9_3A
poesía *f* poetry U6_Cu
poeta *m,* **poetisa** *f* poet U4_Cu
polideportivo *m* sports centre U8_7A
política *f* politics U2_6A
político *m,* **política** *f* politician U5_7
pollo *m* chicken U7_2A
Polonia *f* Poland U4_11A
poncho *m* poncho U4_Cu
poner *(g)* to put U7_3A
poner *(g)* **la lavadora** to put the washing machine on U9_7A
poner en marcha to get something started U4_Cu
ponerse *(g)* to put something on U4_Cu
ponerse *(g)* **perfume** *m* to put perfume on U6_1A
Pop Art *m* pop art U8_Cu
pop *m* pop U5_3A
pop rock *m* pop rock U5_3A
popular popular U1_10B
popularidad *f* popularity U5_Cu
por amor for love U9_3A
por aquí over here U8_4A
por completo fully / completely U10_2A
por ejemplo for example / for instance U3_5A
por favor please U1_9A
por fin at last U9_2A
por la mañana in the morning U6_5B
por la noche at night U5_Gr
por la tarde in the afternoon / evening U3_3A
por mi trabajo for my work U2_3A
por naturaleza naturally U9_Cu
por semana every week / weekly U7_10A
por su parte on his/her part U5_Cu

por suerte luckily / fortunately U6_6A
porque because U2_3A
porteño/-a from Buenos Aires U8_5A
portugués *m* Portuguese U2_8A
poseer to own / possess U9_Cu
posible possible U5_Cu
postal *f* postcard U2_9A
postrado/-a en una cama lying on a bed U10_Cu
postre *m* dessert U4_2C
practicar to practise U2_2A
precio *m* price U2_2A
precioso/-a beautiful / charming U3_3A
precolombino/-a pre-Columbian U7_Cu
preferido/-a favourite U5_1A
preferir *(ie)* to prefer U4_3A
pregunta *f* question U1_4B
preguntar to ask U1_4B
preguntarse to ask oneself U9_7A
preludio *m* prelude U4_Cu
premio *m* prize / award U6_9A
prenda *f* garment / item of clothing U4_Cu
preparar to cook U2_9A
presencia *f* presence U5_9A; impact / weight U10_9A
presente *m* the present U8_5A
presente present U7_Cu
estar presente to be present U8_9A
presidente *m*, **presidenta** *f* president U1_Gr
prestar to lend U7_Cu
prestigio *m* prestige U10_9A
presumido/-a conceited / vain U6_1B
previsión *f* forecast U2_Cu
primavera *f* Spring U8_Cu
primer/-a first U4_11A
a primera vista at first sight U9_3A
primero *m* starter / first course U7_2A
primero first U3_5A
primo *m*, **prima** *f* cousin (male), cousin (female) U8_7A
principal main U1_10B
principio *m* beginning U9_Cu
a principios de los 60 in the early 60s U10_9A
al principio at the beginning / initially U7_Cu
privado/-a private U8_Cu
probabilidad *f* likelihood / probability U10_Cu
probar *(ue)* to try (food) 10_3A
problema *m* problem U9_2A
procesión *f* procession U8_Cu
producción *f* production U10_9A
producir *(zc)* to produce U10_2A
producto *m* product U3_1B
productor *m*, **productora** *f* producer U3_11C
profesión *f* occupation U1_4A
profesional professional U5_9A
profesor *m*, **profesora** *f* teacher U1_Gr
profundamente *adv* deeply U10_Cu
profundo/-a deep U5_Cu

programa *m* programme U5_9A
programa *m* **de edición** layout programs U10_4
programar to programme U5_9A
progresivo/-a progressive U6_Cu
prohibido/-a banned U10_Cu
promocionar to promote / publicise U5_Cu
pronto *adv* soon U6_5B
pronunciación *f* pronunciation U2_2A
propaganda *f* propaganda U10_9A
propietario *m*, **propietaria** *f* owner U7_10A
propio/-a own U6_2A
proponer *(g)* to propose / recommend U7_9B
protagonizar to star (in) U10_7A
protector *m* **solar** Sun screen U4_2A
proteger to protect U4_Cu
provincia *f* province U4_Cu
proyectar to project / screen U10_1A
proyector *m* projector U10_1A
psicología *f* Psychology U9_Cu
psicológico/-a psychologist U10_Cu
el/la publicista *m*, *f* advertising agent U8_7A
publicitario/-a advertising U5_Cu
público *m* the public U4_11A
en público in public U10_Cu
pueblo *m* village U2_Gr
puerto *m* **de montaña** mountain pass U3_1A
Puerto Rico *m* Puerto Rico U1_10A
puertorriqueño/-a from Puerto Rico U8_9A
pues well U2_1B
puesto *m* post / position U9_Cu
punk *m* punk U10_2A
punto *m* point U9_Cu
puntual punctual U9_1A

Qatar *m* Qatar U4_11A
que that / which U5_6
que who (relative pronoun) U1_10B
¿qué? what? U1_2A
¿Qué le debo? How much do I owe you? U7_3A
¿Qué le pongo? What would you like (food or drink)? U7_3A
¿Qué onda? How's it going? (Mexico colloquial) U1_11
¿Qué pasa? What's up? What's wrong? U2_Cu
¡qué rollo! What a pain! What a hassle! U9_Cu
¿Qué tal? How's it going? U1_Gr
quechua Quechua U3_Cu
quechua *m* Quechua (indigenous Andean language) U3_Cu
quedar to remain / stay U9_Cu
quedarse to arrange to meet U5_Gr

quedarse en coma to be in coma U10_5A
quejarse to complain U6_Cu
quemarse to get burned U6_11A
querer *(ie)* to would like to U2_1B; to want U2_5B
quería I/he/she wanted U4_5A
quesadilla *f* *folded tortilla* (Mexico) U8_9A
queso *m* cheese U1_6
¿quién? who? U5_6
quiero I want / would like U2_1B
te quiero I love you U2_10A
quilo *m* kilo U1_6
quinto/-a fifth U9_Cu
quizá perhaps / maybe U2_Cu

radio *f* radio U6_10A
raíz *f* root U5_Cu
rama *f* branch U4_Cu
rápidamente *adv* fast / quickly U7_Cu
rápido/-a fast / quick U6_2A
raramente *adv* unusually / rarely
raro/-a strange U9_1A
de rayas striped U4_1A
rayón *m* rayon U4_Cu
razón *f* reason U2_Cu
real real U5_Cu
realidad *f* reality U10_7B
en realidad in reality U9_2A
realista realistic U9_Gr
realizador *m*, **realizadora** *f* producer U10_2A
realizar to carry out / do U6_2A
realmente really U9_Cu
rebozo *m* shawl U4_Cu
receta *f* recipe U7_Cu
recibir to receive / get U10_1A
recinto *m* spot / venue U8_Cu
recoger *(j)* to pin up (hair) / to pick up (someone) U4_Cu
reconocer *(zc)* to recognise U10_2A
reconocimiento *m* recognition U6_Cu
recopilar to collate / compile U10_Cu
recordar *(ue)* to remember U6_11
recorrer to cover / stretch (distance) U3_1A
recto/-a straight U8_2A
recurrir (a) to resort to U9_10A
red *f* network U5_9A
referirse *(ie)* **a** to refer to U2_Cu
refinamiento *m* refinement U9_Cu
reflejarse to be reflected in U10_Cu
regalo *m* blessing / gift U7_Cu
regalo *m* gift / present U4_2C
reggae *m* reggae U3_6A
región *f* region U3_Gr
regular not so good U2_8A
Reino Unido *m* United Kingdom U4_11A
reinterpretar reinterpretation U5_Cu
reír *(i)* to laugh U9_Cu

relación *f* relationship U5_8A
relacionarse (con) to mix with U10_Cu
relaciones públicas *f pl* PR officer (Public Relations) U9_Cu
relato *m* short stories U10_2A
relevante outstanding / leading U5_9A
religioso/-a religious U8_Cu
remodelación *f* redesigning U8_Cu
Renacimiento *m* Renaissance U8_Cu
representante *m, f* representative U10_Cu
representar to represent U10_7B
república *f* republic U4_Cu
República Checa *f* Czeck Republic U4_11A
República Dominicana *f* Dominican Republic U1_10A
rescatar to rescue U10_Cu
reserva *f* natural reserves U3_Cu
reservado/-a introverted / reserved U9_Cu
residencia de estudiantes *f* student hall of residence U4_Cu
resolver *(ue)* to sort out / solve U9_Cu
respeto *m* respect U9_Cu
respirar to breathe U8_9A
responsabilidad *f* responsibility U9_Cu
responsable responsible U9_1A
respuesta *f* answer U3_2A
restaurante *m* restaurant U1_2A
el resto (de) the rest (of) U3_Cu
restos *m pl* mortal remains U10_7B
resultado *m* result U6_1B
resultar to turn out (to be) U7_Cu
retratar to portray U10_7B
retrato *m* portrait U10_Cu
reunirse to meet up / gather U8_5A
revista *f* magazine U2_9A
revolución *f* revolution U10_7B
revolucionario/-a revolutionary U10_7A
rico/-a tasty / delicious U3_3A
riesgo *m* risk U9_Cu
rigor *m* discipline / meticulousness U5_Cu
rincón *m* corner (inside) U10_Cu
río *m* river U3_2A
riqueza *f* wealth U3_Cu
ritmo *m* rhythm U8_6B
rock *m* rock U5_3A
rodar *(ue)* to surround U10_9A
rodeado/-a (de) surrounded (by) U8_2B
roedor *m* rodent U4_Cu
rojo/-a red U4_1A
romance *m* romance / love affair U10_1A
Romanche *m* Romance (Swiss language) U3_6A
romano/-a Roman U3_5A
romanticismo *m* romanticism U9_3B
romántico/-a romantic U9_3A
romper to break U9_Gr
ron *m* rum U3_Cu
ropa *f* clothing / clothes U1_9A
ropa *f* **de deporte** sportswear U4_2C

rosa *f* rose U2_10A
rosa pink U4_1A
rostro *m* face U5_Cu
rugby *m* rugby U5_Cu
ruido *m* noise U8_2A
ruidoso/-a noisy U8_3A
ruina *f* ruin U3_3A
Rumanía *f* Rumania U4_11A
Rusia *f* Russis U4_11A
ruso *m* Russian U2_11
ruta *f* route U3_1A
rutina *f* routine U9_Cu

sábado *m* Saturday U6_5A
sábana *f* sheet U9_Cu
saber to know U1_4B
saber + *inf* to know how to + verb U2_8A
Sagrada Familia *f* Sagrada Familia (Gaudí's unfinished basilica in Barcelona) U3_8
sal *f* salt U7_Gr
sala *f* **de encuentros** meeting room U3_5A
salchicha *f* sausage U9_Cu
salchicha *f* **de frankfurt** Frankfurt sausage U7_1A
salchichón *m* cured sausage U7_1A
salir *(g)* to go out U9_Cu
salir *(g)* **de noche** to go out at night U1_5A
salsa *f* salsa U1_10B
salsa *f* sauce U7_1A
saltar to jump U4_Cu
saludo *m* greeting U2_Cu
El Salvador *m* El Salvador U1_10A
San Valentín *m* St. Valentine U2_10A
sandalia *f* sandal U4_2A
sangría *f* Sangria (red wine with orange, lemon, sugar) U7_Gr
sano/-a healthy U6_9A
santo *m*, **santa** *f* Saint U10_Cu
sardina *f* sardine U7_2B
secador *m* **de pelo** hairdryer U4_2A
seco/-a dry U3_1B
secretario *m*, **secretaria** *f* secretary U1_Gr
secreto *m* secret U9_Cu
sector *m* sector U5_9A
seda *f* silk U4_Cu
sede central *f* head office U4_11A
seducir *(zc)* to seduce U9_Cu
seductor/a seductor U9_Cu
seguir *(i)* to follow U2_10A
según according to U2_Cu
segundo *m* main course U7_2A; second U6_11A;
segundo/-a second (place) U3_11C
seguramente *adv* surely U2_Cu
estar seguro/-a to be sure U3_1B
estar seguro/-a de sí mismo/-a to be sure of oneself U9_Cu

sello *m* stamp U1_5A
selva tropical *f* tropical jungle U3_1A
semana *f* week U2_2A
semana pasada *f* last week U10_3A
Semana Santa *f* Easter U8_Cu
semilla *f* seed U4_Cu
sencillo/-a easy / simple U7_10A
señor *m*, **señora** *f* man , sir, Mr / woman, madam, Ms U5_7
señor *m* **mayor, señora** *f* **mayor** elderly man, gentleman / elderly woman, lady U5_7
sensibilidad *f* sensitivity U10_Cu
sensible sensitive U9_Cu
sentar las bases de to lay the foundations U10_9A
sentido *m* sense U9_Cu
sentido *m* **del humor** sense of humour U9_2A
sentimental sentimental U10_9A
sentimiento *m* feeling U9_3B
sentir *(ie)* to feel U2_10A
sentirse *(ie)* **bien/mal** to feel good/bad U9_3B
septiembre *m* September U5_9A
séptimo/-a seventh U9_Cu
ser to be U1_Gr
ser capaz de to be capable of U5_Cu
ser considerado/-a to be considered U7_Cu
ser humano *m* human being U7_Cu
ser millonario/-a to be a millionaire U2_5A
ser necesario/-a to be necessary U9_Cu
ser verdad to be true U6_Cu
serio/-a serious / reliable U5_Gr
serpiente *f* snake U1_Cu
servicio *m* service U8_2A
servir *(i)* **para** to be used for U9_10A
servir *(i)* to serve U6_5B
sevillanas *f pl* *Sevillan dance* U8_Cu
sevillano/-a from Seville U8_Cu
sexto/-a sixth U9_Cu
si if / when U6_Cu
si no otherwise U7_10A
sí yes U1_Gr
siempre always U4_2B
siesta *f* siesta / nap U6_9B
siestecita *f* forty winks / short nap U7_10A
siglo *m* century U10_Gr
significa it means U1_2A
significar to mean U4_Cu
siguiente next / following U4_11A
sillita *f* little chair U1_Cu
símbolo *m* symbol U8_Cu
simpático/-a nice / friendly U3_3A
simplemente *adv* simply U6_11A
sin without U5_9A
sin duda no doubt U9_3B
sin embargo nevertheless / however U7_10A

Singapur *m* Singapore U4_11A
sino if not U5_Cu
síntesis *f* synthesis U10_Cu
sistema *m* system U7_Cu
situado/-a located U8_7A
ska *m* ska U5_Cu
sobre about U3_2A
sobre el nivel del mar above sea level U3_Cu
sobre las 10h at about 10 o'clock U6_6A
sobre todo above all U5_2A
sociable sociable U5_Gr
social social U2_2A
sofá *m* sofa U10_2A
sol *m* Sun U8_2B
soldado soldier U1_Cu
soledad *f* loneliness U6_Cu
solemne solemn U8_Cu
soler *(ue)* + *verb* usually does something U9_Cu
solo only U6_1A
sólo just / only U9_Cu
solo/-a alone U6_11A
solucionar to solve U9_10A
sombrero jipijapa *m* Panama hat U4_Cu
son *m musical genre in Cuba* U5_Cu
son traídos/-as they are brought from U7_Cu
sonámbulo/-a sleepwalker U4_Cu
sonar *(ue)* to sound U9_2A
soñar to dream U2_10A
sonidos *m pl* sounds U1_10B
sonoridad *f* sound (style) U5_Cu
sonrisa *f* smile U9_2A
sopa *f* soup U7_2A
sorprender to surprise U5_Cu
sorpresa *f* surprise U9_2A
soy I am U1_1A
su; sus *pl* his/her/its, and (formal) your *pl* U1_Gr
subtítulo *m* subtitle U2_Cu
Sudamérica South America U4_Cu
Suecia *f* Sweden U4_11A
suele acoger it usually hosts U5_9A
suerte *f* luck U9_Gr
suficiente enough / sufficient U8_9A
sufrir to suffer U10_9A
suicidarse to commit suicide U10_Cu
Suiza *f* Switzerland U4_11A
suizo/-a Swiss U7_Cu
sujetador *m* bra U4_2A
superlativo *m* superlative U3_11C
supermercado *m* supermarket U3_2A
sur *m* South U1_10B
al sur to the South U3_11C
en el sur in the South U3_1A
surgir to emerge U10_9A
Surrealismo *m* Surrealism U8_Cu
surrealista surrealist U10_9A
suspense *m* suspense (in literature and lm) U10_1A

tabaco *m* tobacco U7_Cu
tacón *m* heel U4_Cu
Tailandia *f* Thailand U3_9A
Taj Mahal *m* Taj Mahal U3_8
talento *m* talent U5_Cu
talla *f* **grande** large size (L) U4_1A
talla *f* **mediana** medium size (M) U4_1A
taller *f* workshop U2_2A
tamal *m* tamale (Central American dish) U3_3A
también also / too U3_1A
tan so U7_Cu
tan difícil so hard / difficult U6_11A
tango *m* tango U1_10B
tanto so much U6_11A
tanto... como... both ... as well as... U1_Cu
Tanzania *f* Tanzania U3_6B
tapa *f* tapas (small portions or hors d'oeuvres) U1_2A
taquillero/-a box office hit U10_2A
tarde afternoon / evening U6_5B
tarea doméstica *f* housework / chore U9_Cu
tarjeta *f* **de crédito** credit card U4_2A
tarta *f* **de cumpleaños** birthday cake U9_10A
tarta *f* cake / pie U9_10A
taxi *m* taxi U1_2A
taxista *m, f* taxi-driver U6_6A
té *m* tea U7_7A
teatral theatrical / theatre- U4_Cu
teatro *m* theatre U1_2A
técnica *f* technique U7_Cu
tejer to weave / to make U4_Cu
tejido *m* fabric / weave U4_Cu
tejido/-a a mano hand-sewn U4_Cu
tela *f* cloth / fabric U10_2A
telaraña *f* spider's web U4_Cu
tele *f* telly U1_5A
teléfono *m* **público** public telephone U8_1A
teléfono *m* telephone U1_2A
telenovela *f* TV soap opera U2_2A
televisión *f* television U1_2A
tema *m* question / theme U6_Cu
templado/-a warm U3_1B
tendencia *f* trend U5_9A
tener to have / own U1_Gr
tener *(g)* **que** + *inf* have to do something U4_2C
tener como base is based on U7_Cu
tener forma (de) have a shape U3_Cu
tener ganas keen to do something U9_Cu
tener hambre to be hungry U7_4A
tener hijos to have children U2_5A
tener relaciones sexuales to have sexual relations U9_9
tener sentido to make sense U9_Cu

tengo I have (present simple of *tener*) U1_4C
Tengo 24 años. I'm 24 (years old). U1_4B
tenis *m* tennis U1_5A
tequila *m* tequila U3_2A
tercer/a third U2_Cu
terminar to finish / complete U4_Cu
terminar to finsih U6_6A
territorio *m* territory / land U2_Cu
test *m* test U6_1A
tetería *f* tea house U8_5A
tiempo *m* time U7_7A
del tiempo room temperature U7_7A
en tiempo de in the time of U7_Cu
tiempo *m* **libre** free time U5_6
tienda *f* shop U4_11A
tienda *f* **de ropa** clothes shop U4_11A
tiene he/she/it has (got) U1_Gr
tienes you have U1_4B
tímido/-a shy / timid U5_Gr
tío *m*, **tía** *f* uncle, aunt U9_6A
típicamente *adv* typically U10_9A
típico/-a typical / traditional U1_10B
tipo *m* type / kind U3_Gr
tipo *m*, **tipa** *f* guy / person U5_Cu
título *m* title U5_1A
tiahuanacota pre-Columbian culture in Bolivia U3_Cu
toalla *f* towel U4_2A
tocan they play (an instrument) U1_10B
tocar to play (music) / to touch U6_Cu
tocar un instrumento to play a musical instrument U1_10B
todavía still / yet U7_10A
de todo a bit of everything U5_3A
¿Todo bien? Is everything okay? U1_11
todo el mundo everybody / everyone U3_3A
todo el, toda la + *n* all the + noun U1_10B
todo recto straight ahead U8_4A
todo vale anything goes U5_Cu
todos los días every day U6_1A
tomando el sol sunbathing U1_Cu
tomar to have, to take (food or drink) U7_7A
tomar decisiones to make / take decisions U9_Cu
tomar el sol to sunbathe U4_2C
tomate *m* tomato U7_1A
top *m* top (clothing) U4_Cu
torero *m*, **torera** *f* bullfighter U10_1A
toro *m* bull U2_6A
torre *f* tower U4_Cu
Torre *f* **de Pisa** Leaning Tower of Pisa U3_8
tortilla *f* omelette U2_Cu
tortilla *f* **de patatas** Spanish (potato) omelette U7_1A
tortilla *f* **francesa** French omelette U7_1A
tortuga *f* turtle U6_2A
tostada *f* toasted U7_Gr

en total in all / adding up to U8_2B
en su totalidad entirely U10_1A
totalmente fully / completely U9_2A
trabajador *m*, **trabajadora** *f* hard-working U5_Cu
trabajador/-a worker U6_9A
trabajar (de/en) to work (as/in) U1_4B
trabajar en equipo teamwork U9_Cu
¿En qué trabajas? What's your job? U1_4B
trabajo *m* work U2_3A
tradición *f* tradition U5_Cu
tradicional traditional U3_4
traducción *f* translation U10_4
traducir *(zc)* to translate U2_9A
traductor *m*, **traductora** *f* translator U10_4
traer to bring U7_3A
tráfico *m* traffic U8_2A
trámite *m* procedure / formality U6_Cu
tranquilo/-a quiet / calm U8_2A
transformación *f* transformation U8_Cu
transportar to transport U8_Cu
tras after / following U10_9A
trasladarse to move (house, town etc) U10_2A
a través de through / by means of U9_10A
trigo *m* wheat U7_Cu
trilogía *f* trilogy U10_1A
triste sad U10_9A
triunfar to succeed / triumph U5_Cu
triunfo *m* triumph U9_Cu
trompeta *f* trumpet U1_10B
tropical tropical U3_Cu
trueque *m* barter U9_10A
tú you (familiar subject pronoun) U1_Gr
tu; tus *pl* your (familiar) *pl* U1_4B
tumba *f* grave U10_7B
turbante *m* turban U4_Cu
turco/-a Turkish U1_Gr
turismo *m* tourism U3_Cu
turístico/-a tourist *(adj)* U3_1B
turno *m* shift U6_6A
Turquía *f* Turkey U4_11A

u or (before word starting with o-) U3_Cu
últimamente *adv* recently / lately U5_3A
último/-a last / latest U5_9A
un poco (de) a little of / a bit U2_8A
un rato for a while U6_6A
una vez al mes once a month U6_1A
únicamente *adv* only / just U8_9A
único/-a only / one U6_6A
unir to link / join U5_Cu
estar unido por to be linked by U3_1A
universidad *f* university U6_5B
universitario/-a university student U8_5A
Urales *m pl* Urals U3_6A

urbanístico/-a urbanistisch U8_Cu
Uruguay *m* Uruguay U1_10A
uruguayo/-a Uruguayan U1_3A
usar to use U4_Gr
uso *m* use U8_2B
utilizar to use / utilise U10_9A

vaca *f* cow U7_Cu
vacaciones *f pl* holidays / vacations U1_9A
vago/-a lazy U6_9A
vajilla *f* dishes / dinner set U9_Cu
vale okay U4_5A
¿vale? okay? U3_3A
valiente brave U9_Cu
vallenato *m style of Columbian folk song* U5_Cu
valor *m* worth U9_5
de valor worth a lot of money U9_5
al vapor steamed U7_Gr
vanguardia *f* avant-garde U10_Cu
variado/-a varied U10_Cu
variante *f* variety / version U2_Cu
varios/-as several U6_1A
vasco *m* Basque U3_1C
a veces sometimes U6_1A
vecino *m*, **vecina** *f* neigbour U8_2B
vegetación *f* vegetation U8_5A
vegetal vegetables / without meat U7_1A
vegetariano/-a vegetarian U9_8B
vela *f* candle U9_Cu
velocidad *f* speed U6_2A
venado *m* deer U9_Cu
vendedor *m*, **vendedora** *f* salesman / saleswoman U4_9
venenoso/-a poisonous U7_Cu
venezolano/-a Venezuelan U1_3A
Venezuela *m* Venezuela U1_10A
venga all right then / okay then U7_4A
vengativo/-a vindictive U9_Cu
ventana *f* window U6_11A
ventanita *f* small window U4_Cu
ver to see U1_5A
a ver let's see U8_4A
ver la tele to watch TV U1_5A
verano *m* summer U7_3A
verbo *m* verb U9_Cu
verdad *m* truth U7_10A
¿verdad? Isn't that true / right? U3_1B
la verdad es que... the truth is that... U7_10A
verdadero/-a real / genuine U5_9A
verde green U4_1A
verdoso/-a greenish U9_Cu
verdura *f* vegetable U7_1A
versión original *f* undubbed U2_Cu
vestirse to get dressed U6_1A
viajar to travel U1_9A

viajar por Sudamérica *f* to travel through South America U2_3A
viaje *m* trip / journey U3_2A
viajero *m*, **viajera** *f* traveller U8_Cu
vid *f* vine U7_Cu
vida *f* life U2_10A
en vida during his/her life U4_Cu
vida cotidiana *f* everyday life U7_Cu
vida nocturna *f* nightlife U2_6A
viejo/-a old U4_Gr
viento *m* wind U4_Cu
viernes *m* Friday U5_Gr
vinagre *m* vinegar U7_Gr
vino *m* wine U3_Gr
vino *m* **blanco** white wine U7_7A
violeta violet U9_Cu
violín *m* violin U1_10B
virilidad *f* virility U3_Cu
visión *f* vision U10_Cu
visita *f* visit U8_Cu
visitante *m, f* visitor U8_Cu
visitar to visit U2_Gr
viva long live! U2_2A
vivienda *f* dwelling / house U9_9
viviendo deprisa living life in the fast lane U5_1A
vivir (en) to live (in) U1_4C
volcán *m* volcano U3_11C
volumen *m* volume U6_2A
volver *(ue)* to go back / return U6_6A
vosotros *m*, **vosotras** *f* you (plural, familiar) U1_1A
voz *f* voice U10_Cu
vuelta *f* the ups and downs U6_11A
vuestro/-a your (plural, familiar) U5_2A

y and U1_1A
ya now U7_10A
ya que since / as U8_2B
yo I U1_1A
yoga *m* yoga U6_5A
yogur *m* yoghurt U7_2A
Yucatán *m* Yucatán U3_2A

zapato *m* shoe U1_6
zarzuela *f Spanish light opera* U6_10A
zodíaco *m* Zodiac U9_Cu
zona *f* area / zone U3_1A
zona *f* **peatonal** pedestrian zone U8_1A
zona *f* **residencial** residential area U8_5A
zona *f* **verde** green zone U8_2A
zona rural *f* rural area U10_Cu
zoo *m* zoo U1_6
zorro *m* fox U9_Cu
zumo *m* fruit juice U7_4A